HÔTEL VENDÔME

DU MÊME AUTEUR
CHEZ LE MÊME ÉDITEUR

Danielle Steel

HÔTEL VENDÔME

Roman

Traduit de l'anglais (Etats-Unis)
par Nelly Ganancia

Titre original : *Hotel Vendôme*

© Danielle Steel, 2011
Tous droits réservés, incluant tous les droits de reproduction d'une partie ou de toute l'œuvre sur tous types de support
© Presses de la Cité, 2013 pour la traduction française
ISBN 978-2-258-09373-7

Presses
de   un département **place des éditeurs**
la Cité

place
des
éditeurs

A mes adorables et merveilleux enfants,
Beatie, Trevor, Todd, Nick, Sam,
Victoria, Vanessa, Maxx et Zara,
Joie de ma vie, musique de mon âme,
Vous êtes la lumière de mes jours !
Quelle chance et quelle bénédiction
De vous avoir !

Avec tout mon amour,
Maman/D. S.

1

Le hall de l'hôtel Vendôme, situé sur la 69e Rue à New York, respirait l'élégance et le souci du détail. Dallage de marbre noir et blanc immaculé, tapis rouges déroulés à la première goutte de pluie, stucs splendides, sans oublier un imposant lustre de cristal : tout était digne des palaces européens. A dire vrai, la ressemblance du Vendôme avec le Ritz de Paris était presque parfaite, malgré des dimensions bien plus réduites. Aussi la clientèle cosmopolite n'était-elle pas surprise d'apprendre que le propriétaire des lieux, formé dans les plus beaux hôtels du Vieux Continent, avait été directeur adjoint du célèbre établissement parisien pendant deux ans.

Hugues Martin, la quarantaine, diplômé de la prestigieuse Ecole hôtelière de Lausanne, avait réalisé son rêve en s'installant à Manhattan, dans l'Upper East Side. Quelle chance il avait eue, cinq ans plus tôt ! Pourtant, à l'annonce de ses ambitions professionnelles, ses parents avaient été catastrophés. Son père, un banquier suisse, estimait dégradant de travailler dans un hôtel, ou même d'en diriger un. Sa mère, une femme conservatrice, n'en pensait pas moins, et tous deux avaient vivement désapprouvé son choix. Leurs objections s'étaient révélées vaines : après quatre ans à

Lausanne, Hugues avait effectué des stages, puis endossé des fonctions importantes à l'hôtel du Cap à Antibes, au Ritz à Paris, au Claridge de Londres et même, pour quelque temps, au célèbre Peninsula de Hong Kong. Il s'était alors promis de s'établir aux Etats-Unis et de se mettre un jour à son compte.

Hugues travaillait au Plaza de New York et se croyait à des lieues de pouvoir réaliser son projet, quand les événements se précipitèrent. Il apprit la mise en vente du Mulberry, un petit hôtel en décrépitude depuis des années. En dépit de sa localisation privilégiée, personne ne l'aurait qualifié de chic, ce qui n'empêcha pas Hugues de rassembler ses économies, de contracter tous les emprunts que l'on voulut bien lui accorder en Suisse comme en Amérique, et d'engager la totalité du modeste héritage laissé par ses parents, qu'il avait investi jusque-là dans des placements fiables. Sou après sou, il parvint à réunir la somme nécessaire pour racheter les murs. Il entreprit aussitôt les rénovations et, deux ans plus tard, le Vendôme voyait le jour, sous les yeux ébahis des New-Yorkais. La plupart d'entre eux ne s'étaient jamais aperçus de la présence d'un hôtel à cet endroit.

Dans les années 1920, le bâtiment avait abrité une clinique privée, puis avait été transformé avec beaucoup de mauvais goût en hôtel vingt ans plus tard. A présent, le lieu était méconnaissable : chaque centimètre carré était grandiose et les prestations étaient exceptionnelles. Des chefs de renommée internationale avaient été recrutés pour le restaurant, et la responsable dès banquets et séminaires était une référence dans son domaine. Même les en-cas commandés au service d'étage faisaient l'unanimité.

Dès la première année, ce fut un succès. Au bout de trois ans, Hugues possédait le petit hôtel le plus en vue de New York, doté d'une suite présidentielle prestigieuse. Des clients du monde entier réservaient plusieurs mois à l'avance. Il faut dire qu'avec sa décoration sublime, ses cheminées et ses hauts plafonds le Vendôme était un vrai bijou. La façade étant orientée au sud, la majorité des chambres bénéficiait d'une bonne exposition. De plus, Hugues avait sélectionné les plus beaux articles de porcelaine et de cristal, le linge le plus fin et autant d'objets anciens que le lui avait permis son budget. Le grand lustre du hall, par exemple, provenait d'un château du Bordelais. Hugues avait acheté cette pièce magnifique, en parfait état, lors d'une vente aux enchères chez Christie's, à Genève. Pour ne rien gâter, la décoration florale était somptueuse.

Hugues dirigeait son établissement de cent vingt chambres d'une main de fer et avec une précision tout helvétique. Il ne se départait toutefois jamais de son sourire chaleureux. Il mesurait l'importance d'un accueil de qualité, aussi essentiel à sa clientèle que le cadre luxueux.

Il suffisait de franchir le seuil pour être transporté dans un monde à part. Un jeune groom était posté près de la porte à tambour, dans un uniforme inspiré de ceux du Ritz : pantalon marine, veste courte avec un fin galon doré au col, petite toque inclinée sur la nuque et maintenue par une jugulaire sous le menton. Dans le hall, une armée de chasseurs empressés, discrets et professionnels, se chargeait de satisfaire les moindres demandes des clients dans les plus brefs délais. Ils étaient prêts à rendre tous les services – du moins dans les limites du bon goût et de la légalité – et tenaient à jour un registre où ils consignaient les desiderata des hôtes de marque. A l'instar des sous-directeurs du Ritz, ceux d'Hugues officiaient en habit noir et s'assuraient que chaque chef de service se montre à la hauteur des exigences de leur patron. Ce dernier, costume bleu foncé, chemise blanche et cravate sombre de chez Hermès, restait sur le pont jour et nuit. Aucun détail n'échappait à son œil exercé, il veillait à tout et sa mémoire était exceptionnelle. Chaque fois que possible, il se faisait un devoir d'accueillir en personne les clients importants.

Malgré les critiques de ses parents, Hugues ne pouvait s'empêcher de croire qu'ils auraient été fiers de lui à présent, car il avait su faire bon usage de leur héritage. Au cours de ces trois années, son entreprise avait été si prospère qu'il s'était acquitté de presque toutes ses dettes.

Hélas, ce succès lui avait coûté bien plus que des jours et des nuits de travail acharné : en gagnant un hôtel, il avait perdu une épouse. Cette rupture avait alimenté de nombreux commérages parmi les membres du personnel, et même les clients s'étaient mis à jaser.

Tout avait commencé neuf ans plus tôt. Hugues travaillait alors au Claridge de Londres, où il avait fait la connaissance de la sublime Miriam Vale, top-modèle mondialement célèbre. Comme tout un chacun, il avait été subjugué par cette grande blonde aux yeux bleus. S'il était resté parfaitement professionnel, la jeune femme, elle, n'avait pas dissimulé ses intentions à son égard, et Hugues avait été conquis. Dans l'élan de cette période d'euphorie, il avait accepté un poste moins élevé au Plaza afin de suivre la belle Américaine à New York et prolonger leur idylle. A son grand étonnement, elle était tout aussi éprise que lui. Ils se marièrent moins de six mois après leur rencontre, et Hugues entama la période la plus heureuse de sa vie.

Leur fille, Héloïse, naquit dix-huit mois plus tard. Même s'il ne se l'avouait qu'en tremblant, de peur d'attirer l'attention capricieuse des dieux, il se sentait désormais comblé. Entièrement dévoué à son épouse, il l'aimait comme un fou et lui restait fidèle malgré les nombreuses tentations auxquelles sa profession l'exposait.

Ses parents, quant à eux, s'étaient révélés encore plus sceptiques envers Miriam qu'ils ne l'avaient été envers sa vocation pour l'hôtellerie. Ils doutaient fort qu'un mannequin de vingt-trois ans, d'une beauté renversante, habituée à considérer ses désirs comme des ordres, fasse une bonne épouse.

Les collègues d'Hugues avaient accueilli avec attendrissement l'arrivée du bébé, tout en taquinant le jeune couple sur le choix du prénom. Ils y voyaient une allusion évidente à la petite héroïne de six ans qui vit au Plaza, l'intrépide Eloïse, inventée par l'écrivain Kay Thompson. Hugues les avait cependant détrompés : sa fille avait été baptisée ainsi en hommage à son arrière-grand-mère. Et d'ailleurs, il n'avait pas l'intention de passer toute sa vie au Plaza. La suite lui donna raison : avant le troisième anniversaire d'Héloïse, il achetait le Mulberry, futur Vendôme. Miriam, pour sa part, ne cacha pas ses réserves ; elle craignait que son mari n'investisse trop de temps et d'énergie dans la réalisation de son rêve.

Après deux années de travaux, Hugues avait légèrement dépassé son budget initial, mais le résultat était bien au-delà de ses espérances. Miriam et lui étaient mariés depuis six ans quand le Vendôme ouvrit ses portes. Elle avait gracieusement accepté de poser pour les affiches publicitaires ; le fait que le propriétaire soit l'époux de Miriam Vale conférait un charme supplémentaire à l'endroit. Les hommes, en particulier, espéraient apercevoir le célèbre mannequin dans le hall ou au bar. En réalité, c'est sa petite fille de quatre ans que l'on croisait le plus souvent, toujours sur les talons de son père, avec pour escorte l'une des femmes de chambre. « Héloïse du Plaza » était devenue « Héloïse du Vendôme », la mascotte de l'hôtel. Elle attirait la sympathie de tous ceux qui la rencontraient, et faisait de toute évidence la joie et la fierté de son papa.

Peu de temps après l'ouverture, Greg Bones, rock star de sinistre réputation, loua l'une des luxueuses suites du dernier étage. Il tomba littéralement sous le charme de l'hôtel. Hugues avait éprouvé quelque réticence à le recevoir, le chanteur étant connu pour saccager les chambres où il séjournait, mais à son grand soulagement, il ne causa pas trop de dégâts matériels...

En revanche, le lendemain de son arrivée, il rencontra Miriam Vale-Martin, qui prenait un verre au bar en fin d'après-midi, entourée de plusieurs stylistes, assistantes et responsables éditoriaux, ainsi que d'un photographe célèbre. Ils venaient de terminer les prises de vue pour six doubles pages dans *Vogue* et invitèrent Greg Bones à se joindre à eux dès qu'ils l'eurent reconnu. Les événements s'emballèrent. Miriam passa presque toute la nuit dans la suite de Greg. Alors qu'Hugues la croyait encore en séance de photos, aucune femme de chambre n'ignorait où elle se trouvait : le personnel du service d'étage s'en était aperçu quand Greg avait commandé du caviar et du champagne à minuit. Dès lors, la rumeur s'était répandue comme une traînée de poudre. Elle parvint aux oreilles d'Hugues avant la fin de la semaine.

Comme l'appartement privé dont disposait la petite famille se trouvait juste en dessous des suites les plus luxueuses, les agents de sécurité ne pouvaient ignorer le manège de Miriam, qui empruntait l'escalier de service pour se glisser chez son amant dès que son mari descendait au bureau. Hugues ne savait s'il valait mieux la mettre au pied du mur ou bien prier pour que ce ne soit qu'une passade. Craignant de rendre la situation encore plus embarrassante s'il demandait à la rock star de s'en aller, il implora sa femme de reprendre ses esprits et de se racheter une conduite. Il lui suggéra de prendre quelques jours de vacances. Ce qu'elle fit, mais avec le chanteur. Elle embarqua pour Los Angeles dans son jet privé, laissant Héloïse avec Hugues. Elle supplia son mari de la comprendre : elle avait besoin d'aller jusqu'au bout de cette histoire, elle serait de retour d'ici à quelques semaines. Hugues fut bouleversé. Quoique mortifié, il ne voulait pas perdre sa femme. Il espéra qu'elle se lasserait rapidement de cette toquade. Elle avait vingt-neuf ans et finirait bien par retrouver sa raison ! Il l'aimait, ils avaient un enfant ensemble. Elle reviendrait, il n'en doutait pas. Entre-temps, l'affaire s'étalait déjà dans les tabloïds et en page six du *New York Post*, celle des ragots mondains. Il avait perdu la face en ville comme à l'hôtel ; l'humiliation était cuisante.

Il raconta à Héloïse que sa maman était en voyage d'affaires, explication qu'elle était en âge de comprendre. Mais au bout de trois mois, la fable avait perdu de sa crédibilité. Miriam ne rentrait pas. Elle finit par appeler Hugues depuis Londres pour lui annoncer qu'elle demandait le divorce. Au cours de cette période, la plus douloureuse de sa vie, Hugues accusa le coup avec autant de dignité que possible. Toujours aussi souriant et attentif à chacun, il ne changea en rien son attitude envers ses clients. Mais ceux qui avaient appris à le connaître au fil des ans sentaient bien qu'il n'était plus le même homme.

Depuis le drame, Hugues était la discrétion incarnée. Profondément blessé, il se montrait plus froid et plus réservé quant à sa vie privée. Il n'avait d'ailleurs pas connu de relation sérieuse depuis le départ de Miriam. Seuls son assistante et certains directeurs de service étaient au courant de ses aventures, furtives et occasionnelles, avec des femmes de son milieu, clientes de l'hôtel ou New-Yorkaises de bonne famille. Considéré comme l'un des plus beaux partis de la ville, il n'acceptait que rarement les invitations : il préférait rester discret. D'ailleurs, son travail ne lui laissait guère de temps pour les mondanités. L'hôtel était désormais sa priorité – juste après sa fille –, car il estimait que pour diriger correctement ce type d'entreprise il fallait s'y consacrer corps et âme.

Aussitôt le divorce prononcé, Miriam avait épousé Greg Bones, et ils avaient à présent une enfant de six mois. En deux ans, Héloïse n'avait guère revu sa mère. Elle en souffrait, ce qui suscitait la colère d'Hugues contre son ex-femme, trop obsédée par Greg, trop prise par sa nouvelle vie (sans parler de l'arrivée du bébé) pour s'occuper de sa fille aînée, ou simplement lui rendre visite. Son ancienne famille n'était plus pour elle qu'un vague souvenir et Hugues était bien obligé de jouer le rôle des deux parents à la fois. Même s'il n'en parlait jamais, il était navré de cette situation.

Heureusement, à l'hôtel, Héloïse était entourée de nombreuses mères de substitution, parmi lesquelles les

16

employées de la conciergerie et du service d'étage, les femmes de chambre, la fleuriste, la coiffeuse et les esthéticiennes du spa. C'était bien simple : elles étaient toutes folles de la petite fille. Bien sûr, aucune d'entre elles ne pouvait réellement remplacer Miriam, mais grâce à leur affection, ajoutée à celle de son père adoré, Héloïse, à sept ans, était une enfant épanouie : la princesse du Vendôme.

Les clients réguliers lui offraient parfois de petits cadeaux. Hugues accordait une attention particulière à l'éducation et aux bonnes manières de sa fille, qui était à la fois ravissante et d'une extrême politesse. Elle portait de jolies robes à smocks et, tous les matins, la coiffeuse tressait ses longs cheveux roux en deux nattes agrémentées de rubans. Puis son père l'accompagnait à pied au Lycée français tout proche, où elle fréquentait le primaire. Sa mère lui téléphonait une fois par mois, ou tous les deux mois. Enfin... quand elle y pensait.

Ce soir-là, Hugues travaillait à la réception, comme chaque fois que ses responsabilités lui en laissaient le loisir. Il saluait les clients qui arrivaient, tout en gardant un œil sur ce qui se passait dans le hall, où régnait une sérénité immuable. Il prenait chaque jour connaissance du registre des réservations, afin de savoir avec exactitude qui avait réservé telle chambre et à quelles dates. Mme Van Damme, une veuve richissime bien connue de la haute société new-yorkaise, revenait justement de promenade avec son pékinois. Hugues prit le temps de l'accompagner à pas lents jusqu'à l'ascenseur et de lui faire un brin de causette. Voilà un an qu'elle avait emménagé dans l'une des suites les plus spacieuses de l'hôtel, avec une partie de son mobilier personnel et quelques tableaux de prix. Son fils, qui vivait à Boston, ne lui rendait pas souvent visite. Mme Van Damme aimait beaucoup Hugues, et comme son fils n'avait eu que des garçons, Héloïse était la petite-fille qui lui manquait. L'enfant accompagnait volontiers la vieille dame dans ses promenades avec son chien. Tout en marchant à faible allure, celle-ci lui racontait en français ses souvenirs d'enfance. Héloïse l'adorait.

— Où est votre fille ? demanda la douairière, tandis que le liftier lui tenait la porte.

— Elle est dans sa chambre. Elle fait ses devoirs. Du moins, je l'espère, répondit Hugues.

Car il était aussi fort probable qu'elle soit en train de courir les étages et de discuter avec les employés des différents services.

— Si vous la voyez, dites-lui de venir prendre le thé chez moi quand elle aura terminé, dit Mme Van Damme en souriant.

Héloïse montait souvent partager avec elle de délicieux petits sandwichs au concombre ou aux œufs et des éclairs au chocolat. Hugues avait engagé un ancien cuisinier du Claridge de Londres pour s'occuper exclusivement du *five o'clock*, le meilleur que l'on puisse trouver à New York.

— Merci beaucoup, madame Van Damme, dit Hugues alors que la porte de l'ascenseur se refermait.

Il traversa le hall en sens inverse. Songeur, il se demandait si sa fille faisait bien ses devoirs. Il avait eu d'autres soucis en cette fin d'après-midi. Toutefois, il restait si flegmatique que personne n'aurait pu soupçonner le chaos qui régnait au sous-sol. Quelques clients avaient commencé à appeler pour se plaindre, car l'eau avait été coupée dans la plupart des chambres une demi-heure plus tôt. Les réceptionnistes leur répondaient que de menues réparations étaient en cours et que l'eau serait rétablie dans l'heure. La réalité était plus préoccupante : tout le service de maintenance de l'hôtel travaillait à réparer une canalisation qui avait éclaté et on venait d'appeler en renfort des plombiers de l'extérieur.

Hugues ne semblait pas pressé de redescendre pour constater l'étendue des dégâts. A le voir saluer, en prenant tout son temps, un noble espagnol et son épouse, on avait l'impression que la situation était sous contrôle. D'un sourire, il rassurait les nouveaux venus, les informait sans insister qu'il y avait une coupure d'eau momentanée et leur demandait ce qu'il pouvait faire monter dans leur chambre en attendant. Il espérait que le tuyau défectueux serait localisé à temps pour que le service d'étage ne soit pas obligé de fermer : les cuisines étaient déjà noyées sous dix centimètres d'eau. C'était un vieil hôtel...

Au sous-sol, l'inondation empirait à vue d'œil, alimentée par un torrent qui jaillissait de l'un des murs. Quatre plombiers s'activaient à grands cris, de concert avec les six agents de maintenance, trempés de la tête aux pieds dans leur uniforme marron. Mike, le chef du service technique, se démenait comme un beau diable près de la cascade. Il était en train d'essayer les unes après les autres les clés à molette qu'il portait à la ceinture, quand il entendit une petite voix familière.

— Tu devrais prendre la grosse, là.

Il se retourna et vit Héloïse tout près de lui, qui l'observait avec intérêt de ses grands yeux verts. Vêtue d'un bikini rouge et d'un ciré jaune, elle désignait une des clés. Ses cheveux sagement nattés contrastaient avec le reste de sa tenue : elle était pieds nus et avait de l'eau jusqu'aux genoux.

— D'accord, acquiesça-t-il. Mais va plutôt te mettre là-bas. Je ne voudrais pas que tu te blesses.

Elle opina d'un air grave, avant de lui adresser un sourire où manquaient deux incisives.

— T'inquiète pas, dit-elle. Je sais nager !

— J'espère bien que tu n'en auras pas besoin !

Comme il lui indiquait l'endroit où elle devait se réfugier, elle obéit de bonne grâce. Toujours à l'affût des derniers événements de l'hôtel, elle adorait se mêler aux employés. Une fois au sec, elle se mit donc à discuter avec les cuisiniers vêtus d'une veste blanche, d'un pantalon à damiers et coiffés de leur grande toque. Sur ces entrefaites, les plombiers appelés en extra arrivèrent à la rescousse et plusieurs des grooms descendirent pour aider les commis de cuisine à transporter les bouteilles de vin les plus précieuses. Au bout d'une demi-heure d'efforts acharnés, la fuite fut circonscrite et les vannes fermées. Héloïse s'aventura de nouveau dans l'eau pour s'approcher du responsable technique.

— Bon travail, Mike ! dit-elle en lui tapant sur l'épaule.

Eclatant de rire, il la souleva de terre et la ramena sur le seuil.

— S'il t'arrive quelque chose, ton père me tuera. Je ne veux pas que tu bouges d'ici, jeune fille.

— Mais il n'y a rien à faire en cuisine ! Les commis du service d'étage sont trop occupés et je n'ai pas le droit de les déranger, gémit-elle, sachant qu'il valait mieux éviter de rester dans leurs jambes pendant le coup de feu.

Mike ne se faisait guère d'illusions : cette enfant tenait rarement en place bien longtemps.

Au rez-de-chaussée, l'ambiance était de plus en plus frénétique à mesure que les hôtes s'apercevaient de la coupure d'eau. Le service d'étage répondait qu'il y aurait beaucoup d'attente, mais que la direction leur offrait des rafraîchissements. Hugues téléphona lui-même aux clients importants pour leur présenter ses excuses et demanda à l'intendante de faire monter à chacun d'entre eux une bouteille de champagne Louis Roederer, cuvée Cristal. Il savait qu'il devrait aussi accorder une remise importante à toutes les chambres facturées cette nuit-là, ce qui représenterait un joli manque à gagner. Mais le coût serait encore bien plus élevé s'il ne le faisait pas, car un incident de ce type pouvait ruiner la réputation d'un établissement s'il n'était pas corrigé comme il se doit. C'était là toute la différence entre un hôtel de second rang et ce que les Européens nommaient un palace.

Touchés par ce geste commercial, les clients étaient plus ennuyés que furieux. Leur impression finale dépendrait de la rapidité avec laquelle les ouvriers répareraient la fuite. En attendant de pouvoir remplacer la conduite défectueuse, ils devaient faire tout leur possible afin que le service reprenne son cours normal au plus vite.

Au bout de quarante-cinq minutes, Hugues put enfin quitter la réception. Au sous-sol, il constata que l'on avait actionné des pompes pour évacuer l'eau. Un cri de joie s'éleva au moment où il arrivait : les plombiers venaient de colmater la fuite et de remettre le système en route. En pleine effervescence, les employés du service d'étage couraient pour apporter le vin et le champagne aux clients, tandis qu'Héloïse, souriant de (presque) toutes ses dents et frappant dans ses mains, dansait dans les flaques. Elle se précipita vers son père, qui la regardait d'un air affligé – mais pas vraiment surpris. Les cuisiniers étaient hilares. Héloïse était toujours au cœur de l'action. Elle faisait partie intégrante de l'hôtel.

— Je peux savoir ce que tu fabriques ici ? lui demanda son père dans un vain effort pour paraître sévère.

Il se défendait d'être laxiste, mais elle était si mignonne qu'il lui était difficile de se mettre en colère. Plus irrésistible que jamais dans son accoutrement, elle le fit fondre. On pouvait dire qu'elle s'était habillée avec à-propos !

— Je suis venue voir si je pouvais donner un coup de main, mais Mike a été génial et j'ai rien eu à faire, dit-elle avec un haussement d'épaules.

Les clients trouvaient que ce geste familier, typiquement français à leurs yeux, lui conférait un je-ne-sais-quoi des plus charmants.

— J'espère bien que non, dit-il en refrénant son envie de rire. Parce que, si c'est toi qui diriges le service technique, on risque d'avoir des ennuis !

Il la ramena dans les cuisines avant d'aller féliciter les ouvriers. C'était un manager très estimé de ses employés, même s'il lui arrivait de se montrer inflexible. Il était aussi exigeant envers eux qu'envers lui-même, c'est pourquoi tout le monde filait droit.

De retour en cuisine, il trouva Héloïse en grande conversation avec le chef pâtissier. Tout en devisant en français, elle grignotait un biscuit. Le chef lui offrait souvent des macarons dignes des meilleurs établissements parisiens, qu'elle emportait à l'école.

— Et vos devoirs, mademoiselle ? l'interrogea son père.

— Je n'en ai pas, papa.

— J'ai du mal à le croire, dit-il en scrutant ses yeux verts.

— J'ai déjà tout fini.

Il savait qu'elle préférait arpenter l'hôtel plutôt que rester toute seule devant ses cahiers à l'appartement.

— Ça m'étonnerait. Je t'ai vue faire des colliers de trombones dans mon bureau, à ton retour de l'école. Tu ferais mieux de vérifier.

— Eh bien… j'ai peut-être un ou deux exercices de maths, avoua-t-elle d'un air penaud tandis qu'il la prenait par la main.

Il la conduisit vers l'ascenseur de service, où elle récupéra une paire de sabots rouges. Une fois en haut, il troqua son costume et ses chaussures, aussi trempées que le bas de son pantalon, contre des vêtements secs. Il était grand et mince, avec des cheveux bruns. La petite fille tenait de lui ses yeux verts. De sa bisaïeule Héloïse, elle avait hérité sa chevelure flamboyante et ses taches de rousseur.

Hugues la déshabilla et l'enveloppa dans une serviette. Elle reparut quelques minutes plus tard, vêtue d'un jean et d'un pull rose, une paire de demi-pointes de la même couleur aux pieds. Elle prenait des cours de danse classique deux fois par semaine. Malgré l'absence de sa mère, Hugues souhaitait qu'elle mène une vie aussi normale que possible.

Héloïse s'assit à son bureau dans le salon, sortit son manuel de mathématiques et son cahier tout en jetant un regard lugubre à son père.

— Tu as intérêt à tout faire. Et appelle-moi quand tu auras terminé. Si j'ai le temps, je remonterai pour le

23

dîner. Il faut d'abord que j'aille voir si tout est rentré dans l'ordre en bas.

— Oui, oui, papa, dit-elle sagement tandis qu'il sortait.

Héloïse resta quelques minutes à contempler son livre d'un air rêveur, avant de se glisser jusqu'à la porte. Elle l'entrouvrit et risqua un coup d'œil audehors. La voie était libre. Son père devait déjà être arrivé à la réception. Tel un petit elfe espiègle, elle se faufila jusqu'à l'escalier de service, marchant à pas de velours dans ses chaussons de danse. Elle savait exactement où trouver les femmes de chambre qu'elle aimait le plus.

Cinq minutes plus tard, elle les aidait à pousser leur chariot plein de savonnettes et de fioles de shampooing. Elle appréciait particulièrement ce moment où elles préparaient les chambres pour la nuit, ouvraient les lits et déposaient sur les oreillers de petites boîtes de chocolats. Comme toujours, Ernesta et Maria lui en offrirent une. Elle les remercia et dégusta d'un air réjoui l'une des délicieuses friandises que la Maison du Chocolat fabriquait spécialement pour le Vendôme : chaque confiserie était décorée d'une touche d'or fin et d'un petit V moulé dans la masse. De nombreux clients en achetaient à la boutique de souvenirs avant de quitter l'hôtel.

— Aujourd'hui, on a eu beaucoup de travail à la cave, dit la petite fille en espagnol.

Les femmes de chambre s'étaient toujours exprimées dans cette langue avec elle, et, avant même d'avoir cinq ans, Héloïse était parfaitement trilingue. Hugues jugeait important qu'elle soit polyglotte. Lui-même, puisqu'il était suisse, maîtrisait aussi l'italien et l'allemand.

24

— J'ai entendu ça, répondit Ernesta en la serrant dans ses bras.

D'origine portoricaine, elle avait des enfants du même âge qu'Héloïse.

— Tu as dû être très occupée, j'imagine, ma pauvre, ajouta-t-elle avec une lueur taquine dans le regard.

A ces mots, la jeune Maria éclata de rire. La présence de la fille de leur employeur ne les dérangeait jamais.

— Il y avait de l'eau jusque-là, reprit Héloïse en montrant le dessus de son genou. Mais c'est réparé, maintenant.

Les deux femmes n'ignoraient pas, pour en avoir parlé avec les techniciens, que d'autres travaux seraient à prévoir dans les jours à venir.

— Et tes devoirs, tu les as faits ? demanda Ernesta.

Pour éviter son regard, Héloïse tripota les flacons de cosmétiques. C'était une nouvelle marque, plus luxueuse, dont elle adorait l'odeur.

— Oui, oui, répondit-elle enfin, lui tendant deux petites bouteilles avec un sourire malicieux, avant de l'aider à pousser le chariot jusqu'à la chambre suivante.

Elle les suivit un certain temps, puis son horloge interne sonna l'alarme, lui indiquant qu'il était l'heure de partir. Elle les embrassa, leur souhaita bonne nuit et prit la poudre d'escampette par l'escalier de service pour se rasseoir à son bureau. Elle venait de terminer le dernier problème de maths quand son père rentra pour le dîner. Comme chaque jour, quoiqu'un peu plus tard que d'habitude, il avait commandé des plats au service d'étage. Le repas du soir était un rituel auquel ils tenaient tous les deux.

— Désolé d'être en retard, ma chérie. C'est un peu la folie en bas, mais au moins tout le monde a de l'eau.

Il espérait seulement que la canalisation bricolée tiendrait bon jusqu'à ce qu'ils puissent la remplacer.

— Qu'est-ce qu'on mange ? demanda Héloïse en refermant son livre.

— Du poulet, de la purée, des asperges, et de la glace en dessert. Est-ce que ça t'ira ? demanda-t-il avec tendresse.

— Super ! répondit-elle en se jetant à son cou.

Le chef français avait ajouté des escargots pour Héloïse, qui les adorait, et la crème glacée fut servie sous forme de profiteroles au chocolat. Un repas peu ordinaire, surtout pour une enfant de son âge, mais cela faisait partie des nombreux avantages en nature qu'offrait leur vie à l'hôtel, depuis le baby-sitting jusqu'aux menus gastronomiques.

Assis comme il se doit à la table de la salle à manger, ils parlèrent de l'hôtel, dont Hugues aimait lui dévoiler les mystères. Elle lui demanda quelles personnalités importantes étaient arrivées ce jour-là, et si des vedettes de cinéma viendraient bientôt. Tandis qu'elle le contemplait avec adoration, il lui fit le récit simplifié, mais exact, de sa journée. Le cœur comblé par sa fille, l'esprit occupé par son entreprise, Hugues n'avait besoin de rien. Héloïse non plus. Ils vivaient dans un monde protégé qui leur convenait parfaitement. Elle avait perdu une mère, lui une épouse, mais ils étaient là l'un pour l'autre. Et quand il pensait à l'avenir, Hugues se plaisait à imaginer qu'un jour, peut-être, ils dirigeraient l'hôtel ensemble.

2

Hugues avait organisé les différents services du Vendôme selon la structure traditionnelle enseignée à l'Ecole hôtelière de Lausanne, qui était également en vigueur dans tous les grands hôtels où il avait travaillé.

Il avait choisi avec soin les employés du back-office, ceux qui travaillaient dans les coulisses, car, même si les clients n'étaient jamais en contact direct avec eux, Hugues savait que les tâches administratives et logistiques devaient être faites avec une précision méticuleuse. En cas d'erreurs répétées dans les réservations ou la comptabilité, le risque de mettre la clé sous la porte n'était pas négligeable. La direction des ressources humaines, notamment, jouait le rôle crucial d'intermédiaire avec les syndicats. Or, il était capital d'entretenir de bonnes relations avec ces derniers, pour préserver le bon fonctionnement de l'hôtel et éviter les grèves.

Quant aux employés de la réception et du guichet de conciergerie, ils étaient les interlocuteurs privilégiés de la clientèle. Hugues comptait sur leur savoir-faire pour fidéliser célébrités et VIP en se pliant à tous leurs caprices. Certaines stars de cinéma changeaient de chambre jusqu'à trois ou quatre fois avant de trouver une suite à leur goût, ou bien envoyaient à l'avance de longues listes concernant leurs exigences alimentaires ou autres. Draps de satin, matelas orthopédiques, filtres à air, oreillers hypoallergéniques, massages à n'importe quelle heure du jour et de la nuit... les clients importants pouvaient réclamer tous les services et équipements imaginables pour eux-mêmes ou leurs enfants. Les membres du personnel ne s'émouvaient pas davantage quand des personnalités étaient désagréables au point d'accuser les femmes de chambre d'avoir dérobé des objets de valeur qu'elles avaient simplement égarés. En trois ans, Hugues n'avait eu à déplorer aucun vol de la part de ses employés ; il avait toujours réussi à calmer les clients les plus remontés et à leur prouver que leurs accusations étaient infondées. Il faut dire qu'il demandait un extrait de casier judiciaire à toutes ses nouvelles recrues, à qui il rappelait ensuite régulièrement leur devoir de protéger l'hôtel et la clientèle.

La gouvernante générale, qui n'était autre qu'une ancienne camarade de l'Ecole hôtelière, dirigeait de main de maître le service d'entretien. Elle était aussi responsable de la lingerie et du service de pressing, situés au sous-sol. Grâce à elle, l'hôtel était toujours immaculé et ses adjointes menaient leurs inspections avec une rigueur militaire : elles n'hésitaient pas à faire renvoyer les femmes ou les valets de chambre qui ne répondaient pas aux attentes de la maison. Comme tous les employés en contact direct avec les clients, ils se devaient d'être aussi aimables et diplomates qu'efficaces.

Dans le hall, l'ensemble des grooms, portiers, liftiers et voituriers constituait une brigade en uniforme strictement régentée. De nombreux clients faisaient appel au service de location de limousine. Les chauffeurs s'assuraient qu'ils puissent entrer ou quitter l'hôtel sans encombre – avec tous leurs bagages – et ils les conduisaient à destination dans les meilleurs délais, que ce soit en ville, à l'aéroport ou plus loin encore.

Les cuisines étaient l'un des départements clés. Outre le service d'étage et le restaurant, très apprécié des New-Yorkais, l'équipe du chef français fournissait des prestations de traiteur pour l'organisation d'événements tels que mariages, repas en petit comité dans les salons privés, conférences ou séminaires... Il y en avait pour tous les goûts et rien n'était impossible.

Au Vendôme, les clients pouvaient aussi bien rester en contact permanent avec le monde des affaires, grâce aux ordinateurs du salon, que se détendre dans la salle de remise en forme ou au spa.

Quoique moins visible, le service de sécurité n'en était pas moins indispensable. Hugues accordait toute sa confiance à ses agents et c'est en partie grâce à eux qu'il pouvait se féliciter de n'avoir jamais été confronté à des vols de bijoux, fléau hélas très répandu dans les palaces.

En toutes circonstances, qu'il s'agisse d'une fuite importante comme celle qui venait de se produire au sous-sol, de toilettes bouchées, ou simplement d'un téléviseur en panne, les services techniques veillaient à remédier au problème le plus vite possible.

Enfin, une équipe de standardistes se chargeait de la communication interne et externe, prenait les messages et passait les appels avec rapidité, précision et discrétion.

Au total, le personnel de l'hôtel représentait un effectif considérable. Chaque élément, même insignifiant en apparence, était un rouage essentiel de la machine. Hugues se targuait de connaître le nom de chacun de ses employés, tout comme Héloïse, qui se promenait avec insouciance de service en service. Bien trop occupé, trop passionné par sa vie professionnelle, il n'avait pas une minute à lui, si ce n'était pour prendre le petit déjeuner et le dîner avec sa fille, ou la serrer dans ses bras entre deux rendez-vous. Il avait coutume de dire qu'il était marié à son hôtel.

Invité à un dîner, il était invariablement en retard. S'il emmenait une jeune femme au théâtre ou à l'Opéra, son téléphone vibrait toute la soirée, et il n'était pas rare qu'il soit obligé de quitter la salle au milieu de la représentation pour régler un problème lié à la sécurité d'un chef d'Etat ou aux Services secrets. Car, quand un dirigeant étranger résidait dans l'une des suites de l'hôtel, il fallait libérer entièrement l'étage inférieur et l'étage supérieur – ce qui n'était pas une mince affaire – tout en veillant à réduire au minimum la gêne occasionnée aux autres clients. Hugues ne pouvait donc que rarement profiter d'une soirée avec un ami, de sorte que la plupart du temps il n'essayait même pas de le faire.

— Je ne suis pas de taille à lutter contre ta fille et ton hôtel, lui avait dit un jour une célèbre actrice de cinéma.

Ils s'étaient fréquentés pendant quelques mois, au rythme de ses passages à New York. Elle était folle d'Hugues et lui avait fait livrer des cadeaux luxueux, qu'il lui avait retournés. Inutile d'essayer de l'acheter : il n'avait rien à offrir en échange. L'actrice avait fini par le comprendre. Héloïse suffisait à combler son besoin d'affection et elle, au moins, ne le tromperait ni ne le décevrait jamais. C'était tout juste s'il s'accordait de temps à autre une soirée sans conséquence, ou au plus un week-end hors de la ville, en galante compagnie... à condition toutefois que sa fille soit invitée chez une amie. Il ne voulait pas qu'elle ait à pâtir de ses histoires de cœur. Il savait en outre, pour en avoir fait les frais, qu'il valait mieux éviter de sortir avec une femme rencontrée dans le cadre professionnel, sous peine de se retrouver dans une situation compliquée. Aussi ne dérogeait-il à ce principe qu'à de rares exceptions.

Plus d'une de ses conquêtes avaient tenté de pousser plus loin leur relation ; elles n'avaient réussi qu'à le faire fuir et à hâter la rupture. Il déclarait ouvertement qu'il n'était pas prêt à s'engager et qu'il ne le serait sans doute jamais. Celles qui voyaient dans cette attitude un défi à relever s'apercevaient vite qu'Hugues était sincère. Heureusement, ses admiratrices savaient à quoi s'attendre, car il jouait toujours franc jeu dès le début. Et pendant ce temps, Héloïse pouvait se croire la seule femme de sa vie, ce qui lui convenait parfaitement.

A huit ans, la petite fille avait conservé sa place de favorite des employés et des clients de l'hôtel, même si ses centres d'intérêt avaient évolué. L'enfant, dont la féminité se développait progressivement, passait de moins en moins de temps avec Mike, le responsable technique, alors qu'elle aimait toujours autant aider Ernesta dans sa tournée du soir. Elle avait lié une nouvelle amitié avec Jan Livermore, la fleuriste, qui réalisait des compositions aussi artistiques que spectaculaires. Jan la laissait parfois aider à l'élaboration de ses arrangements monumentaux, qui impressionnaient tant les visiteurs à leur arrivée dans le hall. Mais ce qu'Héloïse aimait le plus, désormais, c'était assister à la création des bouquets de mariée et des décorations pour les cérémonies.

Elle avait convaincu Xenia, la coiffeuse, de raccourcir de quelques centimètres ses cheveux roux, qu'elle préférait maintenant porter en queue-de-cheval plutôt que tressés. Ses dents définitives avaient poussé et les bagues de son appareil dentaire donnaient à son sourire un air plus espiègle que jamais. Elle continuait à rendre de fréquentes visites à Mme Van Damme, laquelle lui donnait un dollar quand elle sortait promener Julius, son pékinois.

Jennifer, la nouvelle assistante de son père, avait discrètement fait remarquer à ce dernier qu'Héloïse semblait en quête de compagnie féminine. Il en avait bien conscience et ne regrettait que trop amèrement l'attitude de Miriam. Celle-ci parlait toujours de la faire venir en vacances à Londres, mais ne tenait jamais promesse. Elle venait d'avoir un deuxième enfant de Greg Bones, un garçon cette fois. Le jour des huit ans d'Héloïse, elle n'appela même pas pour lui souhaiter un joyeux anniversaire. Hugues eut le cœur serré toute la journée à la vue de son petit visage défait. Comment aurait-il pu compenser à lui seul les manquements de sa mère ?

Le passe-temps préféré d'Héloïse, les week-ends où son père était de service, consistait à se mêler discrètement aux invités lors des réceptions dans la salle de bal. Elle admirait la mariée et la regardait découper la pièce montée. C'est là qu'Hugues la surprit un jour, par hasard, mêlée aux jeunes filles qui tentaient d'attraper le bouquet. D'un signe, il lui ordonna de quitter la pièce.

— Qu'est-ce que tu fabriques ici ? On ne t'a pas invitée !

— Ils ont été très gentils avec moi, répondit-elle, offusquée. Ils m'ont même donné du gâteau. Et puis, c'est moi qui ai aidé à faire le bouquet.

Hugues secoua la tête d'un air désapprobateur. Elle avait mis sa plus belle robe du dimanche, avec une ceinture de satin bleu ciel et des souliers à bride noirs et vernis. Dépitée, elle le suivit dans son bureau, où l'assistante parvint à la distraire en lui montrant comment se servir de la photocopieuse. Héloïse était très attachée à Jennifer, qu'elle considérait un peu comme sa tante.

Légèrement plus âgée que son patron, cette dernière était veuve et avait deux grands fils, partis faire leurs études. Elle offrait parfois des petits cadeaux à Héloïse, tels que des barrettes à cheveux, des jouets, des moufles en forme d'animaux, des cache-oreilles en peluche... A l'occasion, Hugues se confiait à elle. Il comprenait maintenant que ses parents avaient eu raison : Miriam n'était pas une bonne épouse, encore moins une bonne mère, en tout cas pas pour Héloïse. Ses deux autres enfants et sa nouvelle vie de bohème l'intéressaient bien plus que sa fille aînée. Elle suivait Greg dans toutes ses tournées et, quoiqu'elle ait arrêté le mannequinat, elle était constamment en photo dans les magazines.

Cette année-là, elle avait promis à Héloïse qu'elles passeraient Noël ensemble à Londres, après les concerts de Greg au Japon. Or Thanksgiving était déjà là... A un mois des fêtes, Héloïse restait sans nouvelles de sa mère.

Le week-end de quatre jours était toujours synonyme de réunions de famille à l'hôtel : pas moins de deux mariages étaient prévus dans la salle de bal ; le Vendôme affichait complet. Une célèbre actrice, du nom d'Eva Adams, avait loué plusieurs suites au dixième étage, où elle avait établi ses quartiers avec son assistante, sa coiffeuse, son *boyfriend* du moment, son garde du corps, ses deux enfants et leur nounou. Héloïse fut enchantée de l'apercevoir quand elle accompagna les femmes de chambre dans leur ronde ; la star la laissa même caresser ses deux chihuahuas. Elle mourait d'envie de lui demander un autographe, mais Hugues, qui interdisait cette pratique au personnel de l'hôtel, n'accordait aucune dérogation à sa fille. Les clients devaient se sentir comme chez eux, à l'abri des fans envahissants. Pas question non plus de prendre les célébrités en photo.

Héloïse, encore très émue de son entrevue avec la vedette, babillait gaiement avec Ernesta tandis qu'elles descendaient à la lingerie.

— Elle est encore plus jolie qu'à la télévision, dit-elle.

— Oui, c'est vrai. Même si elle a l'air plus petite, répondit Ernesta.

Avec son sourire désarmant et ses grands yeux bleus, Eva Adams semblait frêle et délicate. Quand elles étaient entrées dans la suite, l'actrice avait été charmante avec elles. Ce n'était pas le cas de toutes les vedettes de cinéma. Certaines ne prenaient pas la peine de remercier le personnel. Héloïse avait souvent entendu parler de l'impolitesse des stars.

Au moment où Ernesta s'apprêtait à vider le contenu de son chariot dans l'immense bac à linge du sous-sol, Héloïse vit quelque chose scintiller au milieu du tas de serviettes sales. A la surprise générale, elle repêcha juste à temps un gros bracelet qui brillait de mille feux. Il faisait bien deux centimètres de large et était entièrement serti de diamants.

— Ouah ! s'exclama Héloïse.

— Tu devrais appeler la sécurité, dit la chef lingère à Ernesta, qui s'était déjà emparée du téléphone.

— Je crois qu'on ferait mieux d'informer mon père, dit Héloïse. Il faut le rendre le plus vite possible à celle qui l'a perdu.

Si quelqu'un déclarait la perte ou le vol du bracelet, les femmes de chambre seraient sans doute les premières accusées. La petite fille composa le numéro de son père. Au bout du fil, Jennifer leur demanda de monter aussitôt. Personne n'avait encore appelé.

Hugues signait des documents à son bureau quand Ernesta et Héloïse arrivèrent avec le précieux bijou. Il n'en crut pas ses yeux.

— Où l'as-tu trouvé ?

— Au milieu des serviettes du dixième, répondit Héloïse en le lui tendant.

A y regarder de plus près, il n'y avait aucun doute possible : ce n'était pas du toc.

— Je vais le mettre au coffre. Quelqu'un va le réclamer d'un moment à l'autre. Merci pour votre honnêteté, Ernesta.

— Remerciez plutôt votre fille, monsieur le directeur. Elle l'a attrapé juste avant que je ne le jette au linge sale. Moi, je n'aurais rien remarqué.

— Une chance qu'elle ait été là, alors. Jennifer, mettez-le au coffre, je vous prie. Nous verrons bien...

Fait étrange, personne ne signala rien ce jour-là, ni le lendemain. Hugues vérifia la liste des occupants du dixième étage, mais se garda bien de les appeler, de peur que le bijou ne finisse entre les mains d'un imposteur. Au bout de deux jours, il en était venu à se demander s'il n'appartenait pas à un visiteur, et non à un client de l'hôtel. Puis il reçut le coup de fil d'Eva Adams. Plutôt que d'accuser qui que ce soit de vol, elle déclara simplement qu'elle cherchait un bracelet.

— Je ne sais pas si je l'ai perdu à l'hôtel ou dans la rue, dit-elle. Je voulais juste vous prévenir, au cas où quelqu'un le trouverait...

— On nous en a rapporté un, répondit Hugues. Je le monte immédiatement dans votre chambre, mademoiselle Adams. Pouvez-vous me le décrire ?

La description correspondait parfaitement. Selon les estimations d'Hugues, ce joyau devait coûter une fortune, au moins cinq cent mille dollars, peut-être un million. Même s'il était assuré, Eva ne pourrait être que soulagée de le récupérer. En effet, elle se montra folle de joie quand Hugues se présenta dans sa suite.

— Où était-il ? demanda-t-elle en agrafant le bijou à son poignet, éperdue de gratitude.

Hugues avait, comme on le sait, un faible pour les jolies jeunes femmes. Or Eva ne le laissait pas totalement indifférent.

— C'est ma fille qui l'a trouvé à la lingerie. Tout ce que nous savions, c'est qu'il venait du dixième étage. Nous attendions votre appel.

— Je ne me suis rendu compte de rien sur le moment, mais quand je me suis aperçue que je ne l'avais plus, j'ai appelé tous les endroits où j'ai mis les pieds depuis deux jours. Je ne voulais accuser personne : je me doutais qu'il était tombé, tout bêtement. Comment puis-je témoigner ma reconnaissance à Mlle Martin ?

Ne faisant pas le rapprochement avec l'enfant qui avait caressé ses chiens (la fille d'une des femmes de chambre, sans doute), Eva imaginait Héloïse plus âgée qu'elle ne l'était.

— C'est très aimable à vous, mademoiselle Adams, mais ce ne sera pas nécessaire... elle n'a que huit ans. Si vous y tenez, remerciez plutôt la femme de chambre qu'elle accompagnait. Ce qui fait la joie de ma fille, c'est de se promener librement dans l'hôtel et d'y rencontrer des célébrités. Elle prétend m'aider... dit-il d'un air entendu.

Eva sourit : elle n'était pas insensible au charme du beau directeur même si elle savait, tout comme lui, que ce badinage ne portait pas à conséquence. Elle fit signe à son assistante de lui apporter son sac à main et s'assit à un bureau dans un coin de la pièce pour signer un chèque de mille dollars, qu'elle donna à Hugues à l'intention d'Ernesta. Il la remercia chaleureusement de sa part.

— Comment s'appelle votre fille ?

— Héloïse, dit Hugues, supposant qu'elle lui destinait un autographe.

— Comme l'Eloïse du Plaza ? demanda-t-elle en riant.

— Non, répondit-il sans s'offusquer. Héloïse avec un H. Elle porte le nom de mon arrière-grand-mère et elle est née avant que je ne devienne directeur d'hôtel. Maintenant, c'est « Héloïse du Vendôme »...

— Comme c'est mignon ! J'aimerais beaucoup la rencontrer pour la remercier en personne.

— Elle en serait ravie. Et puis elle se faisait du souci pour votre bracelet. Il faut dire qu'il est magnifique, c'est une pièce exceptionnelle.

— Il vient de chez Van Cleef. Dire que je pensais l'avoir perdu pour de bon... Je ne sais pas ce que j'aurais fait sans Héloïse ! Pourrais-je la voir demain, avant notre départ pour L.A. ?

— Je me ferai un plaisir de vous la présenter, dit-il avec tact.

Héloïse fut tout excitée par la bonne nouvelle. Elle courut l'annoncer à Ernesta, qui avait déjà reçu son chèque de récompense.

— C'est à toi qu'il faudrait le donner, dit la femme de chambre. Tu le mérites plus que moi.

— Papa ne voudra pas. Je n'ai pas le droit d'accepter de l'argent de la part des clients… Sauf de madame Van Damme, quand je promène Julius.

Ernesta, aux anges, ne manquait pas d'idées pour dépenser cette somme. Elle aurait aimé remercier Mlle Adams elle-même, mais l'actrice était sortie ce soir-là. Elle dut se contenter de laisser un petit mot sur son oreiller, accompagné d'une boîte de chocolats supplémentaire.

Le lendemain matin, Hugues rappela à Héloïse qu'elle devait bien s'habiller et se tenir prête pour rendre visite à Mlle Adams avant son départ. Les chambres du Vendôme devaient être libérées avant treize heures.

A midi, Eva appela Hugues pour lui demander si Héloïse pouvait monter. Il rejoignit sa fille à l'appartement de direction. Vêtue de la robe bleue qu'elle arborait lors des mariages, elle était ravissante. Elle avait noué un ruban dans ses cheveux, et ses socquettes blanches étaient bien tirées.

Eva Adams ouvrit la porte en personne. Elle accueillit Héloïse avec un grand sourire et l'embrassa sur la joue, tout en jetant un coup d'œil à son père. L'enfant, emplie d'admiration, rougit si fort qu'on ne voyait plus ses taches de rousseur.

— Héloïse, ce que tu as fait pour moi est fantastique ! Tu te rends compte ? Je pensais que je ne retrouverais jamais mon bracelet, dit-elle en lui tendant deux paquets de taille différente.

— Merci, madame, dit Héloïse, paralysée, sans oser les ouvrir.

Le moment ne semblait guère propice : le départ étant proche, les occupants de la suite couraient en tous sens, l'un des enfants pleurait et les chiens aboyaient à qui mieux mieux. Héloïse plaqua donc à son tour une bise sur la joue d'Eva, et Hugues la raccompagna à l'appartement.

Encore sous le coup de l'émotion, elle déchira d'abord l'emballage de la plus grosse boîte. Elle contenait la plus jolie poupée qu'elle eût jamais vue ! Mlle Adams avait mené l'enquête auprès de la réception et, comme par hasard, la poupée ressemblait un peu à la petite fille. Elle avait le visage très fin, de longs cheveux roux que l'on pouvait coiffer, et plusieurs tenues de rechange. Emerveillée, Héloïse la sortit de sa boîte pour la serrer contre son cœur.

— Elle est très belle, dit Hugues. Comment vas-tu l'appeler ?

— Eva. Je l'emmènerai avec moi quand j'irai voir maman.

Elle avait hâte de la montrer à tous ses amis de l'hôtel, mais elle se souvint du deuxième paquet, plus modeste. Dans un écrin de velours, elle découvrit une chaîne et un petit pendentif de diamant en forme de cœur, où était gravée l'initiale de son prénom. Héloïse fut encore plus stupéfaite qu'elle ne l'avait été en découvrant la poupée. Hugues passa le bijou à son cou. Suffisamment discret pour ne pas être inapproprié sur une enfant de son âge, c'était vraiment un très beau cadeau.

— Ouah, papa ! fit Héloïse, ne sachant que dire tandis qu'elle contemplait son reflet dans le miroir.

— Pourquoi n'irais-tu pas remercier Mlle Adams et lui dire au revoir dans le hall ? Tu pourras aussi lui écrire une lettre. Elle sera contente de la lire, de retour chez elle.

Héloïse acquiesça et tous deux descendirent à la réception, où ils n'attendirent que quelques minutes avant qu'Eva apparaisse. Elle embrassa de nouveau Héloïse, qui s'était approchée timidement. Elle portait un énorme manteau de vison et une toque assortie, ainsi que des boucles d'oreilles en diamant, sans oublier le fameux bracelet. Sa démarche majestueuse ne trompait pas : Eva Adams était une vraie star de Hollywood. Quand elle s'élança au-dehors, les paparazzis postés devant l'hôtel depuis le début de la semaine déclenchèrent un crépitement de flashs. Les agents de sécurité aidèrent Eva et les siens à monter à bord des deux limousines qui les attendaient. Héloïse et son père restèrent quelques instants sur le trottoir pour leur faire signe de la main, puis Hugues passa le bras autour des épaules de sa fille, tandis qu'ils rentraient dans l'hôtel et se dirigeaient vers son bureau. La petite fille n'oublierait jamais cette rencontre.

— Quelle aventure ! lui dit Jennifer. Que vas-tu faire d'autre aujourd'hui, maintenant que tu as mis ta belle robe ?

— Eva et moi, on va à un mariage dans la salle de bal, à trois heures.

Hugues leva le nez de ses dossiers.

— Je ne veux pas que ta poupée ou toi demandiez du gâteau ou essayiez d'attraper le bouquet, c'est compris ? dit-il en fronçant les sourcils.

— Oui, papa, répondit-elle avec un large sourire. On sera sages, promis.

Sur ce, elle décampa pour faire le tour de l'hôtel et montrer ses cadeaux à tout le monde.

— C'est vraiment gentil de la part de Mlle Adams, dit Hugues en repensant à l'actrice, si belle et si généreuse envers sa fille.

— C'est normal, répondit Jennifer. Elle a failli perdre un bijou hors de prix.

— Ça m'ennuie qu'Héloïse s'invite à tous les mariages. Un jour, quelqu'un se plaindra. Il faudrait peut-être que je le lui interdise, dit-il d'un air soucieux.

— Vous croyez ? Je ne pense pas que ça pose problème. Elle est très polie et elle s'habille toujours très bien. Et puis, elle est tellement mignonne...

Hugues ne pouvait contredire son assistante sur ce point.

Malgré l'inquiétude d'Héloïse, qui avait fini par redouter que sa mère n'appelle pas à temps, Miriam contacta enfin Hugues pour organiser le voyage de leur fille à Londres. C'était la première fois qu'elles allaient passer Noël ensemble depuis la séparation, quatre ans auparavant. Tout comme elle l'avait annoncé, l'enfant tenait sa poupée dans ses bras quand Hugues la confia à l'hôtesse de l'air, le 23 décembre.

Même s'il n'était pas très rassuré à l'idée de la laisser partir, il jugeait important de maintenir le contact entre la mère et la fille. Miriam, quoique négligente, n'était jamais méchante intentionnellement. Il était prévu qu'Héloïse reste deux semaines chez elle.

Hugues n'avait pas revu son ex-femme depuis le divorce et n'en avait pas ressenti le besoin. Elle ne lui avait pas réclamé d'argent : au début, elle gagnait encore très bien sa vie comme mannequin, puis elle s'était remariée avec Greg. Hugues ne se l'avouait qu'à demi, car c'était un peu égoïste, mais en fin de compte il était plus simple pour lui d'élever sa fille seul. Miriam n'avait jamais demandé la garde d'Héloïse. Concrètement, elle ne jouait plus aucun rôle dans leur vie. Aussi la simple évocation de sa mère faisait-elle souvent monter les larmes aux yeux de la petite fille. Chaque fois, Hugues en avait le cœur brisé.

A son arrivée à l'aéroport de Londres, Héloïse était attendue par le chauffeur de Greg et de Miriam. Il chargea sa valise dans la Bentley et lui fit la conversation pendant tout le trajet jusqu'à leur villa de Holland Park. Pour se rassurer, Héloïse ne lâchait pas sa poupée, avec laquelle elle avait dormi dans l'avion.

Le chauffeur l'accompagna jusqu'au perron, avant de la confier à un majordome qui lui ouvrit la porte en souriant. Le domestique la conduisit à un salon ensoleillé, où Miriam était en train d'allaiter son dernier-né. Elle portait un tee-shirt et un slim en cuir noir.

Cela faisait un an qu'Héloïse ne l'avait pas vue, mais elle découpait toutes les photos d'elle qui paraissaient régulièrement dans les magazines people. Elle ne fut donc pas surprise de son nouveau look : cheveux décolorés et coupés à la garçonne, rangée de piercings en diamant aux oreilles, et tatouages à chaque bras.

Héloïse avait fait la connaissance de sa demi-sœur, Arielle, l'année précédente. Celle-ci, au milieu d'une débauche de jouets, poussa un cri de ravissement à la vue de la poupée d'Héloïse.

— Qu'elle est jolie ! renchérit Miriam.

Puis elle sourit à Héloïse, comme si elle s'adressait à l'enfant d'une autre.

— C'est Eva Adams qui me l'a donnée. Son bracelet en diamant était tombé dans les serviettes et je l'ai retrouvé, expliqua Héloïse, intimidée.

Miriam tendit le bras vers elle et l'embrassa par-dessus la tête du nourrisson. Le petit Joey la regarda un instant avec curiosité, avant de se remettre à téter. C'était un bébé potelé et épanoui. Arielle grimpa alors sur les genoux de sa mère. Héloïse aurait tant aimé se faire câliner... Mais il n'y avait clairement pas de place pour elle, ni dans les bras, ni dans la vie de Miriam. Greg entra dans la pièce quelques minutes plus tard.

— Oh, j'avais oublié que tu venais, dit-il avec son fort accent cockney.

Ses tatouages, plus nombreux que ceux de sa femme, lui recouvraient les bras comme des manches. Vêtu d'un jean, d'un tee-shirt et de santiags noires, il n'avait rien en commun avec les personnes qu'Héloïse avait l'habitude de côtoyer. Miriam formait avec lui un couple bien assorti, et lui semblait plus étrangère à chacune de leurs rencontres. Elle était si différente d'Hugues ! La petite fille avait du mal à imaginer ses deux parents ensemble. Elle n'avait aucun souvenir de l'époque où ils étaient encore mariés.

Même si Greg se montrait plutôt aimable envers elle, Héloïse ne se sentait pas très à l'aise avec lui. Toujours une cigarette aux lèvres ou un verre à la main, il utilisait un vocabulaire pour le moins relâché. Hugues avait averti son ex-femme : pas de drogues en présence de leur fille. Mais Greg avait bien du mal à respecter la promesse faite par Miriam et ne se cachait pas pour fumer du cannabis.

Quand vint le réveillon de Noël, Miriam offrit à Héloïse une veste de cuir noir, trop grande pour elle, et une montre Chanel sertie de diamants. Ces présents inadéquats étaient tristement révélateurs. Même une inconnue comme Eva Adams était capable de choisir des cadeaux plus adaptés à son âge ! Quant à Greg, il lui donna une petite guitare, dont elle n'avait que faire, puisqu'elle ne savait pas en jouer.

Pendant le reste de ses vacances, Héloïse ne les vit presque plus. Tous les jours, Miriam accompagnait Greg au studio, où il enregistrait un nouvel album. Elle emmenait le bébé avec elle pour pouvoir l'allaiter et laissait Héloïse avec Arielle, sous la surveillance de la nounou. Le soir, Greg et Miriam sortaient avec les membres du groupe. Ils n'avaient prévu aucune excursion avec elle, hormis une visite aux parents de Greg dans leur villa de Wimbledon, le jour de Noël. Quand Hugues l'appelait pour prendre des nouvelles, Héloïse répondait poliment que tout se passait bien. Elle ne savait que dire d'autre et ne voulait pas dénoncer l'attitude d'une mère qu'elle voyait si peu, de peur de la perdre pour de bon.

Héloïse passa donc la plupart de son temps à jouer avec Arielle et le petit Joey, quand il était là. Par chance, la nounou était plus attentionnée que Miriam et Greg : elle l'emmena en promenade à Hyde Park, aux écuries du palais de Buckingham, à la relève de la garde, et même chez Harrods, pour lui acheter des vêtements. Sans elle, Héloïse serait restée enfermée à la maison, où elle ne se sentait pas à sa place. La petite fille ne rêvait que de rentrer à New York.

Le soir du Nouvel An, une dispute éclata ouvertement entre Héloïse et sa mère. Miriam était en train de raconter à Greg combien elle avait détesté sa vie à l'hôtel.

— Quel fil à la patte... Sans parler des deux années de travaux ! D'ailleurs, Hugues lui-même était un vrai boulet.

— L'hôtel n'est pas un boulet, et mon papa non plus ! s'écria l'enfant à brûle-pourpoint.

Héloïse, d'habitude si docile, fut surprise de sa propre véhémence, tandis que Miriam la regardait avec stupéfaction.

— Le Vendôme est encore plus joli maintenant, continua la petite fille, qui ne tolérait pas que l'on insulte sa maison. Et d'abord, papa est un très bon directeur !

— C'est juste que je n'aimais pas y habiter, expliqua Miriam. Ni vivre en permanence au milieu de tous ces gens. Et ton père était toujours trop occupé pour passer du temps avec moi. Ce n'est pas comme Greg...

— Moi, j'adore vivre au Vendôme, l'interrompit Héloïse, les yeux humides. Au moins, tout le monde est très gentil avec moi et il y a plein de gens importants qui descendent chez nous, comme Eva Adams, ou d'autres stars, et aussi des sénateurs ! Le président est venu une fois, et même le président français !

Sur ce, elle courut se réfugier dans sa chambre, en larmes. De toute façon, rien ne pouvait impressionner ces deux égoïstes, qui ne s'intéressaient qu'à leur nombril ! La nounou, le cœur serré de la voir dans cet état, vint lui apporter du chocolat chaud pour la consoler. Héloïse lui parla du *five o'clock* que l'on servait dans l'hôtel de son papa. Dans cette maison, seuls les domestiques faisaient des efforts pour qu'elle se sente chez elle. Ils la trouvaient attachante, et ils aimaient bien qu'elle leur raconte des anecdotes sur le Vendôme.

Au bout de dix jours, Hugues appela de nouveau. Héloïse lui manquait terriblement, mais il évitait de lui téléphoner trop souvent, pour ne pas gêner la relation qu'elle pourrait avoir avec sa mère. La voix de sa fille l'inquiéta. Quand il lui demanda si elle s'amusait bien, elle éclata en sanglots : elle se sentait si seule ici. Elle voulait rentrer à la maison. Hugues promit d'en parler à sa mère, et rappela le soir même. Miriam trouvait, elle aussi, préférable de renvoyer Héloïse à New York : avec les séances d'enregistrement de Greg, elle n'avait pas beaucoup de temps à lui consacrer. Hugues répondit poliment qu'Héloïse comprendrait. D'ailleurs, elle devait reprendre le rythme de l'école avant la rentrée. C'était une mauvaise excuse, mais Miriam se garda d'insister. Elle promit d'accompagner Héloïse à l'aéroport le lendemain. Hugues avait hâte de revoir sa fille et de la serrer dans ses bras.

Le séjour se soldait par un échec complet, et la petite fille était trop jeune pour comprendre que le problème venait de sa mère. Elle essuyait de plein fouet la douleur d'être rejetée.

Le lendemain, après le petit déjeuner, Miriam l'embrassa et lui souhaita bon voyage, avant de partir pour le studio avec Greg. Ce dernier ne songea même pas à lui dire au revoir. Ce furent les domestiques qui l'accompagnèrent à l'aéroport. Le majordome lui offrit un pull à sa taille, rebrodé de l'Union Jack en strass coloré, et la nounou, un sweat-shirt rose. Tous deux l'embrassèrent chaleureusement, puis lui firent signe de la main alors qu'elle passait le portique de sécurité. Elle leur adressa un dernier sourire avant de disparaître avec l'accompagnatrice. Pour lui faire plaisir, Hugues lui avait réservé une place confortable, en première classe, où elle regarda deux films et dormit un peu.

Quand Héloïse arriva à la douane, toujours sous escorte d'un employé de la compagnie aérienne, son père l'attendait avec anxiété. Avant qu'il puisse prononcer un mot, elle se jeta dans ses bras en poussant un cri de joie. Elle le serrait à l'étouffer, et il en eut les larmes aux yeux.

Sur la route du retour, elle ne dit rien contre sa mère, par loyauté envers Miriam. Mais dès qu'ils atteignirent l'hôtel, elle se précipita pour pousser la porte et regarder avec un large sourire ces visages familiers qui lui avaient manqué. Elle leva les yeux vers son père comme si elle revenait d'une autre planète. Tous ceux qu'elle aimait se trouvaient là. Elle était chez elle.

3

Les années passaient et le succès du Vendôme ne se démentait pas. Entre les réunions de la Fédération hôtelière, les négociations avec les syndicats et les améliorations constantes apportées à l'hôtel, Hugues était trop occupé pour que sa vie sentimentale connaisse un réel bouleversement.

Héloïse, le soleil de sa vie, avait maintenant douze ans. A cet âge incertain entre l'enfance et l'adolescence, elle préférait encore passer du temps à la maison plutôt que de se tourner vers le monde extérieur. D'autant plus que sa « maison » à elle ne manquait pas d'intérêt. Il lui arrivait maintenant de seconder Jennifer, qui lui confiait des tâches de rangement ou d'archivage. Elle aimait toujours autant rendre visite à Jan, à l'atelier de composition florale, et se faisait un plaisir de rechercher l'adresse d'un restaurant ou d'un magasin improbable pour rendre service aux concierges, les jours où ils étaient débordés. De temps à autre, elle avait la chance d'être présente aux côtés de son père quand il accueillait un client important dans le hall : sa rencontre avec le président de la République française l'auréola de gloire pendant plusieurs jours au Lycée français.

Hugues lui permettait parfois d'inviter une camarade à l'appartement de direction. Ses amies adoraient faire le tour de l'hôtel avec elle, visiter les cuisines et l'office du service d'étage, passer au salon de beauté pour y récupérer des échantillons de crèmes et de lotions, ou même se faire coiffer et profiter d'un massage de cinq minutes, si les coiffeuses et les esthéticiennes en avaient le temps. Il leur arrivait aussi de faire une petite incursion dans la salle de bal, lors d'une réception, mais le comble du chic, c'était quand Hugues les laissait prendre la Rolls et que le chauffeur les conduisait en ville, pour faire du shopping.

Héloïse, qui avait encore un corps d'enfant, grandissait et embellissait chaque jour. On lui avait enlevé ses bagues et ses cheveux ne frisaient plus, mais elle continuait à gambader dans les couloirs de l'hôtel comme un poulain sauvage. Jennifer était devenue sa confidente, ce qui permettait à Hugues d'en apprendre davantage sur sa vie et ses états d'âme. Il était rassuré de savoir que les garçons ne l'intéressaient pas et que ses préoccupations restaient toutes enfantines, même si cela faisait déjà deux ans qu'elle avait soigneusement remisé sur une étagère la magnifique poupée offerte par Eva Adams.

Elle n'était pas retournée à Londres depuis l'échec de sa dernière visite chez sa mère. Miriam ne faisait que de rares apparitions dans sa vie, telle une étoile filante dans un ciel d'été. Elle se contentait d'inviter sa fille à passer la nuit avec elle, dans un autre hôtel, quand elle séjournait à New York avec Greg et leurs enfants. Chaque fois qu'elle les avait vus – à peine trois fois en quatre ans –, Héloïse n'avait pu s'empêcher de trouver son frère et sa sœur terriblement mal élevés, même s'ils étaient très mignons. Elle avait fait part de cette impression à Jennifer, mais n'en parlait pas à son père, car cela n'aurait servi qu'à retourner le couteau dans la plaie. De son côté, Hugues estimait que les employées de l'hôtel – Ernesta, Jan ou Jennifer – constituaient pour Héloïse de meilleurs modèles que son ex-femme.

La presse à scandale avait notamment relaté l'aventure de Miriam avec un garçon de plage dans un hôtel au Mexique. Quant à Greg, il s'était fait arrêter deux fois au cours de la même année : la première, pour détention de cannabis lors de sa tournée aux USA ; la seconde, pour coups et blessures à l'issue d'une rixe dans un bar, alors qu'il était sous l'empire de l'alcool. Les images de l'échauffourée avaient été diffusées sur YouTube et Héloïse avait avoué à Jennifer y avoir aperçu le visage horrifié de Miriam, au moment où les policiers emmenaient Greg, menotté, au milieu des badauds. Si elle était navrée pour sa mère, elle n'avait aucune compassion pour Greg, qui lui semblait répugnant. Il avait gravement blessé l'autre homme, d'un coup de bouteille de vodka. La victime, qui n'était autre que le batteur du groupe, avait toutefois retiré sa plainte.

Jennifer respectait trop son patron pour se permettre le moindre commentaire devant lui ou devant Héloïse. De son côté, Hugues n'en pensait pas moins, mais il jugeait qu'il n'aurait pas été correct de critiquer la vie dépravée de Miriam en présence de sa fille.

Il tenait avant tout à transmettre à Héloïse des valeurs solides. Ses vues, un brin conservatrices en matière d'éducation, avaient quelque chose de typiquement suisse. Sans en avoir l'air, il surveillait ses fréquentations et ses activités et, pour le moment du moins, sa fille s'intéressait aussi peu aux drogues ou à l'alcool qu'aux garçons. En matière d'aventures sentimentales, il n'aurait pu en dire autant en ce qui le concernait.

Sa discrétion proverbiale lui avait valu d'être surnommé « l'homme de l'ombre » par Jennifer. Cette dernière l'avait cependant averti : il n'était peut-être pas bon de laisser Héloïse croire qu'il n'avait fréquenté personne depuis le départ de sa mère. Ne risquait-elle pas d'opposer une résistance farouche, le jour où il rencontrerait une femme qui compterait pour lui ? Hugues lui avait répondu qu'il n'avait nullement l'intention de s'engager dans une relation ; il n'imaginait même pas pouvoir retomber amoureux.

— Et même si cela arrivait, je saurais gérer la situation, dit-il, évasif. Mais n'espérez pas trop !

— Je ne me fais guère d'illusions… répondit Jennifer avec un sourire désabusé.

Entre autres valeurs fondamentales, Hugues voulait que sa fille comprenne l'importance de la solidarité. Leur vie plus que confortable ne devait pas empêcher Héloïse de s'intéresser au sort de ses prochains, et il lui enseignait que les plus riches avaient le devoir d'aider les moins fortunés. Depuis l'ouverture du Vendôme, Hugues veillait à ce que les cuisines de l'hôtel redistribuent une partie de leurs surplus à une banque alimentaire locale, ce qui emplissait Héloïse de fierté.

Son père avait si bien réussi à éveiller sa conscience sociale qu'elle s'était engagée comme bénévole dans plusieurs activités caritatives. Elle distribuait donc des repas gratuits aux déshérités, après ses cours. Au moment de Noël, elle demandait aux employés de l'hôtel de donner les vieux jouets dont leurs enfants ne voulaient plus, afin de participer à la grande collecte organisée chaque année par la caserne des pompiers. Elle mesurait toute sa chance, très reconnaissante envers son père de la vie confortable qu'il lui permettait de mener, et elle n'hésitait pas à donner une partie de son argent de poche à ceux qui en avaient besoin. A l'école, elle collectait des fonds pour l'Unicef, car les catastrophes qui affectaient les enfants dans le monde entier la touchaient particulièrement.

Un soir d'hiver, la voyant arriver en retard pour le dîner, son père supposa qu'elle avait voulu assister à la mise en place de la salle de bal. Un grand mariage était prévu pour le lendemain et, comme à son habitude, Héloïse prévoyait d'y « faire un saut ». Tout l'hôtel en parlait : la facture de la cérémonie s'élevait à un million de dollars au moins, entre les fleurs, le traiteur, la décoration et la robe de mariée Chanel.

Un garçon d'étage apporta les côtelettes d'agneau grillées et les haricots verts sur une desserte. Si, faute de temps, Hugues ne cuisinait jamais pour sa fille, il veillait en revanche à ce que leurs repas soient équilibrés. Soucieux de sa silhouette, il passait une heure par jour dans la salle de sport et ne paraissait pas ses quarante-quatre ans.

— Qu'as-tu fait de ton après-midi ? demanda-t-il d'un air à la fois enjoué et détaché, tandis qu'ils passaient à table.

— Je suis restée avec Jan pour préparer le mariage de demain. Il y a vraiment beaucoup à faire : j'ai mal aux mains à force de couper les tiges et les épines des roses. Elle a embauché quatre assistantes et elle ne sait toujours pas comment elle va s'en sortir, dit Héloïse.

— Je suis passé à son atelier tout à l'heure, mais je ne t'y ai pas vue.

— Je devais encore être ici, en train de faire mes devoirs, dit-elle d'un ton de parfaite innocence.

— Bien sûr... Je te crois... répondit-il pour la taquiner.

Il n'ignorait pas qu'elle avait une longue rédaction à rendre dans peu de temps. Loin d'être exceptionnelles, ses notes étaient cependant satisfaisantes, et l'établissement qu'elle fréquentait avait la réputation de placer la barre très haut. Héloïse parlait aussi bien le français que l'anglais et ses longues conversations avec Ernesta lui avaient permis de continuer à perfectionner son espagnol.

— Alors, raconte : que vas-tu faire ce week-end ? Tu veux inviter des amies ? demanda-t-il d'un ton chaleureux.

— Oui, Marie-Louise devrait venir ce soir. Et peut-être Joséphine. On va dormir en bas.

Elle désignait ainsi une petite chambre que certains clients louaient pour leur secrétaire ou leur garde du corps, et où il la laissait parfois dormir à la basse saison.

— D'accord, mais n'embêtez pas le service d'étage. Pas de croque-monsieur ni de banana split à quatre heures du matin ! Après minuit, les serveurs sont moins nombreux et ils n'ont pas que ça à faire.

— Oui, papa, fit-elle sagement.

Il la trouva bien taciturne, en ce vendredi soir de janvier ; son rhume devait la fatiguer. Tous deux avaient eu une longue semaine et, dehors, le froid était mordant. Comme chaque année, la concentration de personnes dans l'hôtel favorisait la contagion, et l'épidémie de grippe faisait des ravages.

Les deux jours à venir s'annonçaient particulièrement chargés pour Hugues : il attendait quatre clients importants, dont un chef d'Etat, ce qui impliquait des mesures de sécurité renforcées et l'omniprésence des Services secrets. Le dirigeant étranger avait loué tout un étage, et il faudrait fermer les niveaux mitoyens. Même si le séjour du dignitaire serait facturé une petite fortune, cela représenterait plusieurs dizaines de milliers de dollars de manque à gagner, sans compter qu'il faudrait payer des heures supplémentaires aux agents de surveillance mobilisés pour le week-end.

Ils ne s'attardèrent pas à table après le repas. Tandis qu'Hugues redescendait pour faire le point avec le service de sécurité et coordonner la journée du lendemain, Héloïse se rendit chez Mme Van Damme pour lui proposer de promener son chien. La vieille dame en fut ravie. Depuis qu'elle avait été opérée de la hanche, elle ne sortait plus beaucoup et préférait qu'Héloïse s'acquitte de cette tâche, plutôt que l'un des grooms. Quand les jeunes employés se contentaient d'un rapide tour de pâté de maisons, la fillette effectuait avec Julius de longues promenades, dont elle revenait tout essoufflée, les joues rosies par le froid.

Emmitouflée dans sa parka, son bonnet, ses gants et sa longue écharpe de laine, Héloïse quitta l'hôtel cinq minutes plus tard avec le chien en laisse. Une fois passé le coin de la rue, elle s'arrêta sous un porche d'immeuble, où un homme était allongé sous un gros carton. Elle frappa trois coups polis sur l'abri de fortune, comme s'il s'était agi d'une porte, et un vieux visage parcheminé apparut. L'homme sourit à sa vue. Pelotonné dans une couverture crasseuse et un sac de couchage neuf (Héloïse le lui avait offert quelques jours plus tôt), il semblait un peu éméché. Depuis plus de deux semaines, elle venait régulièrement lui rendre visite pour lui offrir tous les restes qu'elle pouvait récupérer en cuisine. Personne ne lui demandait jamais de comptes et les cuisiniers imaginaient qu'il s'agissait d'un en-cas pour une amie, ou simplement qu'elle avait bon appétit.

— On y va, Billy ? proposa-t-elle.

— Aller… où ?

D'un geste, elle désigna l'arrière de l'hôtel. Le vieil homme n'en crut pas ses yeux. Elle était un ange tombé du ciel ! Certes, elle lui avait promis qu'il passerait la nuit à l'abri, mais il ne l'avait pas prise au sérieux…

Quand Héloïse avait croisé Billy pour la première fois, il lui avait dit qu'il avait soixante-six ans, qu'il était malade, et que les centres d'hébergement n'avaient pas de place pour lui. Elle n'avait alors vu qu'un moyen de le faire dormir au chaud, ne serait-ce que pour une nuit, et de lui montrer que quelqu'un au moins s'intéressait à son sort. Ce soir-là, l'hôtel n'était pas complet et elle avait elle-même bloqué la chambre dans le logiciel de réservation. Le moment était idéal : les femmes de chambre avaient fini leur ronde du soir et certains agents de sécurité étaient absents à cause de la grippe. Elle espérait seulement que personne ne regarderait de trop près les écrans de surveillance…

Elle l'aida à replier sac de couchage et couverture, tout en retenant sa respiration, car l'homme dégageait une odeur nauséabonde. Ils parcoururent quelques dizaines de mètres avant d'arriver devant une entrée de service. D'un geste preste, Héloïse ouvrit la porte sans enseigne, avec une clé empruntée à la maintenance.

— On monte au deuxième, annonça-t-elle.

Billy la suivit péniblement dans l'escalier, tandis que Julius, pantelant, fermait la marche.

— Ça va ? lui demanda-t-elle en souriant, comme ils arrivaient au deuxième étage.

Julius les observait tour à tour avec intérêt.

— Oui, ça va, dit le vieil homme en reprenant son souffle. Il est mignon, ton chien.

— Il n'est pas à moi. Je le promène pour rendre service à une amie. Mais maintenant, chut ! dit-elle, un doigt sur les lèvres.

Avant que Billy ait eu le temps de comprendre ce qui lui arrivait, Héloïse avait ouvert la porte palière et ils s'étaient engouffrés dans la petite chambre située juste à côté. Elle alluma la lumière.

Les yeux écarquillés, Billy embrassa du regard le luxe et le confort de la pièce où ils se trouvaient. Plus petite que les autres (ce qui expliquait qu'elle soit toujours louée en dernier), la chambre disposait néanmoins d'un lit *king size*, d'un immense écran de télévision, de meubles anciens et d'une grande salle de bains étincelante de propreté.

— Mais tu es folle ! s'écria-t-il, tandis qu'une expression de panique déformait son vieux visage ravagé. Je peux pas rester ici, on va me mettre en prison !

— Ne t'inquiète pas, l'hôtel est à mon père...

— Alors il va te tuer ! continua-t-il, au bord des larmes.

— Mais non, voyons ! Il est très gentil.

— Et ta maman, qu'est-ce qu'elle va dire ?

— Elle ne vit pas ici, elle s'est remariée. Vous ne voulez pas vous asseoir ? Moi, je dois ramener le chien. J'en ai pour cinq minutes. Vous pouvez regarder la télé, en attendant... Après, je vous commande à manger.

Il opina, muet de stupeur, tandis qu'elle quittait la pièce avec Julius pour monter chez Mme Van Damme.

— Quelle longue balade vous avez fait ! s'étonna la vieille dame en débarrassant le pékinois de son manteau de cachemire.

Elle ne pouvait se douter qu'ils étaient déjà rentrés à l'hôtel depuis un moment, ni qu'ils avaient à peine dépassé le coin de la rue. Héloïse lui fit une bise rapide et prit congé en toute hâte. Moins de cinq minutes plus tard, elle était de retour dans la petite chambre du deuxième étage.

Le vieil homme était resté assis sur le bord du lit, l'air hébété, n'osant pas s'allonger. Il semblait à la fois heureux et terrifié, mais surtout très soulagé de la voir revenir. Elle-même devrait trouver un endroit où dormir dans l'hôtel : officiellement, elle était avec son amie Marie-Louise et ne pouvait rentrer chez elle. Même si Billy n'avait pas le moins du monde l'air dangereux, il n'était pas question de passer la nuit dans la même chambre que lui.

— Qu'est-ce que vous voudriez manger ? demanda-t-elle.

Il regarda le menu qu'elle lui tendait d'un air embarrassé. Il avait peut-être besoin de lunettes...

— Quel est votre plat préféré ?

— Un bon steak, répondit-il avec un grand sourire édenté. Avec de la purée à côté... et de la mousse au chocolat en dessert !

Héloïse décrocha le téléphone pour passer commande, traduisant « steak » par « filet de bœuf », « purée » par « écrasé de pommes de terre » et « mousse au chocolat » par « entremets Trianon ». Afin d'équilibrer le menu, elle ajouta une salade verte et un grand verre de lait. Ensuite, elle suspendit le panneau « Ne pas déranger » à la poignée de la porte, avant de s'installer dans un fauteuil, tandis que Billy allumait la télévision.

— J'ai jamais vu une aussi belle chambre, dit-il. Et pourtant, j'étais menuisier, avant. Quand j'étais tout jeune, j'ai travaillé dans une fabrique de meubles, mais j'ai jamais rien fait de si joli.

Héloïse aurait aimé savoir comment sa vie avait basculé, mais elle n'osa pas poser la question. Une demi-heure plus tard, le garçon d'étage frappa. Elle répondit aussitôt à travers la porte :

— Merci, Derek ! On n'est pas habillées. Tu veux bien laisser le chariot dehors ?

— Pas de souci. Amusez-vous bien, les filles !

Elle attendit un instant, écouta les portes de l'ascenseur se refermer, puis rentra la desserte, sous les yeux éberlués de Billy. Un délicieux fumet avait envahi la pièce. Elle approcha une chaise en lui souhaitant bon appétit, puis écrivit son numéro de portable sur un morceau de papier.

— Appelez-moi si vous avez un problème, ou si vous voulez autre chose à manger. Je vous commanderai un petit déjeuner demain matin. Il faudra partir de bonne heure, avant qu'il n'y ait trop de mouvement dans l'hôtel, et vous pourrez ressortir par là où on est entrés.

— Merci, dit-il, alors que ses yeux se mouillaient à nouveau de larmes. Tu dois être un ange déguisé en petite fille.

— Ce n'est pas grand-chose, répondit-elle doucement. Fermez bien le verrou derrière moi et ne vous montrez pas sur le palier. Et surtout ne répondez pas au téléphone !

Billy acquiesça, avant d'attaquer son steak avec un appétit féroce. Elle quitta discrètement la pièce, satisfaite du déroulement des opérations. A aucun moment elle ne s'était imaginé qu'il pourrait refuser de partir le lendemain. Tout se passait comme prévu, et l'émotion qu'elle avait pu lire sur le visage du vieil homme n'avait pas de prix.

Elle redescendit dans la salle de bal, afin de constater l'avancement des préparatifs pour le lendemain. La nuit allait être longue et il lui fallait éviter son père. Elle fit un tour dans la cave à vin, puis dans la salle où étaient entreposés les uniformes, suspendus à des cintres dans leurs housses de pressing. Personne ne s'étonnait de la voir déambuler d'un étage à l'autre. Elle pénétra finalement dans l'infirmerie, qui était pourvue d'un lit et d'une table d'examen ; avec un peu de chance, elle pourrait s'y allonger jusqu'au matin. A minuit passé, une cuisinière du service d'étage entra. Elle cherchait de la pommade pour soigner une brûlure et sursauta en trouvant l'adolescente à moitié endormie sur la table d'examen.

— Qu'est-ce que tu fais là ? lui demanda-t-elle, tandis qu'Héloïse se levait d'un bond, le casque de son baladeur sur les oreilles.

— Je joue à cache-cache avec une copine, répondit Héloïse avec un sourire forcé. Elle ne me trouvera jamais ici...

— Tu n'es pas en train de faire des bêtises, j'espère ? dit l'employée en fronçant les sourcils.

Nouvelle à l'hôtel, elle ne faisait pas partie du cercle de confiance de la « mascotte du Vendôme ».

— Non, non ! Mais ne dites rien à mon père, s'il vous plaît.

— Mouais... Tu ferais mieux de remonter.

Héloïse retourna alors dans la salle de bal, maintenant déserte. Elle se cacha derrière l'un des grands rideaux de satin bouffant, et resta là jusqu'au matin. Par chance, le bruit de l'aspirateur la réveilla dès six heures, quand l'équipe de nettoyage entra dans la pièce.

Elle sortit de sa cachette et retourna frapper chez Billy.

— C'est toi ? murmura-t-il à travers la porte.

— Oui, vous pouvez ouvrir.

Rasé de près, les cheveux bien peignés, il avait visiblement pris un bain et semblait ravi de la voir.

— Vous avez passé une bonne nuit ?

— Ça oui, j'ai jamais aussi bien dormi !

Le cadavre d'une bouteille de vin en provenance du minibar gisait sur le sol, mais il n'avait pas l'air ivre. Quand il dormait dans la rue, il avait l'habitude de décamper avant l'aube, c'est pourquoi il était frais et dispos malgré l'heure matinale.

— Vous prenez quoi au petit déjeuner ?

— Est-ce que je pourrais avoir des œufs... sur le plat ? demanda-t-il timidement.

Elle les lui commanda, avec du bacon, des muffins, une corbeille de viennoiseries, un jus d'orange et un grand café. Le repas fut servi en vingt minutes et la moitié de ce temps suffit à Billy pour tout engloutir. Héloïse lui annonça ensuite que l'heure était venue de s'en aller. Elle le regarda revêtir son manteau en loques : le vieil homme semblait en meilleure forme que la veille. Heureusement, la nuit s'était déroulée sans incident, et il ne restait plus qu'à le faire sortir comme il était entré.

Ils descendirent l'escalier de service en silence. Sur deux étages à peine, il y avait peu de chances que les agents de sécurité les remarquent sur leurs écrans, mais elle releva tout de même sa capuche, de peur d'être reconnue. Une fois au rez-de-chaussée, elle ouvrit la porte qui donnait sur la rue. Le jour n'était pas encore levé.

— J'oublierai jamais ce que tu as fait pour moi, petite... Un jour, tu iras au paradis, c'est sûr ! dit Billy en lui touchant doucement le bras, le regard si plein de gratitude qu'elle en eut les larmes aux yeux.

Il resserra le col de son vieux pardessus et Héloïse le regarda s'éloigner, traînant des pieds dans ses chaussures fatiguées, son sac de couchage et sa couverture sous le bras, jusqu'à ce qu'il tourne le coin de la rue. De retour à l'étage, Héloïse devait maintenant effacer toute trace du sans-abri. Elle avait si souvent aidé les femmes de chambre qu'elle savait exactement comment s'y prendre : une demi-heure plus tard, le lit était fait à blanc et la salle de bains brillait comme un sou neuf. Personne n'aurait pu soupçonner que la chambre avait été occupée. Il était près de huit heures quand elle remit le chariot de service en place, avant de rentrer à l'appartement comme si de rien n'était. Elle trouva son père en train de lire le journal à la table du petit déjeuner, tiré à quatre épingles dans son costume anthracite.

— Vous vous êtes levées sacrément tôt ! s'étonna-t-il. Où est Marie-Louise ?

— Elle a son cours de danse le samedi, alors elle est partie de bonne heure. Par contre, Joséphine n'est pas venue. J'ai déjà refait la chambre !

— C'est gentil de ta part, tu n'étais pas obligée, dit-il en souriant.

A peine Hugues fut-il arrivé dans son bureau ce matin-là que Bruce Johnson, le directeur de la sécurité, frappa à sa porte. D'une stature et d'une carrure imposantes, Bruce travaillait au Vendôme depuis l'ouverture. Voulait-il lui parler de la coordination avec les Services secrets pendant la visite du chef d'Etat ? Il avait en main une cassette vidéo.

— Il faut que je vous montre quelque chose, monsieur Martin, dit-il, l'air plus grave que d'ordinaire.

— Un problème, Bruce ?

Hugues avait souvent visionné des vidéos de sécurité avec lui, chaque fois qu'un employé était soupçonné de voler, de boire, de se droguer ou d'avoir une attitude inappropriée pendant le service.

— Je ne sais pas, j'aimerais votre avis. Je ne m'en suis aperçu que tôt ce matin, en regardant les enregistrements à mon arrivée. Je pense que nous avons eu un invité surprise, la nuit dernière. L'individu s'est introduit juste après dix-neuf heures et a quitté les lieux un peu avant sept heures. Après l'avoir remarqué sur la vidéo, j'ai visionné toutes les autres, mais je n'ai pas retrouvé sa trace. La personne qui l'a fait entrer et sortir de l'hôtel doit sacrément bien connaître la maison.

A ces mots, le sang d'Hugues ne fit qu'un tour. Héloïse était-elle avec un garçon, la nuit dernière, plutôt qu'avec l'innocente Marie-Louise ? Si tel était le cas, le jour tant redouté était arrivé et il allait commencer à se faire des cheveux blancs. Il s'attendait au pire.

Bruce introduisit la cassette dans le magnétoscope et un vieux SDF crasseux apparut à l'écran. Il était en train de pénétrer dans l'hôtel par la porte de derrière, accompagné par une frêle silhouette dans un anorak à la capuche relevée. Tous deux disparaissaient rapidement dans la cage d'escalier, et on ne les retrouvait plus nulle part de toute la nuit. On voyait ensuite cet étrange duo redescendre l'escalier le lendemain matin, mais à présent le clochard semblait un peu moins sale et loqueteux que la veille. Les cheveux peignés, il souriait et marchait d'un pas plus alerte. Cette fois encore, la personne qui l'accompagnait évitait soigneusement de montrer son visage à la caméra. On la voyait enfin rentrer dans l'hôtel quelques minutes plus tard, puis remonter les escaliers quatre à quatre.

— Qu'est-ce que ça veut dire ? s'exclama Hugues. Qu'est-ce que c'est que ce type ? Je ne dirige pas un centre de l'Armée du salut, que je sache ! Vous pensez qu'un employé des cuisines a pu le laisser entrer ?

— Regardez de plus près, dit Bruce en souriant d'un air calme. Vous ne reconnaissez pas quelqu'un ?

Hugues fixa de nouveau l'écran et n'en crut pas ses yeux. Il était soulagé qu'Héloïse n'ait pas invité un amoureux, mais ce qu'elle avait fait était peut-être pire et bien plus dangereux.

— Mon Dieu... souffla-t-il avec un frémissement d'horreur. Ne me dites pas qu'elle a amené un SDF ici ! Où a-t-il passé la nuit ?

— Ma foi, dans une chambre, sans doute.

Bruce s'empara alors du téléphone pour appeler les services d'entretien. A leur connaissance, Héloïse n'avait pas occupé de chambre. Il téléphona ensuite au service d'étage : il apprit qu'elle avait commandé un dîner puis un petit déjeuner pour la 202, bien que les garçons d'étage ne l'aient pas vue, car chaque fois le panneau « Ne pas déranger » était accroché à la porte.

— Elle a commandé du filet de bœuf et un Trianon hier soir, et un petit déjeuner roboratif ce matin à six heures quinze : œufs, bacon, panier de viennoiseries.

— Je n'arrive pas à le croire...

Hugues appela Héloïse sur son portable pour lui demander de descendre. Elle arriva cinq minutes plus tard, affectant un air de nonchalance, et adressa un large sourire à Bruce quand elle le vit.

— Je n'ai pas envie de rire, dit Hugues sans préambule. As-tu fait entrer quelqu'un dans l'hôtel hier soir ? Un sans-abri ?

Les images des écrans de sécurité l'accablaient. Après un instant d'hésitation, elle opina du chef.

— Oui, c'est vrai, dit-elle en regardant son père droit dans les yeux. Il est vieux et malade, il mourait de faim, et dehors il gèle à pierre fendre, mais il n'y a pas de place dans les centres d'hébergement !

— Donc tu reconnais que tu l'as amené ici ?

Elle acquiesça en silence, tandis qu'Hugues commençait à paniquer sérieusement.

— Et s'il t'avait fait du mal, à toi ou à un client ? Il aurait pu te frapper... ou pire ! Est-ce que tu te rends compte à quel point c'est stupide et dangereux ? Où as-tu passé la nuit ? Dans la même chambre que lui ?

Il fut terrifié à cette simple pensée : il aurait pu la violer !

— J'ai dormi dans l'infirmerie jusqu'à minuit, puis je me suis cachée derrière les rideaux de la salle de bal jusqu'à six heures. Crois-moi, papa, c'est un brave type. Il n'a pas abîmé la chambre. J'ai tout nettoyé moi-même.

Bruce Johnson s'efforçait de ne pas sourire. Elle avait l'air si sérieuse et si sincère. Il était bien conscient du risque qu'elle avait pris, mais au moins elle était indemne. En revanche, les Services secrets ne seraient pas rassurés s'ils apprenaient que le premier vagabond venu avait pu s'introduire dans l'hôtel en cachette...

— C'est la dernière fois que je te laisse inviter des copines, si tu te mets à me mentir et à faire des choses pareilles, dit Hugues, menaçant.

— Mais tu dis toujours qu'on est responsable des plus pauvres que soi, et que je ne dois pas oublier la

64

chance que nous avons... Il aurait pu mourir de froid, papa !

Ravie que son plan ait fonctionné sans anicroche, elle n'avait pas l'intention de s'excuser. Cela lui était bien égal d'être punie.

— Il y a d'autres façons d'accomplir son devoir. Je te rappelle que nous donnons tous nos excédents à la banque alimentaire, par exemple. Je t'interdis de recommencer une telle folie ! Qui sait ce qui aurait pu se passer ?

— Je connais Billy, il ne ferait pas de mal à une mouche.

Elle semblait dire : l'issue de l'histoire ne l'a-t-elle pas prouvé ?

— Tu n'en sais rien du tout ! Qui te dit qu'il n'est pas déséquilibré...

Il essayait de ne pas se mettre à crier sous le coup de l'angoisse. Elle aurait pu se faire tuer sans que personne s'en aperçoive !

— Papa, peut-être que le fait d'avoir passé la nuit ici va changer sa vie et lui donner de l'espoir. Il a pu vivre décemment, comme un être humain, pendant une nuit. Est-ce que c'est trop demander ?

— C'est bien trop dangereux, et il est hors de question que tu recommences. Monte dans ta chambre, maintenant. Tu y resteras aussi longtemps qu'il le faudra pour réfléchir à ce que tu as fait, lui ordonna-t-il d'un ton solennel.

Tandis qu'elle quittait la pièce, les deux hommes se regardèrent en hochant la tête.

— Je crois que nous avons trouvé une petite Mère Teresa... Vous feriez mieux de garder un œil sur elle, dit Bruce.

— Je n'aurais jamais imaginé une chose pareille. Je me demande si elle l'a déjà fait avant.

— J'en doute. Nous l'aurions vue sur les écrans. Mais elle ne s'en est pas si mal tirée, hier soir. Ce type a dormi dans un lit et a eu deux repas chauds. Et si ça avait changé sa vie ? Elle a peut-être raison...

— Ah non, vous n'allez pas vous y mettre ! Hors de question que je transforme cet hôtel en foyer pour SDF.

Bruce sortit la cassette du magnétoscope.

— Sacré caractère, notre petite princesse ! dit-il. Je crains qu'elle ne vous donne du fil à retordre, dans les années à venir.

Hugues acquiesça pensivement. Il avait une idée. Plus tard dans la matinée, il rejoignit Héloïse à l'appartement. Il la trouva allongée sur son lit, ses écouteurs sur les oreilles. Elle se redressa à son arrivée.

— Je te demande pardon, papa, dit-elle d'une voix douce.

— Je voulais te dire quelque chose, commença-t-il, les yeux humides. Ce que tu as fait était une pure folie et tu n'aurais pas dû, pour de nombreuses raisons. Mais je veux que tu saches que je t'aime et que je t'admire de l'avoir fait. C'était très courageux ; je suis fier de toi. Néanmoins, promets-moi que tu ne recommenceras jamais.

— Merci, papa, dit-elle en se jetant à son cou. Je t'adore !

— Moi aussi je t'aime, murmura-t-il.

Sa voix était troublée par l'émotion, et les larmes coulaient le long de ses joues.

— Tu sais quoi ? J'ai une mission à te confier, dit-il avec un sourire bienveillant. Je veux que tu aides les employés de la cuisine qui s'occupent de la collecte de nourriture. Je veux que tu en comprennes le fonctionnement en détail, et quand tu seras un peu plus grande, je te nommerai coordinatrice du projet.

Elle le serra dans ses bras, rayonnante de bonheur.

— Et si ça ne te suffit pas, tu peux être bénévole dans un foyer d'accueil pour les familles déshéritées. En tout cas, pas question de ramener d'autres sans-abri à l'hôtel !

— Je te le promets, papa, dit-elle d'un ton sérieux.

Bruce vint ensuite lui faire la leçon à son tour : il ne pouvait pas la laisser mettre à mal les procédures de sécurité de l'établissement en toute impunité... Hugues, impressionné par l'élan de générosité si naïf et si sincère de sa fille, était prêt à encourager sa fibre philanthropique. Mais il savait désormais à quoi s'en tenir : sa petite Héloïse était un sacré brin de femme ! Les jours suivants, elle chercha vainement à retrouver Billy, lors de ses promenades avec Julius. Elle espérait le rencontrer au centre de distribution alimentaire où elle était bénévole. Il avait peut-être changé de quartier ou trouvé une place dans un foyer... En tout cas, elle ne regrettait pas ce qu'elle avait fait.

4

Deux semaines après l'épisode de Billy, le sans-abri, tout l'hôtel était de nouveau en émoi. Sally Biend, la responsable des banquets et séminaires, tomba d'une échelle alors qu'elle était en train de vérifier la propreté d'un lustre dans la salle de bal. Au soulagement général, elle en fut quitte pour une jambe cassée. Cependant, pas moins de quatre mariages étaient prévus au mois de février et, pour comble de malchance, l'assistante de Sally était en congé de maternité. Hugues fut donc obligé de faire appel à une agence d'intérim... Hélas, aucune candidate ne semblait suffisamment qualifiée pour le Vendôme. Elles furent refusées une à une, jusqu'à ce que la dernière d'entre elles se présente.

Hilary Cartwright fut accueillie comme un don du ciel. Elle avait travaillé dans l'événementiel pour de nombreux hôtels, dont un célèbre établissement de Boston. Elle bénéficiait donc d'excellentes références et semblait bien connaître son métier. Quant à sa présentation, elle était irréprochable, et son physique de rêve ne gâtait rien. Avec ses jambes interminables, elle ressemblait à un mannequin, tandis que ses longs cheveux blonds, ses immenses yeux bleus et la finesse de ses traits lui conféraient un air angélique. Elle répondit avec assurance aux questions du directeur des ressources humaines. Dans un langage châtié, elle déclara qu'elle saurait organiser sans difficulté les différents mariages inscrits à l'agenda et ajouta qu'elle serait intéressée, le cas échéant, par un poste à long terme. La place n'était pas disponible au-delà de la période de remplacement, lui expliqua le DRH, qui lui fit signer un contrat à durée déterminée. Il lui assura cependant qu'il garderait ses coordonnées : il était si difficile de trouver des éléments compétents... Tout le monde espérait que Sally serait de nouveau sur pied en juin, quand la saison des mariages battrait son plein.

— Elle est jolie, la nouvelle commerciale, dit Héloïse à la fleuriste, le vendredi suivant.

Contrairement à son habitude, Jan ne fit aucun commentaire. Comme Héloïse la regardait d'un air étonné, la jeune femme se tourna vers elle, le visage crispé de colère.

— Oui, eh bien, figure-toi que mademoiselle Gueule d'Ange est une sale garce, sous ses airs de sainte-nitouche.

— Ah bon... ? fit Héloïse, stupéfaite de l'entendre employer pareil langage.

— Elle a fermé à clé la salle de bal pour m'empêcher de commencer la mise en place du mariage avant demain, explosa-t-elle. Elle prétend que mes compositions sont minables et elle a renvoyé tout ce que j'avais fait. Et par-dessus le marché, ton père m'a convoquée dans son bureau. Elle lui a laissé entendre que je les volais, lui et le client, en disant qu'elle pouvait lui procurer des fleurs moins chères et de meilleure qualité par l'intermédiaire d'une amie à elle.

Jan, qui en huit ans n'avait jamais eu aucun problème au Vendôme, se mit à pleurer.

— Peut-être que papa est juste de mauvaise humeur, dit Héloïse en la prenant dans ses bras pour tenter de la consoler. Je l'ai vu éplucher une montagne de factures sur son bureau, tout à l'heure. Il est toujours un peu grognon, dans ces moments-là.

— Non, je sais qu'il l'a crue, dit Jan en versant de nouvelles larmes.

Elle avait beau être l'une des fleuristes les plus reconnues de New York et avoir été récompensée par de nombreuses distinctions pour son travail au Vendôme, la nouvelle responsable lui avait fait perdre tous ses moyens.

Le lendemain, pendant les préparatifs de la fête, la situation ne fit qu'empirer. Hilary, non contente de livrer une guerre ouverte contre Jan, insulta les chefs de rang et leur fit recommencer la mise de table. En menant son petit monde à la baguette, elle obtint de bons résultats, cependant personne au Vendôme n'était habitué à une telle agressivité. Sally traitait chacun de ses collaborateurs avec beaucoup d'égards, ce qui ne les empêchait pas de mener leurs missions à bien. Par contraste, Hilary était un vrai dragon. Ou plutôt... un loup en habit d'agneau.

En effet, quand Hugues arriva pour vérifier que tout se passait bien, elle redevint tout miel, sous le regard médusé de ceux qu'elle venait de rudoyer. Héloïse, incrédule, vit son père tomber dans le panneau la tête la première. Il s'aplatit littéralement aux pieds de Hilary, c'en était choquant. Il semblait ensorcelé.

— Non, mais tu as vu ça ? murmura Héloïse à Jan. Il est complètement gaga. Il croit tout ce qu'elle lui raconte.

— Le temps va sembler long, jusqu'au retour de Sally...

La fleuriste craignait que son patron ne soit en train de tomber amoureux de cette femme qui cachait sous des dehors de douceur un tempérament d'adjudant-chef sadique.

A peine Hugues eut-il quitté la pièce que Hilary se tourna vers Héloïse.

— Tu cherches quelque chose, peut-être ?

— Je passais juste dire bonjour, répondit-elle poliment.

Toute de neuf vêtue en prévision du mariage, Héloïse était chez elle et n'avait pas l'intention de se laisser faire. Avec sa robe de velours vert foncé, son col de dentelle, ses ballerines noires bien cirées et ses collants blancs, elle avait l'air d'un catalogue de mode pour filles de son âge. Hilary ne parut guère impressionnée et lui signifia qu'elle devrait quitter la salle avant le début de la réception.

— Dis-moi... Il serait fâcheux que quelqu'un participe au mariage sans y avoir été invité, n'est-ce pas ?

Sans ciller, Héloïse lui répondit qu'elle n'en avait manqué aucun depuis l'âge de six ans et qu'elle n'avait pas l'intention de s'en aller. Après un long silence, Hilary finit par hocher la tête en signe d'assentiment.

Elle n'attaquerait pas de front la fille du directeur. Du moins, pas pour le moment. Pendant la réception, elle la surveilla comme le lait sur le feu, à l'affût du moindre faux pas. Quand Héloïse arrêta un serveur pour lui demander un Coca-Cola, Hilary annula aussitôt la commande et rappela à la jeune fille qu'elle ne faisait pas partie de la noce.

— Si tu veux rester pour voir la mariée, pas de problème. Mais si tu veux boire ou manger, tu n'as qu'à monter chez toi. Et tu es priée de ne pas danser, ni de parler avec les gens, dit-elle d'un ton cassant.

Malgré le regard glacial qu'elle lui jetait, Héloïse ne se laissa pas démonter. Il était hors de question que cette étrangère la mette à la porte.

— Personne ne m'a jamais empêchée de parler avec les clients ! Je représente les intérêts de mon père, dit-elle d'un ton plus assuré qu'elle ne l'était en réalité.

— Et moi, je suis responsable de ce mariage. Tu ne figures pas sur la liste des invités, et je suis sûre que ton père serait de mon avis.

Craignant qu'elle n'ait pas complètement tort, Héloïse n'insista pas ; Hilary était plutôt effrayante. Deux des serveurs, qui avaient tout entendu, informèrent le chef cuisinier qu'il y avait du grabuge à OK Corral : la nouvelle responsable avait refusé un Coca à la fille du patron...

— Elle ne va pas faire long feu ici, répondit le chef en levant les yeux au ciel.

Hugues ne tolérerait pas que quelqu'un s'en prenne à Héloïse.

Le mariage se déroula sans autre anicroche, si ce n'est que, contrairement à son habitude, Héloïse n'attendit pas l'arrivée de la pièce montée. Hilary avait réussi à mettre mal à l'aise la jeune fille, qui se sentait observée dans ses moindres faits et gestes. Héloïse décida donc de regarder un DVD à l'appartement, avant de passer voir son père, une fois la réception terminée. En entrant dans son bureau, elle faillit tomber à la renverse. Hilary, confortablement assise dans un fauteuil, devisait avec Hugues sur un ton badin, tandis qu'il lui servait une coupe de leur meilleur champagne.

— Que fait-elle ici ? souffla Héloïse.

Hilary lui jetait un regard de défi.

— Nous sommes en train de parler des prochains mariages, répondit son père d'un ton calme. Il faut bien que Hilary prenne le train en marche. Et si tu montais m'attendre à l'appartement ? Je te retrouve tout à l'heure pour le dîner.

Elle s'exécuta, visiblement dépitée. Le fait que sa fille surgisse à tout moment amusait Hugues plus qu'autre chose. Pourquoi diable était-elle sur la défensive avec la nouvelle venue ? C'était absurde. Après avoir accompli sa première mission à la perfection, Hilary avait demandé à lui parler. Pour la mettre à l'aise, il l'avait tout naturellement invitée à prendre un verre dans son bureau... Qu'y avait-il de mal à cela ?

— Elle semble très jalouse de vous... et de son territoire, remarqua Hilary en affichant un sourire candide.

— Depuis ses quatre ans, c'est la seule femme de ma vie, dit-il pour s'excuser. Elle n'aime pas me partager.

— Pourtant, d'ici quelques années, il faudra bien qu'elle quitte le nid et vous vous retrouverez tout seul. Vous ne pouvez pas la laisser diriger votre vie, ce n'est qu'une enfant.

Hilary, pour sa part, n'était pas née de la dernière pluie... Elle suivait la biographie d'Hugues dans les magazines hôteliers depuis des années et ne demandait pas mieux que de devenir la petite amie – et pourquoi pas l'épouse – du directeur du Vendôme. Depuis qu'elle avait répondu à cette offre d'emploi, elle tramait purement et simplement de séduire Hugues Martin et de faire carrière dans son hôtel. Ce n'était pas une gamine de douze ans, aussi précoce fût-elle, qui l'empêcherait de mettre son plan à exécution !

Le champagne aidant, Hugues était sous le charme. Il voulait rester fidèle à sa règle d'or, qui était de ne jamais fréquenter une employée. Mais qui pourrait bien l'empêcher d'avoir une aventure avec elle à l'issue de son remplacement ?

Quand enfin il rentra chez lui, il trouva Héloïse assise devant la télé, l'air renfrognée. Ils passèrent à table et, malgré les nombreuses tentatives d'Hugues pour engager la conversation, elle ne se dérida pas de tout le dîner. Elle finit par se tourner vers lui, en larmes.

— Cette femme veut te mettre le grappin dessus, papa. Elle te ment et elle est méchante avec tout le monde. Elle a crié sur Jan, elle l'a même fait pleurer.

— Elle est très efficace, répliqua-t-il sans perdre son sang-froid. Nous n'avons jamais eu de cérémonie aussi jolie. Les employés lui obéissent au doigt et à l'œil et la réception s'est passée comme sur des roulettes. Et puis je t'assure qu'elle n'a pas l'intention de me « mettre le grappin dessus », comme tu dis.

Héloïse ne pouvait le savoir, mais c'était plutôt lui, songea-t-il, qui avait des vues sur sa nouvelle recrue !

— Ne t'en fais pas, je te promets que tu es la seule femme de ma vie, ajouta-t-il en se penchant pour déposer un baiser sur sa joue.

— OK, je te demande pardon, répondit-elle, à demi rassurée.

Elle n'en détestait pas moins Hilary : elle savait bien qu'elle essayait de prendre son père dans ses filets ! Cette femme respirait l'hypocrisie.

Au cours des semaines suivantes, Hilary s'attira l'hostilité de presque tout l'hôtel. Simultanément, elle déployait des trésors d'énergie pour conquérir Hugues. C'était comme si elle avait été en mission. Elle se servait du moindre prétexte pour lui demander quelle était « la procédure au Vendôme », passait dans son bureau plusieurs fois par jour, à tout propos. Loin de se sentir envahi, Hugues était flatté de l'attention qu'elle lui portait. Au bout d'un mois, il était clair que Hilary le menait par le bout du nez. Elle lui demandait d'être présent à toutes les réceptions de mariage et flirtait avec lui sans vergogne. Le personnel se doutait à présent que si elle ne pouvait le conduire jusqu'à l'autel, elle essaierait au moins de le mettre dans son lit. Il avait beau s'efforcer de rester professionnel et discret, il ne parvenait pas à cacher son attirance. Dès qu'elle entrait dans la même pièce que lui, il avait l'air hypnotisé. Jennifer les surprit un jour en train de s'embrasser dans le bureau. Jamais son patron n'avait pris ce genre de liberté auparavant !

Alors que les manigances grossières de Hilary mettaient mal à l'aise sa fidèle assistante, Hugues lui-même, d'ordinaire si prudent, se laissait prendre au piège sans aucun discernement. A vingt-sept ans, soit dix-huit de moins que lui, elle avait plus d'un tour dans son sac. Tel un serpent, elle resserrait chaque jour son étreinte autour de sa proie. Au grand dam d'Héloïse.

L'adolescente en parlait souvent avec Jan ou avec Jennifer. Que pouvait-elle faire pour protéger son père ? Elle se sentait si démunie... Jusqu'au moment où le destin s'en mêla.

Un jour qu'elle rentrait du Lycée français, affamée par sa longue matinée de cours, elle descendit au sous-sol. Plutôt que d'appeler le service d'étage comme d'habitude, elle avait décidé de choisir elle-même son déjeuner en cuisine, avant de se mettre rapidement à son exposé de sciences. En entrant dans la chambre froide, elle trouva Hilary qui enlaçait l'un des seconds de cuisine, la jupe retroussée jusqu'à la taille. Le jeune homme avait la main entre ses cuisses.

Sous le choc, Héloïse resta sans voix. Elle n'avait jamais été confrontée à une vision aussi crue. Alors que le cuisinier, un Italien de vingt-quatre ans, beau comme un dieu, repoussait Hilary contre le mur, Héloïse se ressaisit. Avec une présence d'esprit extraordinaire, elle s'empara de son téléphone portable et captura un cliché des deux coupables au moment où l'homme refermait sa braguette.

Elle s'enfuit en courant, avant qu'ils puissent l'arrêter ou lui arracher son appareil. Elle était déjà dans l'escalier quand ils sortirent de la chambre froide. Sous un air détaché, Hilary cachait mal son humiliation, tandis que son amant arborait un sourire gêné, même si, en cuisine, personne n'ignorait leur relation. Dès que ses manœuvres pour séduire Hugues lui en laissaient le loisir, la jeune femme ne se privait pas de prendre du bon temps avec le bel Italien. Le directeur n'en restait pas moins son objectif principal : elle le considérait comme un projet à long terme, un investissement pour l'avenir. Heureusement pour elle que le ridicule ne tuait pas...

Echevelée, à bout de souffle, Héloïse entra en trombe dans le bureau de son père et le regarda droit dans les yeux.

— D'où sors-tu ? On dirait que tu viens de courir un cent mètres, remarqua-t-il en souriant.

Sans desserrer les lèvres, elle déposa devant lui la photo de Hilary avec le cuisinier, puis sortit de la pièce comme elle y était entrée. Une telle image n'était-elle pas plus éloquente que des milliers de mots ?

Personne ne sut de façon détaillée comment les choses se déroulèrent ensuite. Lorsque Hugues rendit son téléphone à Héloïse dans la soirée, la photo en avait été supprimée. Quant à Hilary, elle avait disparu sans laisser de trace. Personne n'osa plus prononcer son nom, surtout pas le cuisinier, qui avait failli perdre sa place à cause de ce batifolage.

Hugues ne s'étendit pas sur cette mésaventure, pas même avec Jennifer. Le lendemain matin, il se contenta d'adresser à son assistante un regard en coin et un sourire penaud.

— Il n'est sans doute jamais trop tard pour ouvrir les yeux, dit-il en posant sa tasse de café sur le bureau.

— Elle était très douée. On ne peut pas nier son savoir-faire, répondit Jennifer avec douceur avant de quitter la pièce.

Sally put revenir un peu plus tôt que prévu : le surlendemain, elle était de retour au Vendôme, ravie de reprendre du service malgré ses béquilles. Héloïse avait sauvé la situation.

5

L'année de ses dix-sept ans, Héloïse passa les épreuves anticipées du baccalauréat. Après cette année studieuse, l'été s'annonçait passionnant... Début juillet, elle devait en effet s'envoler pour un séjour de deux mois en France. A l'instar de son père, la jeune fille détestait l'oisiveté. Non seulement Hugues l'avait incluse à plein temps dans le planning de la réception en juin, mais encore lui avait-il déniché un job pour le mois de juillet : elle serait stagiaire du côté de Bordeaux, dans un petit hôtel paisible tenu par un ancien camarade de l'Ecole hôtelière. Il était temps, selon lui, qu'elle découvre le vaste monde. D'ailleurs, ces deux expériences professionnelles, l'une à New York et l'autre à l'étranger, feraient une excellente impression dans son dossier de candidature pour les universités. Ensuite, il était prévu qu'elle rejoigne sa mère et Greg dans leur nouvelle villa, à Saint-Tropez.

Au cours des dernières années, le plus grand changement dans la vie d'Héloïse avait concerné les garçons. Elle avait déjà eu deux ou trois flirts parmi ses camarades du Lycée français et, cet été-là, au moment où elle commençait son stage au Vendôme, Mme Van Damme lui avait arrangé une ou deux sorties avec Clayton, son petit-fils, venu lui rendre visite pour quelques jours. Les deux jeunes gens ne s'étaient vus qu'une fois, à l'âge de treize ans. Entre-temps, Clayton avait fait ses quatre années de lycée au très prestigieux internat Saint Paul's, dans le New Hampshire. Il fut ravi de redécouvrir Héloïse et de profiter de New York en sa compagnie. Ils allèrent plusieurs fois au restaurant et au cinéma, et même à un concert dans Central Park. Cependant, ils ne tardèrent pas à s'apercevoir que ces moments partagés resteraient sans suite : quoique très sincères, leurs sentiments et leur complicité demeuraient purement amicaux, et ils n'en demandaient pas davantage. De toute façon, Héloïse devait partir pour la France peu de temps après, tandis que Clayton, qui avait un an d'avance sur elle, allait intégrer Yale à la rentrée. Tous deux, déjà un peu anxieux, parlaient souvent de ce qui les attendait à l'université. Mme Van Damme adorait les voir ensemble.

Héloïse était devenue une superbe jeune fille. Quand elle travaillait à la réception dans son uniforme bleu marine, les cheveux tirés en chignon serré, Clayton ne manquait pas de plaisanter avec elle au passage, avant de sortir de l'hôtel d'un pas élastique et assuré. Les autres réceptionnistes la taquinaient beaucoup à ce sujet, espérant la faire avouer qu'elle avait un petit ami... mais c'était peine perdue !

Hugues venait d'atteindre la cinquantaine ; ses cheveux bruns étaient maintenant parsemés de quelques fils blancs aux tempes. Il était plus que jamais fier de sa fille. Elle avait obtenu de bons résultats aux premières épreuves du bac et il ne doutait pas qu'elle réussirait avec brio la deuxième partie de l'examen, à la fin de la terminale. Il l'incitait régulièrement à réfléchir à son avenir. Désormais, il ne rêvait plus qu'elle travaille un jour à ses côtés : il nourrissait de plus grandes ambitions pour elle. Il l'encourageait à envisager des études de droit, qui lui ouvriraient de nombreuses portes, alors qu'une carrière dans l'hôtellerie ne lui laisserait aucune vie privée. Mais ce qu'il espérait par-dessus tout, c'était qu'elle soit admise à Barnard ou à NYU : ainsi, elle n'aurait pas à quitter New York pour étudier... Pour le moment, Héloïse n'avait pas l'intention de quitter le cadre familier de l'hôtel. Elle ne s'était jamais rebellée contre ce cocon douillet ; le Vendôme restait le centre de son univers.

En l'occurrence, l'hôtel présentait encore plus d'intérêt à ses yeux depuis l'arrivée d'un nouveau réceptionniste. Roberto, un jeune stagiaire milanais, devait passer trois mois au Vendôme avant de reprendre ses cours dans une école hôtelière en Europe. Il était âgé de vingt-trois ans, intelligent et de bonne famille. Entre Héloïse et lui, le courant était passé instantanément. Hugues fut très inquiet de les voir converser à voix basse derrière le comptoir, un soir où ils travaillaient ensemble. Roberto flirtait avec toutes les femmes de la réception et ne laissait pas Héloïse indifférente. Hugues s'en ouvrit à Jennifer, dont il appréciait l'intuition féminine : elle était toujours de bon conseil en matière d'éducation... Quand il lui dit qu'il ne voulait pas que ce type s'approche de sa fille, l'assistante lui rit au nez. Elle avait bien plus d'expérience que son patron dans ce domaine puisque ses deux enfants étaient mariés et qu'elle était déjà grand-mère. Hugues risquait de se sentir abandonné le jour où Héloïse rencontrerait le prince charmant. Il lui serait difficile de couper le cordon.

— Je ne pense pas qu'il y ait grand-chose à y faire, dit-elle avec sagacité. Un jour ou l'autre, elle va tomber follement amoureuse, et vous n'aurez plus qu'à prier pour que l'heureux élu soit un garçon comme il faut !

— Je sais, je sais... répondit Hugues. Mais ce Roberto est trop vieux pour elle, et il m'a l'air trop poli pour être honnête. Je ne voudrais pas qu'il la fasse souffrir ! Gardez un œil sur eux et tenez-moi au courant si vous entendez quoi que ce soit à leur sujet.

Ce qui parvint à ses oreilles au cours des semaines suivantes, c'était qu'Héloïse était envoûtée par Roberto. Elle avoua même à Jennifer qu'elle le trouvait irrésistible. De son côté, le jeune homme n'était certes pas indifférent, mais il n'était pas idiot non plus. Il comptait bien qu'Hugues le gratifie d'une évaluation positive à la fin du stage... et n'avait aucun intérêt à jouer avec les sentiments de sa fille. Il resta donc très prudent et très respectueux envers elle. Il l'invita à dîner plusieurs fois et elle l'emmena explorer la ville, les jours de congé. Quand ils étaient de service, ils profitaient des pauses pour aller se promener ensemble dans le parc. Au grand soulagement d'Hugues, Héloïse partit pour Bordeaux avant qu'ils aient l'occasion d'aller plus loin. Jennifer lui rapporta qu'ils avaient échangé bon nombre de baisers passionnés dans le bureau attenant à la réception, mais rien de vraiment dangereux : le jour de son départ, la jeune fille avait affirmé à sa confidente qu'elle était encore vierge. Heureusement, Roberto ne serait plus là à son retour de Saint-Tropez...

Elle décolla pour Paris le 1er juillet, avant de prendre le train jusqu'à Bordeaux. Comme promis par l'ami de son père, un accueil des plus chaleureux lui était réservé. Sa femme et lui avaient une fille de l'âge d'Héloïse, avec laquelle elle sympathisa aussitôt. Elle fut toutefois un peu déçue les premiers jours, car le château de Bastagne, petit hôtel de charme perdu au milieu des vignes, était nettement moins animé que le Vendôme. L'endroit était calme et bien tenu, mais la plupart des clients ne restaient que quelques jours avant de continuer leur visite de la région. Grâce à la jeune fille de la maison, elle put cependant explorer les environs, sortir en ville et rencontrer des jeunes Français de son âge. Tous les amis de la famille semblaient liés de près ou de loin au travail de la vigne, ce qui lui permit de s'initier à cet univers fascinant. Elle apprit que les vignerons locaux avaient recours à des méthodes de culture naturelles : ici, on privilégiait la qualité et, contrairement à ce qui se faisait en Californie, on ne pratiquait pas l'irrigation artificielle. L'un des viticulteurs lui expliqua même que les meilleurs vins provenaient de vignes qui avaient un peu « souffert ». Pour le plus grand plaisir d'Hugues, Héloïse avait toujours une foule d'anecdotes à lui raconter chaque fois qu'elle téléphonait.

En dépit des réticences initiales de la jeune fille, le mois de juillet s'écoula comme un rêve. Et quand vint le moment de dire au revoir à ses nouveaux amis, elle leur promit de revenir un jour. Héloïse eut d'autant plus de mal à quitter Bordeaux qu'elle redoutait son séjour à Saint-Tropez : avec sa mère, il fallait s'attendre à tout... L'idée de découvrir la Côte d'Azur et de passer quatre semaines dans une splendide villa en bord de mer n'en était pas moins excitante !

A son arrivée à l'aéroport de Nice, elle embarqua dans un hélicoptère réservé à son intention. Après vingt minutes de vol, elle atterrit à l'hélistation de Grimaud-Saint-Tropez, où l'attendait le chauffeur de Greg. Il était dix heures du soir quand il la déposa devant la maison tout illuminée.

Miriam lui ouvrit la porte en robe de dentelle transparente. Visiblement, elle ne portait rien en dessous... et à quarante-deux ans, elle était plus belle que jamais. A la vue d'Héloïse, elle simula un profond ravissement.

— Regardez-moi cette charmante demoiselle ! s'exclama-t-elle, comme si Héloïse était la fille de quelqu'un d'autre.

La villa, en pleine effervescence, était remplie de rockers et de vedettes du show-biz, accompagnés de superbes créatures. Arielle et Joey, toujours aussi mal élevés, couraient de façon anarchique entre les groupes d'invités, en dépit des efforts de la nurse anglaise pour les canaliser. Sans prendre la peine de se lever, Greg lui adressa un signe de derrière sa batterie, tandis que Miriam, un verre à la main, la conduisait jusqu'à sa chambre. Quand elle ouvrit la porte, un couple s'étreignait sur le lit avec fougue.

— Oups, je me suis trompée, dit-elle avec un petit rire nerveux. Il y a tellement de monde, en ce moment, que je ne sais plus qui dort où. Voilà, je crois que c'est ici.

Par chance, la pièce suivante était inoccupée... C'était une jolie petite chambre décorée de dentelle blanche et de rubans bleus, avec lit à baldaquin et vue sur la mer. Héloïse jeta un œil par la fenêtre et s'aperçut que plusieurs personnes se baignaient dans la piscine dans le plus simple appareil. Quelle étrange soirée ! Elle était sous le choc. Quand elle redescendit au salon, l'ambiance était devenue franchement malsaine. L'alcool coulait à flots, les joints circulaient et tout le monde sniffait de la coke. De plus en plus mal à l'aise, Héloïse s'éclipsa dans sa chambre. Elle se sentait complètement dépassée par la situation. Elle aurait peut-être mieux fait de rester à Bordeaux... D'un autre côté, les occasions de voir sa mère étaient si rares qu'elle décida de prendre sur elle : les mœurs de la villa s'assagiraient peut-être, au cours des jours suivants.

Le lendemain matin, elle appela son père. Lui qui n'avait pas pris de congé depuis deux ans déclara qu'il mourait de jalousie. Quelle chance elle avait de pouvoir passer un mois de vacances à Saint-Tropez ! Sa définition du mot « vacances » semblait pourtant bien différente de celle de Greg et Miriam... D'un air détaché, il demanda si l'ambiance était agréable, et Héloïse lui répondit sur le même ton.

— C'est un peu spécial, admit-elle. Il y a beaucoup d'invités et disons que c'est plutôt... olé olé.

— Tout va bien ? Personne n'essaie de t'embêter ?

— Non, non, ne t'inquiète pas.

— Est-ce qu'ils se droguent ?

— Je ne sais pas trop... mais ça va. C'est juste que je ne suis pas habituée au monde du rock. Après mon séjour à Bordeaux, le contraste est violent. Et il faut dire que je n'avais pas vu maman et Greg depuis longtemps.

— Bon, mais si tu sens que ça devient trop bizarre, ne te gêne pas pour t'en aller. Tu n'auras qu'à dire à ta mère qu'il y a une urgence à l'hôtel et reprendre l'avion à Nice.

— Ne t'en fais pas, papa, je suis une grande fille. Je verrai bien comment ça se passe. Je peux aussi rester un jour ou deux chez mes copines de Paris avant de rentrer.

— Non, je ne veux pas que tu ailles à Paris toute seule. Attends de voir, ça va sûrement s'arranger, conclut-il.

Hugues se doutait bien que la vie de Miriam n'était pas des plus saines, mais il était loin d'imaginer ce qui se passait réellement. Avant midi, toute la maisonnée s'était remise à boire, les enfants exceptés. Le soir venu, ce fut pire que la veille. Les invités étaient ivres ou shootés et forniquaient dans toutes les chambres disponibles. Greg et Miriam eux-mêmes montèrent à l'étage avec un autre couple pour une partie carrée, non sans en avoir informé l'assistance à la cantonade. C'en était trop ! Comment sa mère avait-elle pu tomber si bas ? Héloïse se consumait de honte. Et encore, elle pouvait s'estimer heureuse que personne ne s'en prenne à elle. Les quelques hommes qui tentèrent une approche comprirent tout de suite que la jeune fille ne mangeait pas de ce pain-là. Elle était trop clean. Pour tout dire, les amis de Greg la trouvaient carrément coincée.

Au bout de deux jours, la coupe était pleine ; elle décida de mettre fin à son séjour. Elle était navrée à l'idée que son frère et sa sœur soient obligés de grandir dans un climat aussi toxique. A présent, Miriam ne s'intéressait pas plus à Arielle et Joey qu'à l'aînée de ses enfants. Quand Héloïse lui annonça qu'elle partait, elle ne posa pas de questions et ne fit aucun effort pour la retenir. En fin de compte, sa fille ne participait guère à l'ambiance festive, et si c'était pour tirer une tête d'enterrement, elle pouvait aussi bien rester chez elle.

De peur qu'il ne l'oblige à rentrer directement à New York, Héloïse ne dit rien à Hugues de son départ anticipé. Elle était décidée à passer par Paris. Le lendemain matin, elle quitta la villa sur la pointe des pieds pour ne réveiller personne, laissant un petit mot de remerciement dans le salon, puis monta dans le taxi qui l'attendait devant la porte. Elle avait calculé que la course jusqu'à l'aéroport de Nice lui coûterait près de deux cents dollars, mais elle voulait partir au plus vite, sans avoir de comptes à rendre à sa mère. Après moins d'une heure de vol, elle atterrit à Charles-de-Gaulle, où elle prit de nouveau un taxi. Vers seize heures, elle rejoignait le centre de Paris.

Elle demanda au chauffeur de s'arrêter devant une auberge de jeunesse dont elle avait l'adresse, dans le quartier du Marais. L'établissement, installé dans un ancien couvent rénové, n'était pas luxueux mais semblait propre et très correct. Un groupe de jeunes gens, d'apparence fort recommandable, bavardait devant la porte. A leur accent, elle reconnut des Britanniques, des Australiens, quelques Italiens, deux Japonais et plusieurs Américains. Certains d'entre eux, un gros sac de randonnée sur le dos, la saluèrent poliment quand elle entra dans le hall d'accueil.

Pour une somme modique, elle put s'installer dans une chambre à lits jumeaux, à partager avec une autre fille. Bien que la pièce ne fût guère plus grande qu'un placard, elle s'y sentit comme dans un havre de paix, après ce qu'elle venait de vivre dans la villa de sa mère. En outre, la localisation centrale de l'auberge était idéale pour visiter la ville. Héloïse était déjà venue à Paris avec son père quand elle était petite, mais cette fois c'était différent : elle avait envie d'explorer toute seule la capitale française, d'aller dans les musées, de s'asseoir aux terrasses des cafés, de déjeuner dans de petits restaurants de quartier, et surtout de visiter les hôtels qui avaient inspiré Hugues pour la création du sien.

Le premier sur sa liste était bien évidemment le Ritz. Le personnel ne laisserait sans doute pas entrer en jean et tee-shirt une adolescente qui ne faisait pas partie de la clientèle. Pour paraître plus âgée, elle enfila un chemisier blanc sur un simple pantalon noir, puis releva ses cheveux en chignon. Aussitôt habillée, elle partit pour la place Vendôme. Lorsqu'elle poussa la porte à tambour, elle fut émerveillée par les lambris et les hauts miroirs qui tapissaient les murs du sol au plafond. Son père ne lui avait pas menti : le décor était digne d'un château de contes de fées ! Et l'uniforme que portaient les jeunes grooms était pratiquement identique à celui du Vendôme...

Son circuit des palaces historiques la mena ensuite au Crillon, place de la Concorde. Héloïse frémit en lisant dans son guide que c'était là que la guillotine avait été érigée, pendant la Révolution. Quant à l'hôtel, presque aussi ancien que le Ritz, il était somptueux. De là, elle se rendit rue Royale pour voir le Meurice, également chargé d'histoire. Durant la Seconde Guerre mondiale, l'imposant bâtiment avait servi de quartier général aux forces d'occupation allemandes. Enfin, fatiguée par sa longue journée, elle remit au lendemain la visite du Plaza Athénée et du George V, lequel venait d'être racheté par la chaîne Four Seasons.

Elle passa la semaine entière, libre et insouciante, à visiter Paris, ou du moins son extraordinaire patrimoine hôtelier : elle était plus intéressée par les petits hôtels de charme de la rive gauche que par les grands monuments. Chaque soir, de retour à l'auberge, elle établissait son programme pour le lendemain. Dans le XVIᵉ arrondissement, elle adora le Saint James, dont elle avait beaucoup entendu parler. L'élégance de ses salons alliait le savoir-vivre à la française à l'atmosphère intime et feutrée d'un club anglais, avec ses boiseries de chêne, ses portraits de famille et ses profonds canapés de cuir. Partout où elle passait, la jeune fille prenait des notes, glanant des idées pour le Vendôme. Au George V, elle photographia les bouquets spectaculaires de l'Américain Jeff Leatham. Elle n'avait jamais rien vu de tel : de longues hampes florales étaient disposées dans de grands vases transparents, sculptées et mises en scène comme des œuvres d'art végétales. Elle avait hâte de les montrer à Jan et se demandait ce que cela donnerait dans le hall de leur hôtel. Pour la première fois de sa vie, elle avait l'impression de prendre une part active au projet de son père.

Hugues, quant à lui, était fou d'inquiétude. Il avait tenté sa chance plusieurs fois sur le fixe à Saint-Tropez avant que quelqu'un ne daigne réponde. Lorsqu'il eut enfin Miriam au bout du fil, elle lui annonça que sa fille était repartie pour New York depuis près d'une semaine. Il téléphona aussitôt à ses amis de Bordeaux. Héloïse venait justement de les appeler pour leur raconter ses aventures parisiennes... ce qui ne rassura Hugues qu'à moitié. Quand il essayait de la joindre sur son portable, il tombait systématiquement sur le répondeur. Deux jours et une demi-douzaine de messages plus tard, elle finit par le rappeler.

— Où es-tu ? demanda-t-il, très fâché qu'elle ne lui eût pas donné de nouvelles plus tôt.

— Je suis à Paris, j'ai pris une chambre dans une jolie petite auberge de jeunesse du Marais. C'est incroyable, je visite tous les hôtels dont tu me parles depuis mon enfance. Si tu voyais ça, papa ! C'est magnifique, ça donne envie de pleurer ! Le Ritz, surtout... Je n'ai jamais rien vu de plus beau ! Enfin, à part le Vendôme, bien sûr...

— Je les connais par cœur, ces hôtels, j'y ai travaillé, répliqua-t-il. Mais pourquoi diable ne m'as-tu pas prévenu avant de quitter Saint-Tropez ? C'était si horrible que ça ?

— Disons... que ce n'était pas génial. Et puis j'avais tellement envie de venir à Paris toute seule ! J'avais peur que tu me demandes de rentrer, dit-elle en toute sincérité.

— Oui, et d'ailleurs je te le demande, maintenant ! Tu vas prendre ta valise et monter à bord du prochain avion pour New York. Je ne veux pas que tu traînes dans les rues de Paris. Les vacances ont assez duré.

— Je me débrouille très bien, papa. Je t'en prie, laisse-moi rester quelques jours de plus !

Hugues grommela au bout du fil. Elle avait pris un peu trop confiance en elle... Pourtant, il était bien obligé de reconnaître qu'elle ne s'en était pas mal sortie, jusque-là. En l'espace d'un mois et demi à peine, ce voyage l'avait mûrie. Il avait hâte de la revoir, mais il savait qu'elle était en train de vivre une expérience unique.

— Bon, d'accord... finit-il par concéder. Mais hors de question que tu me laisses sans nouvelles ! Promets-moi d'appeler ou d'envoyer un SMS deux fois par jour.

— C'est promis !

— Et ne descends pas dans le métro le soir. Prends le taxi. Tu as besoin d'argent ?

— Mais non, ne t'inquiète pas, je gère mon budget. Fais-moi confiance.

Bluffé, Hugues lui accorda huit jours de plus. Elle le remercia de tout son cœur et lui assura qu'elle serait de retour en temps et en heure, une semaine avant de faire sa rentrée en terminale. Elle avait calculé son timing à la perfection.

Héloïse profita du reste de son séjour pour retrouver une ou deux de ses camarades du Lycée français qui passaient l'été dans leur famille française. Elle ne cessa pas pour autant de sillonner la ville en toute indépendance : comme une vraie Parisienne, elle sut remettre à leur place les hommes qui essayaient de la « draguer » à la terrasse des cafés. Enfin, elle poursuivit son exploration des hôtels de luxe. C'était un vrai pèlerinage sur les traces de son père. Ils étaient tous plus beaux les uns que les autres, mais aucun n'égalait le Ritz. C'était pour elle un sanctuaire. Elle ne se lassait pas d'y retourner, presque quotidiennement, pour prendre le thé au jardin, ou déguster un délicieux brunch dans le salon César. La veille de son départ, elle s'accorda un verre au bar Hemingway.

Le lendemain, pendant le vol, son extraordinaire aventure occupa toutes ses pensées. A New York, Hugues l'attendait dans la zone d'arrivée. Quand elle se jeta dans ses bras, rayonnante, il s'aperçut à quel point elle lui avait manqué.

— Tu as intérêt à t'inscrire à Barnard ou à NYU, lui dit-il avec tendresse dans la Rolls qui les ramenait à Manhattan. Parce que c'est la dernière fois que je te laisse m'abandonner aussi longtemps !

Elle resta silencieuse, tandis que les abords de la ville défilaient par la fenêtre. Quand elle se tourna vers lui au bout de quelques minutes, il vit dans ses yeux une détermination qu'il ne lui connaissait pas. Son enfant n'en était plus une. L'Héloïse qu'il avait en face de lui était devenue une femme.

— Je n'irai pas à Barnard, papa, ni à NYU. Je vais envoyer mon dossier à l'Ecole hôtelière de Lausanne, déclara-t-elle calmement. J'ai regardé leur site Internet : je suis éligible pour leur formation en deux ans, dont un de pratique professionnelle. Je veux diriger le Vendôme avec toi, plus tard, et j'ai engrangé plein de bonnes idées pendant mon séjour à Paris. On peut même les mettre en application tout de suite, si tu veux.

— Tu sais, ma chérie, que c'était mon rêve, autrefois, dit-il avec un soupçon de tristesse dans la voix. Mais plus maintenant. Je veux que ta vie soit meilleure que la mienne. L'hôtel te dévorerait. Regarde-moi, je fais des journées de dix-huit heures. Je pense que tu mérites mieux...

— C'est ça que j'aime et c'est ça que je veux, dit-elle avec assurance. J'ai passé l'âge de faire semblant de t'aider en courant partout, papa. Je sais ce que travailler veut dire et je veux être à tes côtés. Je pourrais même reprendre le Vendôme quand tu partiras à la retraite.

— Dis donc, je ne suis pas si vieux ça ! se récria-t-il, plus ému par la déclaration de sa fille qu'il ne voulait le laisser paraître. Mais ce n'est pas une décision à prendre à la légère. Tu en as envie parce que c'est l'univers dans lequel tu as grandi, et que tu ne connais rien d'autre.

— Non, papa. J'en ai envie parce que j'ai visité tous les grands hôtels de Paris et que j'admire énormément ce que tu as fait au Vendôme. A nous deux, on peut l'améliorer encore. J'aime la vie à l'hôtel et j'adore ce travail. C'est tout ce dont j'ai toujours rêvé.

A ces mots, Hugues se dit qu'il ne lui avait sans doute pas donné assez d'occasions de découvrir autre chose. Il fallait qu'elle s'ouvre au reste du monde ! Il passa le reste du trajet à essayer de l'en convaincre.

— Pourquoi tu me dis tout ça ? demanda-t-elle enfin. Tu n'aimes pas ce que tu fais ?

— J'adore mon métier, mais ce qui est bon pour moi ne l'est pas forcément pour toi. Tu n'aurais pas de temps pour une vie de famille, un mari et des enfants. Tu mérites mieux...

Il laissa sa phrase en suspens. Il venait de s'apercevoir que tous ses arguments étaient ceux que lui avaient opposés ses propres parents, trente ans auparavant, quand ils l'incitaient à devenir banquier ou avocat. Héloïse devait prendre ses décisions elle-même et il n'avait pas le droit de les contrecarrer.

— C'est pourtant toi qui m'as tout appris... Et si un jour j'ai des enfants, j'aimerais qu'ils reprennent le flambeau à leur tour.

— Dans ce cas, j'imagine qu'ils voudront sans doute faire des études de droit ou de médecine ! dit Hugues avec un petit rire attendri.

— Tu sais, papa, je ne demande rien de mieux que de rester près de toi, au Vendôme.

— Et malgré cela, tu m'annonces que tu t'en vas en Suisse pour deux ans !

— Tu viendras me voir, et puis je rentrerai à toutes les vacances.

— Tu as intérêt... maugréa-t-il en passant un bras autour de ses épaules. Je n'aurais jamais dû te laisser passer l'été en Europe !

— Ça n'aurait rien changé... Je suis trop fière de notre métier ! Je l'ai toujours été !

— D'accord, c'est bon, tu as gagné... Bienvenue à la maison, dit-il tandis que le chauffeur les déposait devant l'entrée du Vendôme.

Hugues la suivit dans le hall, où tous les grooms, réceptionnistes et concierges se précipitèrent à sa rencontre, heureux de la retrouver. S'aperçurent-ils qu'elle n'était plus tout à fait la même ? Quelque part entre Paris, Bordeaux et Saint-Tropez, un papillon était sorti de sa chrysalide.

6

Héloïse commença son année de terminale plus déterminée que jamais. A présent, elle avait clairement défini ses objectifs.

Au mois d'octobre, elle fut très fière d'annoncer à Mme Van Damme qu'elle venait d'envoyer son dossier à l'Ecole hôtelière de Lausanne. La doyenne approuva son choix. Elle lui dit qu'il fallait suivre ses rêves et que la vie ne valait pas d'être vécue si on ne faisait pas tout pour les réaliser. Elle encourageait de la même façon son petit-fils, qui aspirait à devenir photographe. Héloïse aimait bien avoir des nouvelles de Clayton. Il n'était pas revenu à New York depuis le mois de juin, mais il lui téléphonait de temps en temps pour lui raconter ses débuts à la fac. Même si Yale lui plaisait beaucoup, il envisageait de demander un transfert pour Brown, afin d'y étudier la photographie.

La santé de Mme Van Damme avait décliné au cours des derniers mois. Héloïse s'inquiétait pour elle et se reprochait de ne plus venir la voir aussi souvent : la préparation du bac ne lui laissait pas beaucoup de temps, sans compter qu'elle voulait profiter de New York au maximum avant de partir pour Lausanne.

Fin novembre, autour de Thanksgiving, la vieille dame attrapa un mauvais rhume, qui dégénéra en bronchite puis en pneumonie. Hugues prenait de ses nouvelles régulièrement, et Héloïse s'arrangea pour venir la voir chaque jour après les cours. Son fils fit le voyage depuis Boston et se décida à la faire hospitaliser sur les conseils du médecin. Avant qu'elle ne quitte l'hôtel en ambulance, Héloïse l'embrassa de tout son cœur et promit de prendre soin de sa chienne en son absence. Le fidèle Julius était mort depuis quelques années et la vieille dame avait adopté un autre pékinois, une femelle cette fois, qui répondait au nom de Maude.

Hugues et Héloïse se rendirent à l'hôpital pour lui apporter un gros bouquet que Jan avait confectionné à son intention. Chaque jour, Mme Van Damme semblait s'intéresser un peu moins à ce qui se passait autour d'elle ; une semaine avant Noël, à l'âge de quatre-vingt-neuf ans, elle s'éteignit paisiblement. Héloïse, qui n'avait pas connu ses vrais grands-parents, pleura à chaudes larmes la perte de celle qui lui avait voué tant d'affection depuis son enfance. C'était une maigre consolation, mais son fils la laissa garder Maude. La jeune fille lui en fut très reconnaissante.

Le jour de l'enterrement, Hugues demanda à Jennifer de louer un minibus pour emmener à Saint Thomas tous les employés de l'hôtel qui le souhaitaient. Ils étaient si nombreux ! Même Mike était là, en costume sombre, ainsi que Bruce, Jan, Ernesta et plusieurs autres femmes de chambre, un liftier et deux grooms, sans oublier Jennifer, Héloïse et Hugues. Quand Héloïse présenta ses condoléances à Clayton en sortant de l'église, ils étaient visiblement aussi émus l'un que l'autre. Ce triste événement vint assombrir les fêtes de Noël.

La fin de l'année était une période chargée à l'hôtel. Héloïse avait commencé à mettre en œuvre certaines idées rapportées de son voyage à Paris. Elle avait ajouté différents plats originaux à la carte du brunch et appliquait à la cave ce qu'elle avait appris dans les chais de Bordeaux. Jan, de son côté, essayait de s'inspirer des compositions florales de Jeff Leatham. Ces améliorations furent largement plébiscitées par les clients. Hugues était d'autant plus fier de sa fille qu'elle avait repris ses activités de bienfaisance dès la rentrée scolaire. Elle continuait à coordonner la collecte des surplus en cuisine, à distribuer des repas gratuits et à donner un coup de main au foyer d'accueil familial.

Le mois de janvier fut marqué par son admission à l'Ecole hôtelière. C'était quitte ou double, car elle n'avait envoyé sa candidature à aucun autre établissement. Folle de joie, elle annonça la bonne nouvelle à toutes ses copines de classe, qui, elles, n'auraient que fin mars la réponse des différentes universités où elles souhaitaient s'inscrire.

La vie à l'hôtel suivait son cours. Certains employés démissionnèrent ou partirent à la retraite, d'autres les remplacèrent, et au cours de l'hiver, Hugues parvint de justesse à prévenir une grève. Héloïse passait tous ses week-ends à travailler à la réception ; elle souhaitait prendre de l'avance dans sa formation. Son père, sachant qu'elle le quitterait quelques mois plus tard, appréciait chaque instant passé avec elle. Il espérait qu'elle effectuerait son année de stage à New York, mais Héloïse n'avait encore pris aucune décision à ce sujet : elle n'excluait pas de faire ses armes ailleurs, pourquoi pas en Europe, avant de rentrer au Vendôme pour de bon.

La fin de l'année scolaire approchant, Hugues confia son appréhension à Jennifer. Pour avoir elle-même souffert du syndrome du nid vide après le départ de ses enfants, elle ne comprenait que trop bien son anxiété à l'idée de se séparer d'Héloïse. Néanmoins, elle restait persuadée qu'il était grand temps pour lui de couper le cordon. Elle lui conseilla d'entreprendre un nouveau projet à l'automne, histoire de se changer les idées au moment où il se retrouverait seul. Héloïse, enthousiaste, le convainquit de rénover certaines suites : l'hôtel avait maintenant quatorze ans, et quoiqu'il fût parfaitement entretenu, il fallait le rafraîchir. D'un commun accord, Hugues et Héloïse décidèrent de recourir aux services d'un professionnel de l'aménagement intérieur. Jennifer leur fournit les coordonnées de quatre personnes, trois femmes et un homme, qu'Hugues promit de contacter à la fin de l'été.

Au cours du printemps, Héloïse sortit avec plusieurs garçons de sa classe, sans toutefois s'attacher à aucun d'entre eux. Elle n'avait qu'une chose en tête : commencer sa formation à l'Ecole hôtelière. Son père, qui avait prévu de l'aider à s'installer à Lausanne avant la rentrée, lui proposa de partir un mois à l'avance pour un grand voyage européen. Elle accueillit cette idée avec joie, et ils chargèrent Jennifer d'effectuer les réservations nécessaires. Ils prévoyaient de s'arrêter quelques jours à l'hôtel du Cap-Eden-Roc, au Cap d'Antibes, puis de louer une voiture pour aller au Splendido de Portofino, près de Gênes, d'où ils prendraient l'avion pour la Sardaigne, avant de passer par Rome. Ils remonteraient ensuite par Venise et Florence, et rejoindraient enfin la Suisse.

Ce périple franco-italien fut magique, pour Héloïse comme pour son père. Tous deux admirèrent les moindres détails de chaque palace où ils descendirent et dînèrent dans les meilleurs restaurants. Hugues n'avait pas passé de vacances avec sa fille depuis bien longtemps et il était heureux d'en profiter pour partager sa passion avec elle. Quand il lui fit visiter le Beau Rivage Palace, à leur arrivée à Lausanne, il fut submergé par l'émotion. C'était un véritable voyage dans le temps ! Il se revit, jeune stagiaire, dans ce fleuron de l'hôtellerie helvétique, et se remémora du même coup le terrible conflit qui l'avait opposé à ses parents. Certes, il était triste qu'Héloïse doive le quitter pour réaliser son rêve, mais l'expression de pur bonheur qu'il lisait sur son visage n'avait pas de prix.

Les équipements de l'Ecole hôtelière de Lausanne étaient aussi somptueux que dans son souvenir. Entre les bâtiments ultramodernes, les allées étaient parfaitement nettes et de grands arbres ombrageaient les pelouses. Les chambres des étudiants, fonctionnelles et confortables, étaient très bien entretenues. Depuis l'époque d'Hugues, elles avaient été équipées du téléphone et on pouvait maintenant accéder à Internet sur tout le campus. En arrivant, chaque élève se voyait offrir un ordinateur portable. L'Ecole elle-même était construite et gérée à la façon d'un hôtel : elle disposait non seulement d'une excellente bibliothèque, mais encore de cuisines high-tech, de plusieurs restaurants très appréciés de la clientèle locale, et d'un bar tenu par les étudiants. Héloïse, qui s'était initiée aux mystères du vin lors son voyage à Bordeaux, décida d'approfondir ses connaissances en suivant les cours optionnels d'œnologie.

L'EHL attendait de ses élèves qu'ils s'investissent activement dans leur formation et qu'ils acquièrent un esprit sain dans un corps sain. Deux disciplines sportives étaient obligatoires, au choix parmi dix-huit ; Héloïse opta pour la natation et la danse contemporaine. Sa promotion comptait cinquante-cinq étudiants, auxquels il fallait ajouter les cent trente inscrits au programme « bachelor », d'une durée de quatre ans. Il y avait autant de jeunes femmes que de jeunes gens, qui à eux tous représentaient quatre-vingt-cinq nationalités. L'enseignement était dispensé en français et en anglais.

Héloïse s'apprêtait à passer une année passionnante. Comment Hugues aurait-il pu en douter ? Il avait pourtant le cœur gros en cette dernière semaine d'août, alors que les parfums de l'automne flottaient déjà sur les bois environnant le campus et sur les berges du lac Léman. Au loin, les sommets enneigés des Alpes étaient majestueux. Quelques jours avant la rentrée, Hugues emmena sa fille à Genève, à une heure de route à peine, pour lui faire visiter les lieux où il avait grandi. Ce pèlerinage l'emplit de nostalgie, et ni l'un ni l'autre ne purent retenir leurs larmes quand le moment vint de la laisser seule dans son studio d'étudiante.

En moins d'une heure, la tristesse d'Héloïse, tout occupée à ranger ses affaires, se dissipa comme par enchantement. Une joyeuse bande de jeunes vint frapper à sa porte pour l'inviter à dîner, et avant la fin de la soirée, elle comptait une demi-douzaine de nouveaux amis. Pendant ce temps, dans son avion pour New York, Hugues se demandait ce qu'il allait bien pouvoir faire sans elle. En arrivant à l'hôtel, la vue de Maude, la chienne, qui le regardait d'un air interrogateur, ne fit que renforcer son sentiment de manque. Il déballa ses valises et se mit au lit presque aussitôt. Le lendemain matin, il descendit au bureau dès l'aube. A huit heures, Jennifer fut surprise de le trouver là, avec derrière lui une pile de dossiers traités et prêts à être classés.

— Vous êtes tombé du lit ! C'est le décalage horaire ? demanda-t-elle en lui servant une tasse de café.

— Sans doute. Et puis l'appartement est drôlement calme sans Héloïse, alors plutôt que de prendre le petit déjeuner tout seul...

— Vous vous rappelez ce que nous lui avons promis, pour aujourd'hui ?

— Non... Qu'est-ce que je suis censé faire aujourd'hui ?

— Choisir un décorateur pour les suites du neuvième et du dixième ! dit-elle en lui tendant une chemise sur laquelle était écrit « Architectes d'intérieur ».

— Il faut vraiment que ce soit maintenant ? gémit-il d'un air ennuyé. J'ai d'autres chats à fouetter : le syndicat menace de lancer une grève.

— C'est pour ça que vous devez faire appel à un décorateur. Ensuite, vous aurez l'esprit libre pour vous occuper de l'essentiel.

— Je pourrai toujours choisir des tissus avec Héloïse quand elle rentrera. Les suites ont attendu dix ans, elles peuvent bien attendre quelques mois de plus...

— Eh bien non, justement ! Nous lui avons promis de commencer les travaux avant Noël !

A contrecœur, Hugues se mit en devoir de comparer les books des quatre décorateurs les plus réputés de la ville. Sur les photos, les appartements et les chambres d'hôtel du premier dossier qu'il parcourut paraissaient trop modernes et un peu austères, tandis que les réalisations du seul homme du groupe étaient beaucoup trop chargées. Le travail des deux autres femmes semblait mieux convenir au style de l'hôtel, combinant élégance et sophistication, sans pour autant tomber dans l'excès.

— Alors j'essaie de convenir d'un rendez-vous avec ces deux décoratrices ? demanda Jennifer. Vous verrez bien laquelle vous plaît le plus et vous n'aurez qu'à lui demander un devis.

— D'accord, d'accord... répondit Hugues, agacé.

Sans se laisser déstabiliser par sa mauvaise humeur, Jennifer quitta la pièce avec le dossier sous le bras. Elle était convenue avec Héloïse de forcer Hugues à mener ce projet à bien, que cela lui plaise ou non. En l'occurrence, ce dernier voyait l'entreprise comme une source de tracas inutiles. La dernière chose dont il avait envie, c'était de s'embarrasser d'une femme qui passerait son temps à lui coller sous le nez des nuanciers ou des échantillons de tissu.

Un peu plus tard, il reçut un SMS d'Héloïse. Obligée de courir entre deux cours, elle n'avait pas le temps de lui parler, mais tout allait pour le mieux. L'enthousiasme qui émanait de son message acheva de le déprimer. Il ne pouvait s'empêcher de se faire du souci : et si elle trouvait un emploi dans un hôtel plus prestigieux, le Ritz par exemple, et qu'elle décidait de ne plus jamais revenir ? Dans sa tête, les scénarios catastrophe se succédaient sans fin.

Hugues broya du noir pendant plusieurs jours. Au bout d'une semaine, son assistante lui rappela qu'il avait rendez-vous avec les décoratrices dans l'après-midi. Il avait complètement oublié !

— Je n'ai pas que ça à faire... grogna-t-il en guise de réponse.

Depuis son retour de Suisse, il avait tendance à brusquer tout le monde autour de lui, mais Jennifer était bien placée pour savoir qu'il traversait une passe difficile. Cinq minutes avant le premier des deux rendez-vous, il arriva dans son bureau en traînant des pieds et en ronchonnant plus que jamais.

— Ne me regardez pas comme ça, lui dit Jennifer. Quand les suites seront rénovées, vous pourrez en augmenter le tarif. Et si vous ne faites pas appel à un professionnel dès maintenant, Héloïse nous tuera à son retour !

— Je sais, je sais... soupira-t-il d'un air de profonde lassitude.

La première candidate arriva peu après. Ses références étaient excellentes. Elle avait décoré les appartements de personnalités importantes ainsi que plusieurs hôtels, dont un à San Francisco, deux à Chicago et un à New York, tous comparables au Vendôme par leurs dimensions et par leur style. Hélas, au bout de quelques minutes passées à l'écouter parler de tissus, de textures, de rideaux et de teintes de peinture, Hugues eut envie de bâiller. Elle devait avoir dans les cinquante-cinq ans, semblait très expérimentée et disposait de nombreux employés. Elle aurait très bien pu convenir... seulement on ne pouvait pas dire qu'elle le faisait rêver. Jennifer monta avec elle pour lui montrer les quatre suites. En redescendant, la décoratrice déclara qu'il fallait tout jeter. Le mobilier était has been, démodé, dépassé. Elle projetait de relooker ces superbes volumes de fond en comble. Hugues trouva que c'était un peu fort de café : l'addition risquait de s'en ressentir. Il lui demanda un devis, ou du moins une estimation du coût, sachant qu'il serait également fonction des tissus et des meubles qu'il choisirait.

— On dirait qu'elle veut vous faire débourser une fortune, remarqua Jennifer quand elle fut partie.

— Oui, c'est aussi mon impression. Et si ses décorations sont aussi ternes et ennuyeuses qu'elle, autant laisser les suites en l'état.

Vingt minutes plus tard, Jennifer introduisait la seconde candidate. Visiblement plus jeune que la précédente, elle semblait calme et posée. Elle avait regardé les photos des suites sur Internet et soumit à Hugues plusieurs idées. A sa propre surprise, il les trouva plutôt intéressantes.

Natalie Peterson s'était fait un nom en décorant une ou deux villas de luxe à Palm Beach et à Southampton, quelques belles demeures à Manhattan, ainsi qu'un hôtel de charme à Washington. Son CV n'était pas aussi long que celui de sa concurrente, mais, à trente-neuf ans, elle avait déjà reçu plusieurs récompenses pour son travail de design intérieur. Sa présentation était convaincante et professionnelle, son enthousiasme communicatif. Elle insufflait une vie à son projet et ses yeux pétillaient quand elle en parlait.

— Quelles sont vos motivations pour entreprendre ces travaux ? demanda-t-elle avec perspicacité. Voulez-vous simplement remettre l'hôtel au goût du jour, relancer sa notoriété, ou encore augmenter le tarif des suites ?

— En réalité, je veux faire plaisir à ma fille ! répondit-il en toute franchise. Si je ne commence pas avant son retour pour les fêtes de fin d'année, elle va m'étriper !

Natalie rit de bon cœur.

— On dirait que c'est une jeune femme avisée, et qu'elle a beaucoup d'influence sur son père, remarqua-t-elle.

— Tout à fait. C'est la seule femme de ma vie depuis qu'elle a quatre ans, précisa-t-il.

— Elle est partie pour ses études ?

— Elle est à l'Ecole hôtelière de Lausanne, là où j'ai moi-même été formé, dit Hugues avec une fierté manifeste. Elle a commencé la semaine dernière. J'ai pourtant essayé de l'en dissuader...

— Comment ? Vous n'aimez pas cette école ?

— Je n'aime pas le fait qu'elle soit loin de moi. Et je ne voulais pas qu'elle se lance dans l'hôtellerie, mais elle n'en démord pas. A moins qu'elle ne décide de faire son stage ici l'année prochaine, il va falloir que je patiente deux ans avant qu'elle ne revienne pour de bon ! Vous vous rendez compte ?

Natalie fut touchée d'entendre Hugues Martin se livrer ainsi à cœur ouvert : il semblait si vulnérable ! Elle avait lu sa biographie et elle connaissait son parcours ; elle savait qu'il avait maintenant cinquante-deux ans, quoiqu'il ne les paraisse pas du tout.

— Et vous, avez-vous des enfants ? demanda-t-il.

— Non, je ne me suis jamais mariée. J'ai consacré toute mon énergie à monter mon cabinet d'architecte, et maintenant j'ai l'impression d'avoir un peu passé l'âge... En tout cas, rassurez-vous : je n'annulerai pas nos rendez-vous à cause d'un bébé malade ou d'un ado en pleine crise. Je me consacrerai corps et âme à votre projet !

Hugues éclata de rire. Visiblement bien dans sa peau, Natalie semblait ne rien avoir à cacher.

— Bon, mais il faut faire plaisir à votre fille, reprit-elle. Que diriez-vous de décorer une première suite, à titre d'essai, et de voir ce que vous en pensez ? Si j'arrive à obtenir des délais de livraison assez courts pour les tissus, nous pourrions même avoir fini avant Noël. Je vous propose de ne pas toucher au mobilier. Vos meubles me plaisent beaucoup et j'aimerais les intégrer à la nouvelle décoration.

Hugues trouva qu'elle parlait d'or. Cette solution serait nettement moins coûteuse que celle de l'autre décoratrice, qui voulait mettre au rebut les superbes meubles qu'il avait lui-même choisis. Les suites n'avaient besoin que d'être rafraîchies par quelques touches judicieuses. La façon de penser de Natalie lui plaisait, et il appréciait son honnêteté : mieux valait juger de son talent sur une première suite, ce serait plus prudent que de se jeter tête baissée pour rénover les quatre d'un coup. En outre, elle était plus flexible au niveau des tarifs. Tandis que sa concurrente délé-guait une partie du travail à une dizaine de collabora-teurs, parmi lesquels trois jeunes designers et un conseiller en couleur, Natalie prenait elle-même en charge la plupart des aspects du projet, tels que le choix des nuances de peinture. Son cabinet ne comp-tait que deux assistantes et un adjoint à la conception, ce qui lui permettait de limiter les frais généraux. A la plus grande satisfaction de ses clients. Ses succès pré-cédents ne lui étaient pas montés à la tête et elle était visiblement très motivée pour décrocher ce contrat. Hugues fut emballé par son dynamisme, son pragma-tisme et sa modestie.

— Voilà, je crois que nous nous sommes tout dit pour le moment, monsieur Martin. Je ne voudrais pas abuser davantage de votre temps. Je vais faire mon possible pour vous envoyer un devis dans le courant de la semaine. Et si vous êtes d'accord pour engager une collaboration, je pense que nous pourrons nous y mettre d'ici peu. Un autre de mes projets est provisoirement en stand-by, car la construction de la maison de ma cliente a pris du retard. D'ailleurs, si vous décidez par la suite de réorganiser les volumes des chambres, j'ai un architecte dont vous me direz des nouvelles.

— Merci pour tout, mademoiselle Peterson, dit-il. Mon assistante va vous faire visiter la suite en question.

Hugues lui serra la main et la reconduisit à la porte. Cet entretien s'était avéré beaucoup moins ennuyeux qu'il ne le craignait : il n'avait pas vu le temps passer ! Jennifer reparut seule vingt minutes plus tard, tout sourire.

— Elle me plaît ! déclara-t-elle sans qu'Hugues ait besoin de lui demander son avis. Elle est dynamique et semble avoir les pieds sur terre. On voit qu'elle a déjà pas mal d'expérience, mais elle est encore assez jeune pour être flexible et ne pas imposer son point de vue.

— Oui, j'ai eu la même impression. Je pense qu'Héloïse s'entendrait bien avec elle : elle serait d'accord avec tout ce qu'elle a dit. Surtout qu'elle veut réutiliser les meubles que nous avons déjà...

— Alors c'est décidé, vous l'embauchez ? dit Jennifer, heureuse de le voir retrouver sa bonne humeur.

— Je ne suis pas encore sûr. J'attends de voir son devis.

Fidèle à sa promesse, Natalie lui fit parvenir une estimation globale dans les trois jours. Ses honoraires de conception et de supervision du projet n'étaient pas prohibitifs, d'autant que, pour réduire le budget, elle suggérait d'employer les peintres de l'hôtel.

— Alors ? s'enquit Jennifer.

— Si elle arrive à s'y tenir, ce devis me semble très raisonnable. Je vous laisse la rappeler ? Ou plutôt, non : je vais le faire moi-même.

Natalie répondit aussitôt, de ce ton alerte et enjoué qui séduisait Hugues.

— Marché conclu ! dit-il simplement. Quand pouvez-vous commencer ?

— Que diriez-vous de la semaine prochaine ? Nous regarderons les couleurs et des échantillons de tissu. J'ai pensé à un camaïeu de jaunes pâles pour la chambre à coucher et à des tons chauds, comme beige et taupe, pour le salon.

— Excellente idée !

— Je peux me libérer lundi matin, mais si vous avez un moment, nous pouvons même nous voir ce week-end.

— Je ne sais plus ce que ce mot veut dire... déclara Hugues.

Depuis le départ d'Héloïse, il n'arrivait même pas à se motiver pour prendre l'air le dimanche, si ce n'était pour sortir Maude.

— Ça tombe bien, moi non plus, dit simplement Natalie. C'est sans doute à la fois l'avantage et l'inconvénient de ne pas avoir d'enfant...

Elle faillit ajouter « ni de mari » ! Après huit ans de vie commune, son compagnon était parti avec sa meilleure amie, il y avait déjà trois ans de cela. Depuis, elle s'était jetée dans le travail à corps perdu et ne regrettait rien : son entreprise était florissante et elle serait fière d'ajouter l'hôtel Vendôme à son palmarès.

— Pourquoi pas dimanche après-midi ? reprit-elle. Pas trop tard, si possible, pour que je puisse vous montrer les tissus quand il fait encore clair. Bien sûr, il faut choisir des couleurs qui ne s'affadissent pas sous les spots, mais vous vous ferez une meilleure idée des nuances à la lumière du jour.

Hugues fut impressionné par son sens du détail, gage de professionnalisme.

— Et si vous veniez plutôt en fin de matinée ? suggéra-t-il. Nous pourrions prendre un brunch ensemble. Je dois dire que celui que nous servons est très correct... surtout depuis que ma fille a changé la carte. Nous pourrons monter regarder les échantillons dans la chambre après le repas.

— Avec plaisir, merci beaucoup ! A quelle heure ?

— Je vous attendrai dans le hall à onze heures. Je ne voudrais pas vous retenir trop longtemps...

Elle le remercia encore avant de raccrocher, puis laissa échapper un cri de victoire.

— On a le contrat ! s'exclama-t-elle, à l'intention des autres occupants du bureau, qui donnèrent à leur tour libre cours à leur joie. Il va falloir bosser comme des dingues et fissa, si on veut qu'il nous donne les quatre suites... et peut-être même la suite présidentielle ! Pour commencer, nous avons besoin d'une sélection de tissus disponibles immédiatement. Pas question d'attendre des mois : je ne veux ni réassort, ni créations sur mesure.

— Pigé ! répondit Pam, son bras droit.

— Je vais faire la tournée des fournisseurs demain et après-demain, et en profiter pour regarder les peintures. Ingrid, dit-elle en se tournant vers sa seconde assistante, tu pourrais me faire une présélection ?

Le reste de la semaine fut frénétique. Natalie délégua tous les autres projets en cours à Jim, son adjoint en conception, pendant qu'elle courait les plus beaux magasins de textile, à la recherche d'idées pour Hugues.

Le dimanche matin, elle arriva au Vendôme à l'heure dite, les bras chargés de deux énormes sacs de toile remplis d'échantillons, ainsi que de plusieurs nuanciers qu'elle avait créés pour l'occasion, avec ses propres mélanges de couleur. Hugues lui suggéra de laisser son matériel à la réception. Elle confia donc ses sacs à un jeune groom, tandis que son hôte lui faisait signe de le précéder dans la salle à manger. Elle portait une veste blanche de chez Chanel sur un jean ajusté, et ses talons hauts la rendaient irrésistiblement sexy. Avec ses longs cheveux blonds soigneusement tirés en arrière, elle ressemblait à Grace Kelly dans ses jeunes années. A l'instar de l'actrice, elle avait à la main un élégant sac trapèze signé Hermès, dans un coloris beige des plus sobres, et dont l'anse était agrémentée d'un carré de soie de la même marque. Hugues remarqua en outre les fins bijoux de perles qu'elle portait aux oreilles et autour du cou. L'alliance parfaite du bon goût et de la séduction ! En entrant dans la salle, elle le complimenta sur la décoration. L'ambiance feutrée, à la fois intime et sophistiquée, avait beaucoup contribué à la réputation du restaurant.

Pendant le repas, que Natalie déclara excellent, ils parlèrent de leurs carrières et de leurs voyages : la décoratrice avait passé un an à Londres. Quant à Hugues, il lui sembla très européen, aussi bien dans ses attitudes que dans son style vestimentaire. Son hôtel lui-même et sa façon de le diriger évoquaient clairement le Vieux Continent.

— Est-ce que l'Europe vous manque ? demanda-t-elle.

— Pas vraiment. Cela fait près de vingt ans que j'habite en Amérique. Je me sens chez moi ici. Tout ce que j'espère, c'est que ma fille ne décidera pas de rester de l'autre côté de l'Atlantique, une fois ses études finies.

— Cela me semble peu probable. Vous croyez vraiment qu'elle serait prête à abandonner un tel cadre de vie... et un père qui l'adore ? Je suis sûre qu'elle reviendra, dit Natalie avec un sourire chaleureux.

— Qui sait ? Elle n'a que dix-neuf ans et vit des moments uniques, là-bas. Elle vient de m'envoyer un e-mail pour me parler de ses prochaines vacances au ski.

Natalie et Hugues abordèrent finalement le sujet qui motivait leur rencontre. La décoratrice avait déjà des idées assez précises concernant les chambres. Elle était impatiente de lui montrer ce qu'elle avait apporté. Aussitôt après le brunch, elle récupéra ses sacs à la réception, tandis qu'Hugues s'emparait des clés de la suite. Une fois à l'intérieur, elle s'extasia de nouveau : la chambre était encore plus jolie que dans son souvenir. Pour commencer, elle suggéra à Hugues de déplacer certains meubles, de façon à agrandir la pièce. La petite commode, par exemple, convenait parfaitement à la salle de bains. Elle lui proposa ensuite d'acheter de nouvelles lampes, ce qu'il approuva sans hésitation, car il n'avait jamais été vraiment convaincu par les anciennes. Enfin, elle disposa les nuanciers de peinture contre le mur du salon et déploya des coupons de tissu dans la pièce, en lui expliquant comment elle comptait les utiliser. Elle avait choisi l'ensemble avec soin, tout en prenant garde de ne pas dépasser le budget : pas de velours ni de brocarts, uniquement des textiles robustes, conçus pour durer.

Aussitôt, la pièce sembla s'animer. Il y avait des beiges chaleureux, des gris tourterelle, un superbe ton ivoire et quelques touches de bleu ardoise : le tout s'harmonisait à la perfection. Ils éliminèrent ensuite un à un les tissus qu'Hugues aimait le moins, puis il reconnut qu'une nouvelle moquette apporterait un sacré coup de jeune. La bonne couleur de peinture leur sauta aux yeux à tous les deux et elle lui expliqua qu'elle rehausserait les moulures d'une lasure taupe. Natalie fourmillait d'idées concernant la façon d'agencer rideaux et voilages. Il adhérait à chacune de ses propositions.

Elle remit dans l'un des sacs les tissus qu'il avait retenus et empila les autres sur le canapé, puis ils procédèrent de la même façon dans la chambre à coucher. Les différentes teintes de jaune convenaient à merveille. En deux heures à peine, ils avaient réussi à prendre les décisions les plus importantes. Ils s'assirent enfin sur le canapé pour jeter un œil aux photos des tableaux qu'elle avait sélectionnés. Deux d'entre eux attirèrent l'attention d'Hugues, qui s'étonna de leur faible coût, au regard de leur indéniable valeur artistique. Natalie était vraiment douée pour ce métier ! A quinze heures, ils étaient dans le hall, enchantés d'avoir si bien avancé.

— J'ai passé un bon moment, dit-il. Vous avez réussi à rendre tout ça très amusant. Dommage que ma fille ne soit pas là.

— Vous allez voir, elle va rester bouche bée devant la nouvelle déco !

Hugues l'accompagna jusque sur le trottoir. Le portier héla un taxi et l'aida à y charger ses sacs.

— Merci pour le brunch et pour ce merveilleux après-midi, dit-elle en lui serrant la main.

— C'est moi qui dois vous remercier, vous accomplissez des miracles ! répondit-il, avant de refermer la portière et de lui adresser un signe de la main, tandis que le chauffeur démarrait.

Il rentra dans l'hôtel d'un pas léger, un sourire flottant sur ses lèvres. Le concierge, qui le salua sur son passage, se demandait qui pouvait bien être cette belle dame... Il n'avait pas vu son patron aussi détendu depuis des années.

7

Le mercredi suivant, Natalie avait passé toutes les commandes de peinture, de tissu et de passementerie, sans oublier les deux tableaux. Elle avait également trouvé des lampes et des appliques qui s'accorderaient parfaitement avec le style de la pièce. Le jeudi, quand elle passa à l'hôtel pour lui montrer des échantillons de moquette, Hugues fut impressionné par sa réactivité. Il tenait à ne pas bloquer la suite-témoin trop longtemps et fut ravi de voir que Natalie semblait confiante : en commençant les travaux début octobre, à réception des tissus, ils pourraient la rouvrir d'ici Thanksgiving. En outre, ils avaient décidé de ne pas toucher à la salle de bains, ce qui leur permettrait de gagner du temps. Une simple couche de peinture suffirait à donner un coup d'éclat à la pièce. Hugues finit par déclarer à Natalie que ce projet lui semblait extrêmement prometteur : si tout se déroulait conformément au plan qu'ils venaient d'établir, il lui confierait les autres suites sans la moindre hésitation ! Elle était aux anges, et le remercia du fond du cœur.

Ravis de prolonger cette collaboration, qui joignait l'utile à l'agréable, ils trouvèrent mille bonnes raisons de se téléphoner plusieurs fois par jour. Jennifer ne pouvait s'empêcher de sourire.

— Oh, c'est bon, ne me regardez pas comme ça ! lui dit-il alors qu'elle lui passait le combiné. C'est purement professionnel. Cette Natalie fait du bon boulot. En plus, je suis sûr qu'Héloïse va l'adorer !

Jennifer était enchantée de voir son patron si apaisé au contact de la nouvelle décoratrice. Il semblait désireux de passer du temps avec elle, ce qui serait bien plus épanouissant pour lui que les aventures sans lendemain auxquelles il était habitué depuis des années. En revanche, elle n'augurait rien de bon de la réaction d'Héloïse...

Le dimanche suivant, Hugues et Natalie se retrouvèrent de nouveau à l'heure du brunch, puis montèrent jeter un œil à la prochaine chambre qu'Hugues souhaitait rénover : quelques menus changements suffiraient à la remettre au goût du jour. Une belle lumière dorée baignait la pièce et Central Park resplendissait sous les fenêtres de l'hôtel. Ils décidèrent de sortir se promener. Tout en bavardant, ils marchèrent côte à côte le long des allées, elle en tee-shirt léger et lui en manches de chemise, dans la douceur de l'été indien. Hugues était intarissable au sujet de sa fille.

— J'ai hâte de la rencontrer, dit Natalie. Tout le monde m'a dit qu'elle était un peu le bon génie du Vendôme.

— J'ai acheté cet hôtel quand elle avait deux ans, et sa mère est partie deux ans plus tard. Depuis, elle s'y est toujours promenée à sa guise, de la cave au grenier.

— Le départ de sa mère a dû être un coup terrible, pour elle comme pour vous... dit-elle d'une voix douce.

. — C'est du passé... Malheureusement, elles ne se voient pas beaucoup. Je dois dire qu'elles n'ont pas grand-chose en commun. Mon ex-femme a changé de vie du tout au tout. Elle s'est remariée et a deux autres enfants. Vous avez peut-être entendu parler d'elle : c'est la femme de Greg Bones. Il faut croire qu'Héloïse ressemble davantage à son père qu'à sa mère...

— Ce qui me semble être un très bon point ! commenta Natalie.

Comment la même femme avait-elle pu épouser tour à tour ce parfait gentleman et un rocker connu pour ses addictions ? La seule fréquentation de ces gens-là devait être néfaste.

— Par miracle, elle ne l'a pas emmenée avec elle, continua Hugues. Et je crois qu'Héloïse a été heureuse de grandir à l'hôtel. C'est un microcosme protégé... un peu comme un gros paquebot !

— Je suis sûre que le Vendôme lui manque, dit Natalie.

— Pas assez, je le crains. Elle vient de rencontrer un jeune Français, dans son école en Suisse ; j'ai l'impression qu'elle est en train de tomber amoureuse. Je n'ai jamais eu autant peur qu'elle décide de rester là-bas.

— Non, vous verrez... Elle sait tout ce qui l'attend ici. Je pense qu'un jour elle sera heureuse de diriger l'hôtel avec vous.

— J'ai pourtant essayé de la dissuader de se lancer dans l'hôtellerie, mais elle a défendu son projet bec et ongles. Hélas, quand vous faites ce métier, il n'y a plus beaucoup de place pour le reste dans votre vie. Je suis bien placé pour le savoir...

— Vous n'avez jamais pensé à vous remarier ?

— Pas vraiment. Je suis trop occupé et jusqu'ici j'avais la compagnie d'Héloïse. Et vous ? demanda-t-il en se tournant vers elle.

Comment une femme aussi charmante pouvait-elle rester célibataire ? Contrairement à lui, elle n'avait même pas la consolation d'un enfant. C'était un vrai crève-cœur !

— J'ai vécu avec quelqu'un pendant plusieurs années, mais au bout d'un moment, ça n'a plus marché, expliqua-t-elle. Nous vivions l'un à côté de l'autre, plutôt que l'un avec l'autre...

— Et puis ?

Pressentant qu'elle ne lui avait pas tout dit, Hugues s'arrêta de marcher pour la regarder dans les yeux.

— Il est parti avec ma meilleure amie. Ça fait trois ans. La vie nous joue de drôles de tours, parfois ! Comme votre femme avec Greg Bones...

— En fait, nous n'étions pas si bien assortis, Miriam et moi. J'ai eu le coup de foudre quand nous nous sommes rencontrés, mais j'étais jeune... reconnut-il. Je sais aujourd'hui que ça ne suffit pas pour fonder une relation, du moins pas dans la durée.

Avisant un banc, ils s'assirent l'un près de l'autre. Natalie se demanda s'il avait été trop profondément blessé pour pouvoir un jour accorder sa confiance à une autre femme. Il ne lui disait rien de la vie qu'il avait menée depuis le divorce... Par discrétion, elle s'abstint de le questionner à ce sujet.

— Vous avez raison, renchérit-elle. Moi aussi, j'arrive à un âge où le coup de foudre ne suffit plus.

Hugues passa un bras autour de ses épaules. Ils restèrent longtemps assis de la sorte. Il se sentait bien en sa compagnie : douce, avenante et facile à vivre, elle parlait d'elle et des autres en toute franchise. Comme lui, elle travaillait dur et prenait la vie comme elle venait. Avant la fin de l'après-midi, ils avaient l'impression de se connaître depuis toujours.

— Le devoir m'appelle... soupira-t-il au bout d'un moment. Il vaudrait mieux que je rentre. Que diriez-vous d'une glace pour la route ?

Il avait avisé un marchand ambulant et lui acheta deux esquimaux, qu'ils dégustèrent sur le chemin du retour. Autour d'eux, des enfants jouaient, des familles pique-niquaient et des amoureux s'embrassaient. Plus le temps passait, moins il avait envie de la quitter.

— Accepteriez-vous de dîner avec moi, un de ces soirs ? finit-il par demander.

— Avec plaisir. Mais pas à l'hôtel, si vous le voulez bien. Les gens causent... et je crois que ni vous ni moi n'avons besoin de stress supplémentaire !

Hugues fut touché par sa discrétion. Sans ressentir le besoin d'en dire davantage, ils rejoignirent l'entrée du Vendôme, où elle prit congé, non sans l'avoir remercié une dernière fois pour le brunch.

Dès le lendemain matin, il l'appela pour l'inviter plus tard dans la semaine : si elle était d'accord, il irait la chercher à son appartement, avant de l'emmener dîner dans West Village. Elle accepta avec joie et semblait gaie comme un pinson quand il arriva chez elle le jeudi soir. Ils passèrent une soirée délicieuse, savourant pleinement ces quelques heures de détente, parlant de tout ce qu'ils auraient aimé faire si leurs emplois du temps surchargés leur en avaient laissé le loisir. Voilà bien longtemps que Natalie n'avait partagé un moment aussi agréable. Et pourtant elle le connaissait à peine. Ils furent les derniers à quitter le restaurant.

— Quand vous reverrai-je ? s'enquit-il une fois dehors.

Craignant d'aller trop vite, il contenait à grand-peine son envie de l'embrasser : elle venait de lui avouer n'avoir fréquenté personne depuis un moment déjà.

— Demain après-midi ! J'aimerais que nous mettions au point une dernière fois les teintes de peinture... dit-elle en riant.

Il se demanda si elle ne le trouvait pas trop vieux. Treize ans les séparaient, et ce qu'elle pensait de lui revêtit soudain une importance capitale. Il envisageait déjà de lui confier la rénovation de tout l'hôtel, de façon à la garder près de lui le plus longtemps possible. Il s'approcha d'elle et effleura ses cheveux, qui exhalèrent alors un parfum délicat.

— Et si nous sortions ce week-end ? Nous pourrions aller voir un film... proposa-t-il avec tact.

— Oui, ce serait bien, répondit-elle à mi-voix, tandis qu'il l'attirait à lui.

— C'est si bon d'être avec vous, murmura-t-il, ses lèvres effleurant les siennes.

Le baiser qui s'ensuivit embrasa leurs corps. L'instant d'après, Natalie regarda Hugues d'un air étonné : allait-il regretter son geste ? C'était tout de même un de ses clients... Au lieu de cela, il l'embrassa de nouveau.

— J'espère que je ne vous brusque pas, dit-il.

Elle secoua doucement la tête et ils s'embrassèrent une troisième fois. Hugues aurait pu continuer ainsi toute la nuit.

— Je ferais mieux de vous raccompagner chez vous, dit-il enfin, rayonnant de bonheur, et la serrant dans ses bras.

Il se faisait tard et une longue journée les attendait le lendemain. Hugues héla un taxi. Ils se pelotonnèrent l'un contre l'autre sur la banquette arrière, avant d'échanger un dernier baiser devant l'immeuble de Natalie.

— Merci, Hugues, j'ai passé une merveilleuse soirée, dit-elle, tandis que le gardien lui ouvrait la porte.

Avant de s'engouffrer dans le bâtiment, elle lui fit un signe de la main. Hugues ne cessa de penser à elle sur le chemin du retour. Quand le taxi le déposa devant le Vendôme, il était près de deux heures du matin. Il monta à l'appartement et se déshabilla rapidement, mais, une fois couché, le sommeil le fuit. Il avait hâte de la revoir.

8

En octobre, les travaux de rénovation de la suite passèrent à la vitesse supérieure. Natalie put apprécier
l'efficacité des peintres du Vendôme : à l'aide de ses
instructions, ils n'eurent aucun mal à mélanger les couleurs pour obtenir les nuances voulues. Soucieuse de ne
rien laisser au hasard, elle passait à l'hôtel tous les
jours, ce qui lui permettait aussi de croiser Hugues.
Quand il ne montait pas constater l'avancée des travaux, c'était elle qui s'arrêtait au bureau pour lui poser
des questions ou lui soumettre des échantillons. Tous
les prétextes étaient bons. Ils avaient besoin de se voir et
voulaient apprendre à mieux se connaître. Plus d'une
fois, il l'invita à déjeuner chez lui d'un en-cas commandé au service d'étage.

— Cet appartement aurait besoin d'être rafraîchi, lui
aussi, déclara-t-elle un midi, balayant la pièce du regard.

Rien, pas même la chambre d'Héloïse, n'avait
changé depuis l'emménagement. La jeune fille y avait
conservé tous ses trésors accumulés depuis l'enfance,
parmi lesquels la poupée offerte par Eva Adams trônait
en bonne place.

— Je ne saurais par où commencer, reconnut Hugues.
Et je dois dire que ce n'est pas ma priorité, pour le
moment.

— Tout ce qu'il faut, c'est une couche de peinture neuve, quelques luminaires supplémentaires, et peut-être de nouveaux rideaux. Je verrai s'il nous reste du tissu quand nous aurons terminé la suite.

Il lui sourit, heureux de constater une fois de plus à quel point leurs conceptions et leur éthique du travail concordaient : on voyait tout de suite que c'était une femme d'une profonde honnêteté. Elle semblait toujours très franche, sans pour autant manquer de tact, et c'était aussi cette qualité que Natalie respectait le plus chez lui. Et puis, ils étaient irrésistiblement attirés l'un par l'autre, mus par une force qu'ils n'auraient su nommer et qui transcendait leurs différences d'âge, de rang ou de position sociale. Une fois le déjeuner avalé, Natalie étira ses longues jambes sous la table. Il y avait longtemps qu'elle ne s'était sentie aussi à l'aise en compagnie d'un homme.

Ni l'un ni l'autre n'aurait su dire si cela constituait le début d'une relation sérieuse, mais depuis quelques semaines, ils se retrouvaient chaque week-end pour bavarder en toute décontraction, après une séance de cinéma, autour d'une pizza ou d'un hamburger, dans un petit restaurant du centre-ville. Hugues avait pris l'habitude de téléphoner à Natalie tous les soirs pour lui souhaiter bonne nuit avant de se coucher. Il ne la dérangeait jamais, d'autant qu'elle était rarement au lit avant minuit. Au contraire, elle en était venue à attendre ce coup de fil comme un véritable rituel. Ainsi, elle finissait la journée sur une note particulièrement agréable. Désormais, chacun se demandait comment il avait pu vivre sans l'autre.

— Oui, reprit Hugues, revenons-en à la suite, et laissons tomber l'appartement pour le moment.

Quelle sera la prochaine étape, une fois la peinture terminée ?

En dépit du zèle des peintres, cette partie des travaux avait duré plus longtemps que prévu. Il leur restait à apposer la touche finale, qui mettrait les moulures en valeur. La salle de bains, rehaussée d'un superbe lustre récupéré dans les sous-sols de l'hôtel, semblait flambant neuve. L'ensemble dépassait les espérances d'Hugues et de Natalie.

— Eh bien... j'ai envoyé les meubles chez le tapissier et j'ai donné certains tableaux à réencadrer. La semaine prochaine, les électriciens vont fixer au mur les appliques. Nous ne pourrons pas poser la moquette avant quinze jours, mais, après cela, il n'y aura plus qu'à tout installer. Je crois que tu pourras débloquer la chambre pour Thanksgiving, comme je te l'avais promis.

Elle avait hâte de connaître les impressions des premiers clients qui utiliseraient la suite, surtout celles des habitués, qui déploraient sa fermeture temporaire. Face à leur déception, le chef de réservation leur assurait que la chambre serait encore plus agréable après les travaux ; Hugues espérait qu'il disait vrai.

— Il y a un salon d'art contemporain à l'Armory de Park Avenue, ce week-end. Est-ce que tu aimerais y aller ? demanda-t-il.

— Excellente idée ! J'aimerais bien te trouver une toile pour le hall, déclara-t-elle, pensive. Quelque chose de puissant.

Hugues sourit en l'écoutant expliquer à quel endroit précis elle l'imaginait. Comme lui quinze ans plus tôt, elle était en train de tomber amoureuse du Vendôme.

— En tout cas, vivement que ma fille voie la nouvelle suite ! dit-il.

— Et vivement que je la rencontre ! ajouta Natalie.

— C'est vrai, tu ne connaîtras pas vraiment mon hôtel tant que tu ne connaîtras pas ma fille. Quand elle était petite, elle passait son temps avec les employés, aussi bien les femmes de chambre que les agents techniques. A un moment, j'ai même eu peur qu'elle ne devienne plombier ! C'est qu'il faut cumuler toutes les casquettes, dans ce métier...

— Je m'en suis aperçue... Et à ton avis, que pensera Héloïse du fait que nous nous voyons... en dehors des travaux, je veux dire ?

Pour l'instant, ils n'avaient pas dépassé le stade des baisers passionnés échangés lors de leurs soirées en tête à tête. Natalie pressentait que l'opinion d'Héloïse et l'impression qu'elle ferait sur elle pèseraient fortement sur la suite de sa relation avec Hugues.

— Il va lui falloir un peu de temps pour que tout ça se décante. Mais elle est assez grande pour comprendre que j'ai le droit de vivre ma vie. Tout comme elle, avec ce petit copain français qui me cause tant d'inquiétude !

— A mon avis, tu n'as aucun souci à te faire, dit Natalie.

Elle se glissa dans ses bras et ils échangèrent un long baiser. Leur attirance mutuelle allait croissant, mais aucun des deux n'était pressé... et Natalie n'ignorait rien des réticences d'Hugues concernant le mariage et l'engagement.

— Il va falloir que je redescende au bureau, soupira-t-il à regret, alors que leurs corps s'échauffaient et que leurs caresses se faisaient plus appuyées. J'ai rendez-vous avec mon chef sommelier : il menace de partir et je n'ai pas envie de le perdre. Par-dessus le marché, un de mes agents techniques s'est blessé cette semaine et veut me traîner en justice pour obtenir des prestations d'invalidité.

La menace d'une procédure planait en permanence sur Hugues. C'était une lourde responsabilité, et il aurait aimé l'épargner à Héloïse. En quatorze ans, il n'avait été confronté qu'à un seul procès, intenté par une cliente. La dame, pour le moins éméchée au moment des faits, s'était ouvert le front en glissant dans sa baignoire. De toute évidence, elle était seule responsable de son accident, mais comme elle jouissait d'une certaine notoriété, Hugues avait préféré la dédommager plutôt que de la laisser ternir la réputation de l'hôtel. Sa magnanimité était une qualité appréciable dans sa profession : son sang-froid et sa douceur lui permettaient de désamorcer les conflits et d'apaiser les tensions.

Natalie appréciait à sa juste valeur cette gentillesse naturelle, qui tranchait avec la fermeté dont il se montrait capable quand la situation l'exigeait. Il lui témoignait beaucoup de respect et d'affection, et c'était sans doute un père exemplaire. Fallait-il que son ex-femme soit frivole, pour l'avoir quitté...

Après un dernier baiser, ils quittèrent l'appartement ensemble, sans rien laisser paraître de leur complicité, pas plus dans l'ascenseur que dans le couloir. Natalie descendit à l'étage inférieur pour superviser le travail des peintres, laissant Hugues continuer jusqu'au rez-de-chaussée. Elle fut bientôt rejointe par Jennifer, venue constater de ses propres yeux la métamorphose de la suite, dont Hugues lui chantait les louanges à longueur de journée.

— C'est du travail de première classe, que vous avez fait là, commenta l'assistante, admirative.

— Oh, vous savez, cette pièce est si bien éclairée que je n'ai aucun mérite, répondit Natalie avec sa modestie coutumière.

— Tenez, j'ai monté des chocolats de l'office pour vous donner du courage cet après-midi.

— Merci beaucoup ! Je crois que je pèserais trois cents kilos, si j'étais employée ici. Il y a trop de bonnes choses à manger !

— Ne m'en parlez pas !

Natalie profita de cet instant de complicité féminine pour tenter d'en savoir davantage sur une question qui la tracassait.

— Dites-moi, Jennifer, comment est réellement Héloïse ? Tous les employés me parlent d'elle comme d'une gamine de cinq ans. Quant à son père, il l'idolâtre à un point tel que c'est difficile de se faire une idée de la réalité.

— Hmm... Elle lui ressemble beaucoup : elle est très intelligente, et elle aime cet hôtel autant que lui. Bien sûr, il ne jure que par elle.

— En effet ! répondit Natalie avec un sourire.

Elle se tut un instant, pensive, avant de reprendre un chocolat. Ils étaient vraiment irrésistibles... Pas étonnant que de nombreux clients en achètent à la boutique de souvenirs avant de quitter l'hôtel !

— J'ai l'impression qu'ils sont très proches l'un de l'autre, reprit-elle. Ce qui paraît logique, puisque c'est lui qui l'a élevée. Est-ce que je me trompe, ou bien Héloïse est assez possessive à l'égard de son père ?

De toute évidence, il y avait quelque chose entre le directeur et la décoratrice. Mais Natalie plaisait beaucoup à Jennifer. A son avis, c'était exactement le genre de femme dont il avait besoin. Aussi ne s'offusqua-t-elle pas de voir la jeune femme enquêter ainsi au sujet de son patron. A sa place, elle en aurait fait autant...

— *Assez* possessive ? répéta Jennifer. Vous voulez dire qu'il lui appartient, corps et âme ! Il est en adoration devant elle depuis le jour de sa naissance. Il faut dire qu'elle était à croquer, quand elle était petite. De longs cheveux roux, de grands yeux verts... C'est une belle jeune fille, aujourd'hui ; son père et cet hôtel sont toute sa vie. Je vous conseille d'être prudente, car si elle a l'impression que vous essayez de l'éloigner d'elle, elle ne vous portera pas dans son cœur.

— Loin de moi cette idée, répliqua Natalie avec douceur. J'ai trop de respect pour leur relation, qui semble vraiment exceptionnelle. Mais je me demande comment elle réagirait s'il se remettait avec quelqu'un.

— C'est difficile à dire... La situation ne s'est pas encore présentée. Tout aurait été plus simple si elle avait été habituée à le voir accompagné quand elle était petite. Enfin... Nous n'allons pas réécrire l'histoire ! Alors si cela arrivait, disons qu'Héloïse devrait fournir un gros effort d'adaptation. Je ne nie pas que ce serait une excellente occasion pour eux de couper le cordon, ce dont ils auraient bien besoin l'un et l'autre. En tout cas, la prochaine femme qui tombera amoureuse d'Hugues devra prendre ces paramètres en considération.

— Je vois, répondit Natalie. En fait, je m'en doutais un peu. Et je suppose que lui aussi aura du mal à s'adapter quand Héloïse trouvera le prince charmant.

Cela ne doit pas être si facile pour lui, de la voir grandir.

— Je dirais même que ça le tue. Il croyait sans doute qu'elle porterait éternellement des couettes et des robes à smocks. Depuis qu'elle lui a parlé de ce jeune Français, il tremble comme une feuille. On ne peut pourtant pas garder ses enfants près de soi toute sa vie. Moi, j'en ai un en Floride et un autre au Texas. Vous ne pouvez pas imaginer combien ils me manquent... Un dernier chocolat avant de nous remettre au travail ?

Stoïque, la décoratrice résista à la tentation, tandis que Jennifer cédait une fois de plus à son péché mignon, ce qui expliquait probablement la différence de poids entre les deux femmes. Tout comme Hugues et Natalie, Jennifer était pour ainsi dire mariée à son travail. Si elle avait bien eu un léger faible pour le directeur en arrivant au Vendôme, elle avait rapidement compris qu'il préférait ne pas franchir certaines limites avec ses employés. Hugues lui répétait qu'il n'avait jamais eu de meilleure assistante, et elle n'en demandait pas davantage. Au bout de tant d'années de confiance réciproque, leur relation professionnelle s'était transformée en une amitié respectueuse.

— Ne vous inquiétez pas trop au sujet d'Héloïse, reprit l'assistante. C'est une bonne petite, elle apprendra à vous aimer et finira bien par s'apercevoir que vous êtes la personne dont son père a besoin.

— Merci beaucoup, Jennifer, c'est exactement ce que je voulais savoir.

— Je vous en prie... Et vous verrez : ce n'est qu'une question de temps, conclut-elle avec une tape amicale sur l'épaule de la décoratrice, avant de reprendre le chemin de son bureau.

Natalie avait décidément raison de ne rien précipiter avec Hugues. Les conseils avisés de Jennifer n'étaient pas tombés dans l'oreille d'une sourde.

9

Une semaine avant Thanksgiving, la suite était fin
prête. Elle put être louée à un client régulier, sénateur
de l'Illinois, qui la réservait chaque année pour passer
le week-end à New York, entouré de ses enfants et
petits-enfants.

Le lundi précédant la fête, Hugues et Natalie montèrent admirer leur œuvre, qui atteignait la perfection : la suite ressemblait davantage à un appartement
privé qu'à une chambre d'hôtel. Rien n'avait été laissé
au hasard. Depuis les magnifiques voilages, réalisés
par une couturière française, jusqu'aux pots d'orchidées de collection, judicieusement disposés dans les
différentes pièces, Natalie avait presque tout installé
elle-même. Eperdu d'admiration, Hugues la serra dans
ses bras.

— C'est vrai, ça te plaît ? demanda-t-elle, prête à
sauter de joie comme une petite fille.

— J'adore ! Tu as un talent incroyable ! Et tu sais
quoi ? C'est surtout toi que j'adore ! Ces deux derniers
mois ont été magiques...

— Pour moi aussi, avoua-t-elle, touchée par sa
déclaration.

Pour fêter l'événement, il commanda une bouteille
de Cristal.

— Tu sais, quand je travaillais au Ritz, mon supérieur m'a dit un jour qu'il n'y a pas trente-six façons de savoir si une chambre est confortable, commença-t-il d'une voix douce. Il n'y a qu'un seul moyen de s'en assurer, c'est d'y passer la nuit !

Etait-ce le talent de Natalie, ou bien l'effet du champagne ? En cet instant, une atmosphère unique régnait dans la pièce.

— Alors, reprit-il, si tu es d'accord... nous pourrions peut-être étrenner la suite nous-mêmes ? Qu'en dis-tu ?

Sans un mot, Natalie sourit et enlaça Hugues, tandis qu'il l'embrassait tendrement. Jamais aucun homme n'avait fait preuve de tant de respect et de délicatesse à son égard.

— Ce serait merveilleux, répondit-elle enfin. Mais que vont dire les gens ? Tu ne crains pas les commérages ?

— Rien ne nous empêche de dîner ici, en tout bien tout honneur, pour célébrer la fin des travaux. Ce qui se passe ensuite ne regarde que nous. Et demain matin, je pourrai toujours te faire sortir par une porte de service. Ma fille a tenté une manœuvre de ce genre pour héberger un SDF, quand elle avait douze ans...

— Vraiment ? Quelle histoire ! Ça ne devait pas être triste...

— Je ne te le fais pas dire... Héloïse est très sensible au malheur des autres et elle voulait y remédier de façon concrète ! Le type a profité de deux bons repas chauds et d'une nuit à l'abri, avant de s'éclipser. Nous nous en sommes aperçus le lendemain, grâce aux écrans de sécurité... Mais naturellement, avec toi ce serait différent : je compte sur la discrétion de mes agents et j'ai une confiance absolue en Bruce, le responsable. Alors, c'est oui ?

— Hugues, je crois que je t'aime, répondit-elle dans un souffle.

Le soir même, ils commandèrent un festin dans le salon de la suite. Après le dîner, le garçon d'étage qui débarrassa la table ne trouva rien à redire et ne songea même pas à informer ses collègues que le directeur passait la soirée en tête à tête avec une jolie femme. Enfin seuls, ils bavardèrent un long moment de choses et d'autres, en écoutant les disques qu'Hugues avait apportés. Le panneau « Ne pas déranger » les gardait d'une intrusion inopinée des femmes de chambre : pour préserver la magie de l'instant, Hugues avait paré à toutes les éventualités. Quand, à l'approche de minuit, il tamisa la lumière et embrassa Natalie, la force irrésistible qui les attirait l'un vers l'autre avait atteint son paroxysme.

Il lui prit la main et la conduisit dans la chambre à coucher où, tremblants d'émotion, ils replièrent le couvre-lit immaculé. Elle s'abandonna alors à ses caresses et ses baisers. C'était comme s'ils avaient attendu toute leur vie d'être ensemble : le lit les enveloppa comme un nuage et ils s'envolèrent vers des cieux dont ils n'auraient jamais osé rêver auparavant. Hugues ne se lassait pas de caresser Natalie, blottie contre son épaule, de l'embrasser et surtout de la regarder avec une tendresse qu'il n'avait plus éprouvée depuis près de vingt ans. Vers quatre heures du matin, ils se lovèrent dans l'eau chaude de l'immense baignoire, et quand enfin ils se recouchèrent, ils s'endormirent aussitôt dans les bras l'un de l'autre, d'un sommeil d'enfants heureux.

La lumière du soleil filtrant à travers les rideaux les réveilla. Ils avaient dormi plus longtemps que prévu, mais Natalie pourrait tout de même quitter l'hôtel incognito. Hugues ne put s'empêcher de lui faire l'amour une dernière fois. Il la suivit ensuite sous la douche et continua de la dévorer du regard pendant qu'elle se préparait.

— Je t'ai déjà dit combien je t'aime, ce matin ? chuchota-t-il à son oreille.

— Moi aussi, je t'aime, murmura-t-elle à son tour.

Tout habillés et prêts à partir, ils ne parvenaient pas à se séparer. Après avoir échangé un baiser langoureux, ils quittèrent enfin la suite. Hugues accrocha la pancarte indiquant au personnel que la chambre devait être nettoyée, puis il conduisit Natalie à l'escalier de secours, tout comme Héloïse l'avait fait avec Billy... Mais cette fois-ci, les agents de sécurité sauraient rester muets comme la tombe. Une fois en bas, Hugues poussa la lourde porte et Natalie frissonna dans l'air glacé de cette matinée de novembre.

— Ce soir, tu viens chez moi ? proposa-t-elle.

Il acquiesça en silence. Ils n'oublieraient jamais leur première nuit dans la suite à peine achevée. Au terme de plusieurs semaines d'attente, l'aventure dans laquelle ils venaient de s'embarquer s'imposait à eux comme une évidence. Il héla un taxi.

— A ce soir ! promit-il.

A la voir s'éloigner, il eut l'impression qu'on lui arrachait une partie de lui-même. Il savait maintenant que son cœur était assez vaste pour accueillir Natalie aux côtés d'Héloïse, sans la moindre contradiction. Il les aimait toutes les deux d'un amour différent, voilà tout.

Il contourna le bâtiment pour rejoindre l'entrée principale et salua le portier au passage. L'employé eut à peine le temps de se demander pourquoi il n'avait pas vu le directeur sortir. Quelques instants plus tard, Hugues atteignait son bureau.

— Bonjour, Jennifer ! lança-t-il.

— Bonjour, monsieur. Avez-vous bien dormi ? lui demanda-t-elle tout en lui servant un cappuccino.

— Ma foi, je dois dire que oui. Figurez-vous que j'ai essayé la nouvelle suite, afin de vérifier que tout était prêt pour l'arrivée du sénateur.

— Alors, comment était-ce ? demanda-t-elle avec intérêt.

— Absolument parfait ! Vous devriez aller y jeter un coup d'œil vous-même, ajouta-t-il. C'est sublime, maintenant que les meubles et les textiles sont installés. Natalie a fait des merveilles.

L'espace d'un instant, Jennifer le soupçonna d'avoir passé la nuit avec la décoratrice, mais elle s'avisa aussitôt que cela ne la regardait en rien. Elle n'en espérait pas moins avoir deviné juste.

Tout de suite après avoir écouté les messages qui l'attendaient sur son répondeur, Hugues ne put résister au plaisir d'appeler Natalie.

— Je suis fou de toi, souffla-t-il dans le combiné.

Il avait pourtant bien conscience que son amour n'avait rien de fou. Au contraire, leur relation était des plus naturelles et légitimes : elle tombait sous le sens.

— Moi aussi, répondit-elle. Vivement ce soir !

— Nous pourrions peut-être nous glisser dans la suite cet après-midi, plaisanta Hugues. Le sénateur n'arrive que demain...

— Je ne pense pas que ce soit très prudent ! répondit Natalie en riant.

— Bon, alors à ce soir... soupira-t-il avant de raccrocher.

La journée se déroula sur un rythme effréné. Dès qu'il put se libérer, à vingt et une heures passées, il sauta dans un taxi pour le centre-ville. Natalie lui ouvrit la porte de son appartement en jean et pull décontracté. Avant qu'il ait eu le temps de déboucher le champagne, ils se retrouvèrent au lit, à poursuivre l'exploration de leurs corps commencée la veille. Et cette fois, ils ne craignaient pas d'être découverts.

— Tu te rends compte de la chance que j'ai, de t'avoir enfin trouvée ? dit-il alors qu'ils étaient étendus côte à côte.

— Et moi donc ! C'est comme si je n'avais fait que perdre mon temps, toutes ces dernières années.

— Ce ne sont pas des années perdues. C'était le prix à payer : nous nous sommes mérités l'un l'autre. Peu importent ces années de solitude, je ne regretterai jamais de t'avoir attendue. S'il l'avait fallu, Natalie, j'aurais fait le tour du monde à genoux pour te trouver...

Son romantisme la fit sourire.

— Bienvenue chez toi, murmura-t-elle en le serrant contre son cœur.

10

Le jour du retour d'Héloïse pour les fêtes de fin d'année, l'hôtel était en effervescence. Le chef pâtissier lui avait préparé son gâteau au chocolat préféré, Ernesta avait veillé à ce que sa chambre soit astiquée jusque dans les moindres recoins et Jan avait fait monter des monceaux de fleurs à l'appartement. Dans le hall, les décorations de Noël brillaient de mille feux. Quant à Hugues, qui n'avait encore jamais été séparé si longtemps de sa fille chérie, il trépignait d'impatience.

La veille, Natalie lui avait avoué sa légère anxiété. Et si Héloïse ne l'aimait pas ? Il lui avait affirmé que c'était absurde, qu'elle n'avait aucun souci à se faire. Il voulait néanmoins laisser à la jeune fille le temps de reprendre ses marques avant de lui annoncer leur relation. L'automne avait été si riche en événements ! Aussi Natalie et lui avaient-ils décidé de ne pas dormir ensemble pendant les quinze jours que sa fille passerait à New York, et ils se languissaient déjà l'un de l'autre. A la grande déception de son père, Héloïse avait prévu de passer sa troisième et dernière semaine de vacances en Suisse pour aller skier à Gstaad, où les parents de son petit ami possédaient un chalet. Hugues avait bien tenté de protester, mais elle lui avait rétorqué qu'une dizaine de leurs amis de l'Ecole étaient également invi-

135

tés. Il lui faudrait donc savourer chaque instant en sa compagnie et il ne doutait pas que tout se déroulerait comme au bon vieux temps.

L'avion avait trente minutes d'avance, mais Hugues était déjà là, à l'aéroport, pour accueillir sa fille. Celle-ci lui sauta au cou et le serra à l'étouffer. Il s'aperçut tout de suite qu'elle avait changé : elle avait raccourci ses cheveux de quelques centimètres et sa nouvelle coupe seyait bien à la jeune femme qu'elle était devenue. Son allure et ses manières avaient acquis quelque chose de plus subtilement européen. Dans la Rolls qui les ramenait à la maison, elle fut intarissable au sujet de l'Ecole hôtelière. Sa première relation sérieuse, avec ce jeune Français, l'avait décidément beaucoup mûrie.

En entrant dans le hall de l'hôtel, elle fut stupéfiée par le nombre d'employés qui l'attendaient, réunis autour du sapin de Noël. Dans une effusion de tendresse, tous se précipitèrent pour la serrer dans leurs bras, à grand renfort de tapes amicales dans le dos, et Jan lui tendit une énorme gerbe de roses. Aucun VIP ne pouvait se vanter d'avoir reçu un accueil aussi chaleureux au Vendôme ! Se disputant le privilège de porter son unique sac de voyage, pas moins de trois liftiers les accompagnèrent dans l'ascenseur.

— Mais c'est encore plus beau qu'avant, ici ! s'exclama-t-elle en pénétrant dans l'appartement, étincelant de propreté et envahi de fleurs. Et toi, papa, tu as l'air en pleine forme. Tu m'as trooop manqué !

— Et toi donc... dit-il, sur un ton exagérément plaintif qui cachait une peine sincère. C'est comme si on m'avait arraché le cœur, ou le foie... et les deux jambes, en plus ! Mais attends, tu n'as pas tout vu : les travaux sont finis dans la 912 !

— Cool ! Alors, c'est réussi ?

— Tu n'as qu'à en juger toi-même, répondit-il en sortant la clé de sa poche. Elle est louée ce soir, mais les clients ne sont pas encore arrivés.

Il la prit par la main et ils empruntèrent l'escalier de secours pour accéder au neuvième étage. Hugues ouvrit la porte et laissa Héloïse entrer la première. La jeune fille poussa un cri d'admiration.

— Ouah ! C'est sublime, papa ! C'est super-beau et c'est exactement ce dont nous avions besoin. C'est frais, joyeux, élégant. Les tableaux sont incroyables. Sans parler des lampes et de la moquette !

Héloïse fut encore plus impressionnée par la chambre à coucher que par la salle de séjour. Tous les petits détails imaginés par Natalie étaient d'un goût exquis, et les bibelots qu'elle avait récupérés dans d'autres chambres semblaient avoir naturellement trouvé leur place dans la suite.

— J'a-dore ! Il n'y a pas d'autre mot, continua Héloïse en s'asseyant sur le canapé. Ta décoratrice a l'air géniale. J'aimerais bien la rencontrer. Est-ce qu'elle est jeune ? Sa déco a vraiment du peps, et en même temps ça reste pile poil dans le style de l'hôtel.

— Pour moi, elle est jeune, mais pas pour toi. Je crois qu'elle a trente-neuf ans, ou quelque chose comme ça, répondit Hugues d'un ton évasif.

— Je suis sûre qu'elle est super-cool !

— Tu peux le dire, renchérit-il, laconique.

Ils remontèrent ensuite à l'appartement. Hugues venait de laisser passer l'occasion rêvée d'avouer à Héloïse qu'il était amoureux de Natalie.

Au cours du dîner, la jeune fille lui parla longuement de sa vie à l'Ecole hôtelière, ainsi que de François, son petit ami. Les parents de ce dernier possédaient, outre leur chalet de Gstaad, un hôtel dans le sud de la

France, de sorte que les deux jeunes gens avaient beaucoup de souvenirs à partager.

— Est-ce que tu l'aimes pour de bon ? lui demanda Hugues, un soupçon d'inquiétude dans la voix.

— Peut-être... Je ne sais pas trop. Je ne voudrais pas que ça me détourne de mes études. C'est vraiment difficile. En tout cas, on a présenté nos candidatures aux mêmes hôtels, pour notre année de pratique professionnelle. On a envoyé nos CV au Ritz, au George V et au Plaza Athénée.

— Ah bon ? Mais je croyais que tu voulais faire ton stage ici, avec moi ? s'étonna-t-il.

— L'un n'empêche pas l'autre. Je peux toujours passer un semestre à Paris et l'autre au Vendôme. Comme ça, je serai de retour dès Noël prochain.

Ces quatre derniers mois avaient déjà semblé si longs à Hugues... Comment tiendrait-il toute une année sans la revoir ? Héloïse, elle, ne paraissait pas souffrir de la séparation. De toute évidence, elle menait à Lausanne une vie trépidante : entre ses cours, sa bande de copains et surtout son ami François, elle n'avait guère le temps de penser à son vieux papa. Qu'elle l'admette ou non, Hugues voyait bien qu'elle était amoureuse.

Après le dîner, Héloïse descendit saluer les standardistes et réceptionnistes de nuit, ainsi que la responsable de la conciergerie qui était de service ce soir-là. Quand elle revint à l'appartement, Hugues était au téléphone. A son arrivée, il prit congé de son interlocuteur et se hâta de raccrocher.

— C'était qui ? demanda Héloïse avec curiosité.

— C'était Natalie Peterson, la décoratrice. Je lui ai dit à quel point tu appréciais la suite et elle aimerait beaucoup te rencontrer. Pourquoi pas cette semaine ?

— Bonne idée, avec plaisir.

Bien que le détail n'eût pas échappé à Héloïse, elle ne fit aucun commentaire sur l'heure tardive. S'ils se téléphonaient à dix heures du soir, c'était sans doute que son père et Natalie s'étaient liés d'amitié, au cours des derniers mois. Au grand étonnement d'Hugues, Héloïse se dirigea vers la cuisine pour se servir un verre de bordeaux. En bon Européen, il ne lui avait jamais interdit de boire du vin à table, cependant il découvrait là l'une de ses nouvelles habitudes, et il espérait que la vie estudiantine ne l'incitait pas à abuser de boissons alcoolisées. Désemparé, il eut soudain l'impression d'avoir perdu tout contrôle sur la vie de sa fille, toute influence sur elle. Il ne lui restait plus qu'à prier pour qu'elle sache prendre les bonnes décisions toute seule.

— Qu'est-ce qu'on fait demain ? demanda-t-elle en s'asseyant sur le canapé, son verre à la main.

— Euh... Ce que tu veux, ma foi ! Je suis à ton entière disposition pour les deux semaines à venir.

Quoique Hugues ne fût pas officiellement en vacances, ses collaborateurs étaient prévenus qu'il serait moins disponible pendant le séjour de sa fille. Quant à Natalie, elle avait prévu de passer deux ou trois jours dans la famille de son frère, à Philadelphie, où elle se rendrait en train la veille de Noël. Elle voyagerait avec l'aîné de ses neveux, jeune étudiant en droit à l'université Columbia.

— Eh bien, il faut d'abord que je fasse mes achats de Noël, parce que je n'ai pas eu le temps à Lausanne, expliqua Héloïse. On a encore eu un partiel hier matin.

— C'est vrai, tes examens ! Comment ça s'est passé ?

— Pas trop mal, je crois. J'ai déjà beaucoup d'avance sur le programme, grâce à mon expérience ici.

Le père et la fille passèrent un moment à bavarder de la Suisse et de l'Ecole, puis Héloïse, épuisée par le décalage horaire, se mit à bâiller et déclara qu'elle allait se coucher. Selon un rituel immuable, il passa la border et lui souhaiter bonne nuit.

— 'Nuit, papa... C'est tellement bon d'être à la maison... soupira-t-elle.

Elle lui envoya un baiser avant de se pelotonner sur le côté, et dormait déjà quand il ressortit de la pièce pour gagner sa propre chambre.

Il resta quelques instants assis au bord du lit, pensif, puis décida de rappeler Natalie.

— Alors ? Comment va-t-elle ?

— Je crois qu'elle est amoureuse de ce garçon. Elle est contente d'être rentrée, mais elle vient de m'annoncer qu'elle veut faire son stage à Paris. Ce qui veut dire qu'elle ne reviendra que dans un an...

— Ça passera vite, tu verras, le rassura Natalie, compatissante. Et puis tu pourras toujours aller lui rendre visite entre-temps.

— Oui, mais tu sais à quel point j'ai du mal à me libérer de l'hôtel.

En effet, c'était à peine s'il éteignait son portable quand ils faisaient l'amour.

— Alors, quand pourrai-je la rencontrer ? demanda Natalie.

— Et si tu venais prendre un verre à l'hôtel demain soir ?

— Excellente idée. J'ai hâte d'y être ! Tu m'as tellement parlé de ta fille que c'est un peu comme rencontrer une vedette de cinéma !

— C'est vrai, Héloïse est ma star à moi... Tu viens vers sept heures ? Si ça se passe bien, on pourra peut-être dîner tous les trois, ensuite.

— Super !

— Tu me manques, souffla-t-il à mi-voix, de peur qu'Héloïse ne l'entende.

— Je t'aime, Hugues.

— Je t'aime, Natalie.

Après avoir raccroché, il entrouvrit la porte de la chambre d'Héloïse et la contempla pendant un moment : elle souriait aux anges dans son sommeil. Il n'avait pas ressenti une telle sérénité depuis longtemps. Ce soir, au moins, il savait où dormait son enfant, et il la retrouverait au petit déjeuner. Qu'aurait-il pu désirer de plus ?

Le lendemain matin, non pas un, mais deux garçons d'étage se présentèrent à la porte de l'appartement pour leur servir un plateau avec du café et des viennoiseries. Ils se précipitèrent pour faire la bise à Héloïse, lui disant que la vie à hôtel n'était plus la même, sans elle, et qu'elle avait intérêt à en finir rapidement avec la fac !

Le repas avalé, Hugues insista pour qu'elle emprunte l'un des puissants véhicules tout terrain que proposait le service de location, car, dehors, la neige avait commencé à tomber dru et elle aurait du mal à trouver un taxi. Elle passa sa journée à faire du shopping en ville et déjeuna avec une ancienne camarade du Lycée français. Vers dix-sept heures, éreintée mais heureuse, elle entra en trombe dans le bureau de son père et appliqua un baiser sur la joue de Jennifer.

— Quel plaisir de t'avoir avec nous ! déclara l'assistante.

Hugues était en train de signer des chèques.

— Est-ce que j'ai encore un peu d'argent, ou bien tu as déjà tout dépensé ? demanda-t-il avec un sourire malicieux.

— J'ai presque tout claqué, mais tu as encore de quoi me payer un cadeau de Noël, répliqua-t-elle en riant de sa propre plaisanterie.

— Ah oui ? Et tu pensais à quelque chose de précis ?

— Je ne sais pas, quelque chose que je pourrais porter à la fac, genre un diadème en diamant, ou un grand manteau de vison ! Non, en fait j'allais te demander si tu voulais bien m'offrir une nouvelle paire de skis, dit-elle en reprenant son sérieux. Les miens sont fichus, et j'aimerais en avoir des neufs pour Gstaad.

— C'est une bonne idée. Figure-toi que j'y avais pensé.

Il lui avait aussi acheté une veste en agneau retourné chez Bergdorf, le célèbre grand magasin de la Cinquième Avenue, ainsi qu'un bracelet en or, gravé de son prénom à l'extérieur, et de la mention « Ton papa qui t'aime » à l'intérieur. Il avait eu plus de mal à trouver un cadeau pour Natalie, qui s'habillait avec sobriété et élégance et semblait déjà tout avoir. Finalement, il s'était décidé pour une longue chaîne en or et un médaillon ancien serti d'un diamant, trouvés dans la prestigieuse boutique de Fred Leighton.

— Est-ce que tu veux dîner en ville, ou tu préfères rester ici ce soir ? demanda-t-il.

Héloïse se rembrunit, gênée : elle avait prévu de retrouver deux de ses amies, avec lesquelles elle dînerait dans un restaurant du centre-ville, avant d'aller danser dans le quartier branché de TriBeCa.

— Je suis désolée, papa, mais je sors avec des copines. On peut remettre ça à demain ? Je bloque ma soirée, promis.

— Ne dis pas de bêtises, c'est bien naturel. Va t'amuser avec tes amies ! déclara-t-il, sans parvenir à dissimuler sa déception. Au fait, Natalie Peterson va passer prendre un verre avec nous à sept heures. Elle a vraiment envie de te rencontrer.

— Moi aussi, ça me ferait plaisir, mais je ne sais pas si je vais avoir le temps. On a réservé une table pour huit heures.

— Oh, mais tu n'as pas besoin de rester longtemps. Elle est si contente que la suite te plaise...

Héloïse sourit, rassembla ses nombreux paquets et monta se préparer à l'appartement. De peur d'en dire trop, Hugues n'avait pas voulu insister ; cette première rencontre lui tenait à cœur et il espérait que tout se passerait bien.

Quand il la rejoignit sur le coup de dix-huit heures trente, Héloïse courait en tous sens, vêtue d'une simple serviette de bain et le portable vissé à l'oreille. Elle adressa un signe de la main à son père, avant de s'enfermer dans sa chambre. A cet instant, la réception appela pour annoncer l'arrivée de Mlle Peterson, et Hugues demanda qu'on la laisse monter.

En lui ouvrant la porte, il s'abstint de l'embrasser, de peur qu'Héloïse ne sorte de sa chambre au même moment.

— Hmm, c'est un peu la folie, ici. Elle sort ce soir, et elle est encore en train de se préparer. Je lui ai seulement dit que tu passais prendre un verre.

— Pas de problème, répondit Natalie.

Elle était habituée aux mœurs des jeunes gens, car son frère avait quatre enfants, dont des jumelles de l'âge d'Héloïse.

Hugues lui servit une coupe de champagne. Sa fille resurgit trente minutes plus tard, moulée dans une tunique de cuir noir sur une paire de leggings de la même couleur, les cheveux encore mouillés. Elle était perchée sur de vertigineuses sandales à talons. Hugues n'avait jamais vu sa fille arborer une tenue aussi sexy, et il n'aurait su dire si la tunique constituait une robe ou un haut... Héloïse ressemblait maintenant aux fashionistas sophistiquées que l'on pouvait croiser au bar de l'hôtel.

— Héloïse, je te présente Natalie.

— Enchantée, Natalie ! J'aime vraiment beaucoup ce que vous avez fait dans la 912, déclara-t-elle, tandis que son père lui tendait une coupe de champagne. Désolée, mais je ne peux rester que cinq minutes. Je dois passer prendre toutes mes amies en voiture à huit heures moins le quart.

Elle accepta cependant le champagne et s'assit sur le canapé.

— Mon père m'a dit que vous alliez aussi décorer les autres suites, c'est super !

— Est-ce que vous aimeriez m'aider à choisir les tissus, cette fois-ci ?

— Ça aurait été avec plaisir, mais malheureusement je repars bientôt en Suisse.

Elle jeta un coup d'œil affolé à sa montre.

— Pardon, mais il faut que j'y aille, papa. Très heureuse d'avoir fait votre connaissance, Natalie.

Elle gratifia son père d'une bise sur la joue, adressa un sourire à la décoratrice et, deux secondes plus tard, ils entendirent la porte d'entrée se refermer derrière elle.

— Je suis désolé, dit Hugues, désabusé. J'aurais tellement voulu que vous ayez l'occasion de bavarder ensemble et d'apprendre à vous connaître. Elle veut voir ses copines, j'aurais dû y penser plus tôt.

— Ne t'inquiète pas, c'est normal. Les jeunes n'ont pas de temps à perdre avec de vieux croûtons comme nous.

— J'en suis peut-être un, mais je défie quiconque de te traiter de vieux croûton, répliqua-t-il.

Avec sa jupe courte, ses talons hauts et son joli chemisier, Natalie semblait plus fraîche que jamais.

— Mets-toi à sa place, dit-elle. La vie commence pour elle, alors elle a l'impression que nous avons déjà un pied dans la tombe. Tu crois qu'elle se doute de quelque chose, pour nous deux ?

— Certainement pas ! Je ne voulais rien lui dire avant que tu l'aies rencontrée.

Natalie l'embrassa et il remplit leurs coupes de champagne.

— Elle a drôlement changé, depuis septembre. Je suppose que c'est à cause de ce garçon... dit-il d'un air sombre.

— Je pense plutôt que c'est une question d'âge, et le fait de quitter la maison. Mes nièces aussi ont beaucoup mûri quand elles sont entrées à Stanford. Ça forme la jeunesse !

— Mais ça ne nous rajeunit pas...

Ils dînèrent ensemble à La Goulue, un de leurs restaurants préférés, situé à deux pas de l'hôtel. Hugues proposa ensuite à sa compagne de boire un dernier verre à l'appartement de direction, et Natalie repartit avant minuit. A quatre heures passées, il dormait depuis longtemps quand Héloïse rentra.

Le lendemain matin, la voyant encore fatiguée de sa trop courte nuit, il n'osa pas lui reparler de Natalie.

— Qu'est-ce que tu fais aujourd'hui ? lui demanda-t-il à brûle-pourpoint.

— Je vais à la patinoire de Central Park avec des amis, et je sors encore ce soir. Tu sais, tout le monde est rentré de la fac pour Noël...

Hugues commençait à comprendre qu'elle n'avait pas prévu de lui consacrer beaucoup de place dans son agenda. A ce rythme-là, comment arriverait-il à lui faire passer une soirée entière avec Natalie ? Ce fut à peine s'il la croisa entre deux sorties les jours suivants.

La veille de Noël, les deux amoureux étaient convenus de déjeuner au restaurant de l'hôtel pour échanger leurs cadeaux. A midi sonné, Natalie frappa à la porte de l'appartement et ce fut Héloïse qui lui ouvrit.

— Tiens, bonjour, Natalie ! dit la jeune fille en la faisant entrer.

— Joyeux Noël, répondit la décoratrice, tout sourire. J'ai rendez-vous avec ton père.

— Oh, je crois qu'il est encore dans son bureau.

Sur ce, Hugues apparut à son tour, heureux et inquiet à la fois de voir réunies les deux femmes de sa vie. Depuis combien de temps étaient-elles là et qu'avaient-elles bien pu se dire ? Il salua Natalie d'une bise sur la joue, chaste et amicale.

— Salut, papa ! J'allais sortir, dit Héloïse en enfilant son manteau.

— C'est ce que je constate. Mais pas de soirée en boîte, n'est-ce pas ? Ce soir, on passe la veillée de Noël comme dans le bon vieux temps, toi et moi, et on va à la messe de minuit.

— Bien sûr, papa ! Qu'est-ce que tu crois ? Au revoir, Natalie ! dit-elle poliment avant de sortir, laissant Hugues plus dépité que jamais.

— Depuis qu'elle est arrivée, je n'ai presque pas eu le temps de la voir, grogna-t-il.

— Penses-tu pouvoir lui parler de nous avant son départ ? demanda Natalie, qui commençait à s'inquiéter. Lui cacher trop longtemps notre relation ne me semblerait pas très respectueux envers elle...

Et elle s'abstint d'ajouter : « ... ni envers moi ! »

— Je suis d'accord avec toi, elle a le droit de savoir. Mais bon, je ne peux tout de même pas lui annoncer quelque chose d'aussi énorme le soir de Noël. Pour être honnête, je ne sais pas du tout comment elle va réagir. Il lui faudra peut-être un moment pour s'adapter. Et elle repart dans une semaine à peine...

— Je le sais bien, mais tu ne crois pas qu'elle aura tout le temps de s'habituer à l'idée que nous sommes ensemble, lorsqu'elle sera de retour en Suisse ?

— Je refuse de le lui dire au dernier moment. C'est une situation si nouvelle pour nous... Elle aura sans doute besoin d'être rassurée et je dois lui en parler calmement. Maintenant qu'elle vit loin de moi, je ne veux pas la voir repartir fâchée, tu comprends ?

— Bien sûr, mais toutes ces cachotteries me mettent mal à l'aise. Dans la vie comme dans les affaires, je n'aime pas qu'il y ait tromperie sur la marchandise. Etre amoureux n'est pas un crime, que je sache !

— Je te promets que je vais faire de mon mieux, dit-il en la prenant dans ses bras. Laisse-moi trouver le bon moment.

Ils s'efforcèrent ensuite de changer de sujet. Pour plus d'intimité, ils décidèrent d'appeler le service d'étage au lieu de descendre au restaurant comme prévu, et ouvrirent leurs cadeaux après le déjeuner. Le médaillon plut beaucoup à Natalie, qui l'attacha aussitôt autour de son cou. Elle remercia Hugues chaleureusement et s'excusa d'avoir autant insisté tout à l'heure. Elle ne désirait rien d'autre que d'être amie avec

Héloïse, et il savait certainement comment il fallait s'y prendre avec elle. A son tour, Hugues ouvrit son cadeau. Natalie avait déniché à son intention quelques classiques de la littérature française dont il lui parlait si souvent, tous dans leur première édition et magnifiquement reliés de cuir. Ils figureraient en bonne place dans sa bibliothèque. Assis contre elle dans le canapé, il résista à son envie de lui faire l'amour, de peur d'être surpris. Quand, vers quinze heures, elle dut se mettre en route pour la gare, ils s'embrassèrent tendrement et se souhaitèrent un joyeux Noël.

Héloïse ne rentra qu'à six heures du soir. Comme promis, elle passa une soirée tranquille avec son père. Ils dînèrent au restaurant de l'hôtel, puis se rendirent à la cathédrale Saint Patrick pour la messe de minuit. A leur retour, Miriam téléphona de Londres pour leur souhaiter un joyeux Noël : elle s'était réveillée de bonne heure pour préparer les cadeaux des enfants.

— Merci, maman, ça fait plaisir de t'entendre, répondit-elle en toute sincérité.

Miriam savait parfaitement que sa fille vivait en Europe depuis le mois de septembre, mais elle n'avait pas pris la peine de l'inviter à Londres. Elle se disait trop occupée, car Greg enregistrait un nouvel album. Après avoir raccroché, Héloïse resta longtemps assise près du téléphone. Les brefs coups de fil de sa mère lui laissaient un goût amer.

— C'est bizarre, mais c'est chaque fois la même chose, dit-elle à Hugues avec un triste sourire. Je me sens toute vide, quand elle appelle. On devrait peut-être s'estimer heureux qu'elle soit partie quand j'étais petite. Je n'arrive pas à imaginer comment on aurait pu vivre avec elle... Et puis on s'est plutôt bien débrouillés, toi et moi ! J'ai même eu de la chance que tu ne te sois jamais remarié. Dans le fond, ça m'a plu, de t'avoir pour moi toute seule.

A ces mots, Hugues contint un léger tressaillement. Bien sûr, Natalie et lui n'avaient pas encore évoqué la question du mariage, mais après avoir endossé pendant des années le rôle du célibataire endurci, il n'excluait pas de passer le reste de sa vie avec elle.

— Et maintenant ? demanda-t-il après un silence, scrutant son regard.

— Maintenant ? répéta-t-elle, en riant à l'idée incongrue que son père puisse un jour se remettre en couple. Mais je ne veux toujours pas te partager ! Ça me va très bien, d'être la seule et unique femme de ta vie.

— Et comment feras-tu, quand tu tomberas amoureuse et que tu voudras te marier ?

— C'est simple : j'emménagerai ici avec mon mari, nous vivrons très heureux et nous aurons beaucoup d'enfants. Comme ça, tu passeras tes vieux jours auprès de nous, répondit plaisamment Héloïse qui, pas plus que son ami François, ne se projetait dans un avenir aussi lointain.

Elle ne remarqua pas l'ombre fugitive qui passa sur le visage de son père. Après un tel discours, comment allait-il pouvoir lui parler de Natalie ? Il avait fort à parier que sa réaction serait explosive. Héloïse était sa chair et son sang, et il voulait éviter à tout prix d'entrer en conflit avec elle : sa mère l'avait suffisamment fait souffrir. Il préféra détendre l'atmosphère par une plaisanterie.

— Vraiment ? Alors je te préviens : si jamais tu décides de t'installer à Paris avec François, j'irai te chercher moi-même, de gré ou de force !

— Ne t'inquiète pas, voyons ! répondit-elle en riant. Je suis ta fille chérie, oui ou non ? C'est promis, je serai de retour dans un an, pour Noël. Je t'aime, mon papa.

— Moi aussi, je t'aime, murmura-t-il, tandis qu'elle posait la tête sur son épaule.

11

Natalie rentra de Philadelphie le lendemain de Noël. Hugues l'avait prévenue qu'il emmenait sa fille au théâtre ce soir-là, pour voir la nouvelle pièce dont tout le monde parlait. Il n'avait pas osé l'inviter à se joindre à eux et ils ne se revirent pas avant le départ d'Héloïse.

A l'aéroport, les adieux entre le père et la fille furent douloureux, même s'il lui avait promis de la rejoindre en Suisse et de l'emmener à Rome pendant les vacances de Pâques. Sur le chemin du retour, il demanda à son chauffeur de s'arrêter devant l'appartement de Natalie. Elle fut surprise de le voir après ces six longs jours de séparation. Toute la semaine, elle avait tenté de prendre son mal en patience, et de ne pas lui en vouloir pour son manque de disponibilité.

— Est-ce que tu me détestes ? demanda-t-il d'un air penaud.

— Ne dis pas de bêtises, voyons. Pourquoi te détesterais-je ?

Malgré son sourire, Natalie lui sembla un peu distante. Il constata cependant avec plaisir qu'elle portait le médaillon qu'il lui avait offert.

— Parce que... je n'ai pas pu parler de nous à Héloïse. Le soir de Noël, elle m'a dit qu'elle n'avait pas envie de me partager. Après ça, ce n'était pas facile de lui parler de toi... J'ai compris qu'il lui faudrait plus que quelques jours pour se faire à l'idée. Elle va être drôlement surprise, c'est certain.

— J'espérais pourtant être une *bonne* surprise, pas un choc traumatique, dit Natalie, désemparée. Quand vas-tu la revoir ?

— A Pâques. Je l'emmène à Rome pour les vacances. Je pourrai sans doute tout lui dire à ce moment-là.

— Mais c'est seulement dans quatre mois... Pourquoi attendre aussi longtemps ?

— Je n'ai pas envie de lui annoncer une telle nouvelle par mail ou au téléphone. Et puis, cela nous laissera plus de temps pour voir comment les choses évoluent entre nous.

— Que veux-tu dire par là ? fit-elle, n'osant comprendre. Tu veux me tester, c'est ça ? Pour voir si je tiens la distance ? Et bien sûr, si d'ici quatre mois notre relation a échoué, tu n'auras plus rien à annoncer...

La déception de Natalie était sur le point de tourner à la colère.

— Mais non, voyons, je t'aime et je ne veux pas te perdre. Seulement ma fille n'a jamais eu que moi pour toute famille, alors elle considère comme une menace quiconque tente de s'immiscer entre nous. Tu sais comment sont les gamins... ajouta-t-il dans un vain effort pour se justifier.

— Sauf que ce n'est plus une gamine, dit Natalie froidement. Elle a dix-neuf ans. A cet âge-là, il y a des filles qui ont déjà des enfants. C'était le cas de ma mère, par exemple. Je t'assure que j'essaie de comprendre, mais je dois dire que cette situation me dépasse. Je ne supporte plus d'être obligée de me cacher. C'est à peine si nous pouvons nous promener ensemble dans l'hôtel, de peur que quelqu'un ne vende la mèche. Nous n'avons rien fait de mal ! Je t'aime et je suis une femme respectable. Je veux bien faire un effort, mais je te préviens que je ne passerai pas toute ma vie dans un placard...

— Il n'en est évidemment pas question ! Je te promets de lui parler quand je serai en Europe avec elle. Je t'en prie, si tu m'aimes, donne-moi jusqu'à Pâques.

— Bien sûr que je t'aime, dit-elle doucement. Si je ne t'aimais pas, tout ça ne serait pas un problème. Je suis très fière d'être avec toi et j'ai envie que tout le monde me voie comme ta compagne !

De son côté, Natalie avait parlé de son nouvel amour à sa famille lors des fêtes de Noël. Son frère, James, n'avait pas caché son enthousiasme. Alors qu'il n'avait jamais aimé l'ex-compagnon de sa sœur, la description qu'elle faisait d'Hugues lui semblait de très bon augure. James était banquier et formait un couple très uni avec son épouse Jean, une avocate brillante. Tous deux, ainsi que leurs quatre enfants, se réjouissaient de savoir que Natalie n'était plus seule.

Hugues passa le reste de la soirée à tenter de se faire pardonner sa lâcheté et son manque de disponibilité au cours des quinze derniers jours. Il finit par renvoyer voiture et chauffeur à l'hôtel et, une heure plus tard, les deux amants se réconcilièrent sur l'oreiller. Il resta dormir chez elle et tous deux convinrent de célébrer la Saint-Sylvestre ensemble. Hugues tenait à commencer la nouvelle année sur de bonnes bases ; il rejoindrait Natalie à son appartement dans la soirée, après s'être assuré du bon déroulement des festivités organisées à l'hôtel.

Natalie accepta donc de rester discrète quelques mois de plus. La situation dans laquelle ils se trouvaient lui semblait insensée, mais la vie elle-même n'était-elle pas un peu folle, parfois ? Si elle avait fermé son cabinet pendant les fêtes, Hugues, lui, retourna à son bureau le lendemain matin et travailla comme d'habitude toute la semaine. Le soir du 31 décembre, il éprouva une légère appréhension à l'idée d'abandonner son hôtel. Comme chaque année, il avait doublé les effectifs de sécurité afin de prévenir les débordements liés à l'excès d'alcool. Le bar proposait une animation musicale avec cotillons et confettis, et un menu de fête était servi au restaurant. En fin de soirée, il n'était pas rare que des clients traversent le hall en titubant et il fallait parfois raccompagner les plus éméchés jusqu'à leur chambre. Hugues arriva chez Natalie vers vingt et une heures trente, portant une grosse glacière : ils réveillonnèrent comme il se doit, avec caviar, homard et champagne, avant de faire l'amour aux douze coups de minuit. Pouvait-on rêver plus belle façon d'entrer dans la nouvelle année ?

12

Les fêtes passées, Natalie se lança dans la rénovation des autres suites avec une créativité constante et un succès non démenti. Hugues était devenu son meilleur client. Dès la fin du mois de mars, il put augmenter le tarif des chambres où elle avait apporté sa touche personnelle, mais il dut reporter à l'année suivante les travaux de la suite présidentielle et des *penthouse suites*.

Entre-temps, tout le monde s'était habitué à voir la décoratrice à l'hôtel. Chaque jour, elle donnait des instructions aux peintres, accrochait des rideaux ou comparait les effets de différents tableaux, qu'elle transportait elle-même dans les étages. Ernesta était subjuguée par ces œuvres d'art, et Jan s'en inspirait pour réaliser de nouvelles compositions florales, à base d'orchidées rares. Même Bruce, le responsable de la sécurité, était sensible au talent de Natalie, et il ne manquait pas de la complimenter quand il la croisait. Quant à Hugues, il parlait d'elle à Héloïse chaque fois que l'occasion se présentait, au détour de leurs fréquentes conversations téléphoniques. Cependant, il n'énumérait les nombreuses qualités de Natalie que pour évoquer son travail, et il s'efforçait de ne rien dire qui puisse éveiller les soupçons de sa fille.

Au bout de six mois, la plupart des employés s'étaient aperçus que Natalie était devenue bien plus pour le directeur qu'une simple décoratrice, même si personne ne se serait risqué à lui poser des questions à ce sujet. La seule à qui il avait parlé de sa relation était Jennifer. Elle n'avait pourtant pas eu besoin de cet aveu, puisqu'elle était entrée dans les confidences de Natalie plusieurs mois auparavant. Celle-ci lui avait également fait part de son inquiétude croissante concernant le manque d'honnêteté d'Hugues envers sa fille, et, bien qu'elle comprît parfaitement son malaise, l'assistante l'avait adjurée de ne pas perdre patience.

En dépit de ce hiatus, les deux tourtereaux étaient plus amoureux que jamais. Natalie regrettait de ne pouvoir partir en Europe avec Hugues et elle lui proposa de le rejoindre à Paris après qu'il aurait raccompagné Héloïse en Suisse. De nombreux hôtes de marque étaient cependant attendus au Vendôme fin avril, et mai et juin s'annonçaient particulièrement chargés : Hugues ne pouvait donc se permettre de prolonger ses vacances.

Il quitta New York le soir du Mercredi saint et atterrit en Suisse le lendemain. Après être allé chercher Héloïse à Lausanne, il l'emmena à Genève et ils passèrent la nuit à l'hôtel d'Angleterre, qui était un véritable bijou. Le matin du Vendredi saint, ils embarquèrent dans un avion pour Rome. Là, ils descendirent à l'Excelsior. Hugues, qui y avait souvent séjourné avec ses parents dans son enfance, était ravi de partager ses souvenirs avec sa fille. Ils passèrent l'après-midi à flâner dans la via Veneto, à jeter des pièces de monnaie dans la fontaine de Trevi et à déguster des cornets de glace, avant d'aller admirer la voûte de la chapelle Sixtine. Le dimanche de Pâques, ils se rendirent sur la place Saint-Pierre, parmi des milliers de pèlerins, pour recevoir la bénédiction papale. Il n'y avait pas de meilleur endroit au monde où célébrer la fête.

Un peu plus tard dans l'après-midi, ils étaient assis à la terrasse d'un café, et Hugues se risqua à demander à Héloïse comment les choses se passaient avec François. La jeune fille, d'un tempérament pourtant loquace, était jusque-là restée assez évasive quand elle parlait de son petit ami. Son père n'arrivait pas à savoir si cela trahissait son peu d'attachement envers le jeune homme, ou si au contraire sa pudeur dissimulait une grande passion.

— Tout va bien... dit-elle, les yeux dans le vague.

— Comment ça, « tout va bien » ? Dois-je comprendre que tu l'aimes comme une dingue au point de ne plus savoir où tu habites, ou alors que c'est cool de l'avoir comme copain, mais que tu ne le suivrais pas au bout du monde ?

Héloïse rit de bon cœur à cette description. Dans sa tenue décontractée, en jean et baskets, elle ne paraissait pas ses dix-neuf ans, d'autant qu'elle avait natté ses cheveux en deux tresses, pour la première fois depuis plusieurs années.

— Disons que ce que je ressens pour lui est à mi-chemin entre les deux. Si ça peut te rassurer, j'ai toujours l'intention de rentrer à New York. En attendant, ça y est, c'est officiel : nous avons décroché un stage à Paris.

— C'est vrai ? Dans quel hôtel ? demanda Hugues, le cœur battant.

— Au George V. L'avantage, c'est qu'il fait partie d'un groupe, tout en restant l'un des plus grands palaces parisiens. Ça nous permettra d'avoir un pied chez Four Seasons, si jamais on a envie de travailler dans un autre de leurs hôtels.

— Qu'est-ce que tu entends par là ? Tu n'as pas besoin d'avoir tes entrées chez Four Seasons, si tu as prévu de revenir au Vendôme après ton stage ! Est-ce que tes projets ont changé ?

— Mais non, c'est juste au cas où... Je te l'ai dit, je serai de retour à Noël. François a prévu de rester toute l'année à Paris et on va chercher un studio pour les six mois où nous y serons ensemble.

— Tu vas emménager avec lui ? C'est une sacrée marque d'engagement, non ?

— Non, pas pour six petits mois. Et puis je n'ai pas envie de vivre seule. J'ai vingt ans, papa. Ou du moins je les aurai d'ici là. C'est normal, de nos jours, et puis c'est beaucoup plus simple et plus avantageux.

— Pour qui ? Je peux très bien te payer un appartement, tu n'es pas obligée d'habiter avec lui.

— Non, mais j'en ai envie, dit-elle en souriant.

— Et si moi aussi j'avais envie de vivre avec quelqu'un ? suggéra-t-il, s'immisçant dans la brèche qu'elle venait d'ouvrir.

— Ne dis pas de bêtises. Tu ne voudrais jamais t'installer avec une femme. Et de toute façon ça ne me plairait pas. De quoi est-ce que ça aurait l'air, à ton âge ? Moi, je suis encore étudiante, ce n'est pas du tout la même chose.

— Pourquoi donc ? Où serait le problème, si j'étais amoureux de cette personne ? répliqua-t-il.

— Je crois que je piquerais une crise et que je ne pourrais pas m'empêcher de la tuer. Tu m'appartiens, déclara-t-elle, sans une seconde d'hésitation.

Hugues fut effaré par son assurance. Elle assénait son point de vue sans l'ombre d'un complexe. Comment lui dire la vérité dans ces circonstances ?

— Et tu ne crois pas que je pourrais être à la fois ton père et disons... le partenaire d'une femme que j'aime ? suggéra-t-il.

— Je ne te laisserais pas faire, continua-t-elle en sirotant sa limonade. D'ailleurs, elle n'en aurait certainement qu'après ton argent. Enfin, papa, tu n'as besoin de personne... Tu m'as, moi !

En la voyant se carrer sur son siège, tout sourire, avec un air de certitude inébranlable, Hugues comprit qu'il ne trouverait pas davantage la force de lui parler qu'à Noël. Il se sentait incapable de gâcher ces quelques jours en sa compagnie, alors qu'il ne la reverrait pas avant plusieurs mois.

— Parle-moi de ton stage, dit-il pour changer de sujet.

Héloïse ne remarqua pas son air sombre. Pour lui, le voyage tant attendu ne faisait que commencer, or il avait déjà manqué à sa promesse, trahi Natalie. Comment pourrait-il se justifier auprès d'elle ? Il espérait qu'elle garderait son sang-froid. D'un autre côté, il valait sans doute mieux ne rien dire à Héloïse avant son retour, au mois de décembre. Sinon, sa colère et son sentiment de trahison seraient peut-être tels qu'elle refuserait de rentrer à New York et s'installerait définitivement à Paris. Même pour l'amour de Natalie, il n'était pas prêt à prendre ce risque.

Le père et la fille profitèrent du reste de leur séjour pour visiter les musées, les églises et les vestiges antiques de la ville éternelle et dînèrent chaque soir dans de petits restaurants du Trastevere, sur la rive droite du Tibre. Tous deux étaient enchantés de ces

159

vacances romaines, même si Héloïse passait un temps considérable à téléphoner à François et lui envoyait des SMS à longueur de journée.

De retour à Lausanne, elle se jeta au cou du jeune homme et l'embrassa tendrement, sous le regard furieux de son père. De quel droit lui interdisait-elle de jouir de la même intimité avec Natalie ? La veille de son départ, il invita les deux jeunes gens à dîner à la Grappe d'Or, le meilleur restaurant de la ville, situé rue Cheneau-de-Bourg. Hugues dut admettre que François était un charmant garçon, quoiqu'un peu imbu de lui-même : sous prétexte que ses parents possédaient un hôtel plutôt connu, il estimait tout savoir de l'hôtellerie. Héloïse était visiblement folle de lui et Hugues se demandait comment elle aurait le courage de le quitter avant la fin de l'année. D'ici là, elle aurait peut-être mûri et serait sans doute prête à entendre la vérité au sujet de Natalie.

Hugues fit ses adieux à sa fille le soir même et prit le premier avion pour New York le lendemain. Quand l'appareil atterrit à l'aéroport JFK, à neuf heures du matin, Hugues avait l'impression que son cœur pesait une tonne ; il appréhendait terriblement les retrouvailles avec Natalie. Il arriva au Vendôme à dix heures trente. Après avoir effectué un rapide tour du propriétaire pour s'assurer que tout était en ordre, il s'apprêtait à gagner son bureau quand un concierge lui signala que Mlle Peterson était en train d'accrocher un tableau dans l'une des suites. Il prit donc l'ascenseur jusqu'au septième étage et la trouva toute seule, se démenant avec un énorme cadre. Lorsque enfin elle trouva le crochet, la jeune femme poussa un petit grognement de victoire. C'est alors qu'elle aperçut Hugues.

— Te voilà ! s'exclama-t-elle en se jetant dans ses bras.

Il l'embrassa avec une immense tendresse, mêlée de tristesse et de remords.

— Qu'est-ce qui se passe ? demanda-t-elle en le regardant d'un air inquiet.

Elle avait senti à la façon dont il l'étreignait que quelque chose n'allait pas.

— Je ne lui ai rien dit, lâcha-t-il. Je n'ai pas pu. Dès le premier jour, à Rome, je l'ai testée et j'ai compris à ses propos que ça serait compliqué pour elle. J'ai eu peur qu'elle ne veuille plus jamais revenir ici si je lui disais la vérité. Je te supplie de me pardonner, Natalie. J'avais vraiment l'intention de lui parler, mais je n'y suis pas arrivé.

Un silence pesant s'établit. La colère et la tristesse se succédèrent sur le visage de Natalie, qui finit par hocher la tête. C'était une femme intelligente, et elle ne voulait pas plus perdre Hugues qu'il ne voulait perdre sa fille.

— D'accord, dit-elle. Ça va. Tu y arriveras un jour ou l'autre. Nous ne pourrons pas vivre dans le secret jusqu'à la fin de nos jours. Est-ce que tu t'es bien amusé, au moins ?

— Oui, répondit-il en la serrant contre lui, profondément touché par sa délicatesse. Mais tu m'as manqué.

Le fait de ne pas pouvoir parler d'elle pendant plusieurs jours n'avait fait qu'aiguiser sa sensation de manque et attiser son désir. A présent, il ne songeait plus qu'à l'embrasser, la caresser et lui faire l'amour. Il accrocha la pancarte « Ne pas déranger » et verrouilla la porte, puis il attira Natalie dans la chambre à coucher. Après s'être inquiétée toute la semaine, elle voulait seulement être avec lui. Ce que savait ou ne savait pas Héloïse lui était somme toute bien égal : rien ne comptait plus que les sentiments qu'ils éprouvaient l'un pour l'autre. Quand ils se retrouvèrent allongés côte à côte, à bout de souffle après l'amour, elle lui avait entièrement pardonné. Il l'étreignit de tout son cœur. Il ne l'avait jamais autant aimée.

13

Au cours des deux mois qui suivirent, Hugues et Natalie menèrent une vie en apparence des plus normales. Un soir, elle invita à dîner son frère et sa belle-sœur, qui étaient de passage à New York. Hugues plut tout de suite à James et les deux hommes s'entendirent à merveille. Ils causèrent affaires toute la soirée, tandis que Natalie discutait avec Jean de ses quatre enfants et des dossiers en cours de l'avocate.

Natalie, dont l'entreprise était florissante, continuait ponctuellement à prodiguer ses conseils avisés au directeur du Vendôme en matière de décoration. Elle avait presque oublié qu'Hugues avait une fille, et ne se souciait plus de ce que celle-ci penserait d'elle. D'ailleurs, il ne lui parlait presque plus d'Héloïse, comme si elle n'existait pour lui que dans un monde parallèle. Tous deux construisaient sans elle leur relation, qui semblait plus stable et plus solide que jamais ; leurs vies s'harmonisaient parfaitement. Bien sûr, Natalie aurait volontiers emménagé au Vendôme, si Héloïse n'avait pas prévu de revenir en décembre... A ce détail près, tout allait pour le mieux entre eux et ils s'aimaient chaque jour davantage.

Fin mai, pour le week-end prolongé de Memorial Day, Hugues organisa une escapade en amoureux au bord de la mer, dans le cadre idyllique des Hamptons. Alors qu'ils étaient en train de dîner chez Nick and Toni's, le restaurant italien le plus réputé de la région, Natalie lui proposa d'aller voir une exposition au Museum of Modern Art la semaine suivante.

— J'aurais adoré, mais la semaine prochaine je serai à Paris, répondit-il.

— Tu vas à un congrès ? s'étonna-t-elle.

Il ne lui avait encore rien dit de ce voyage.

— Non, je vais voir Héloïse. Je lui ai promis de passer quelques jours avec elle avant le début de son stage au George V. Elle commence le 1er juin.

Après un silence, Natalie hocha la tête. Ce genre de discussions lui laissait l'impression qu'elle se cachait pour fréquenter un homme marié.

— J'avoue que je ne sais pas quoi te dire... Moi aussi, j'aimerais bien aller à Paris.

— L'année prochaine, peut-être, répondit-il d'une voix éteinte, conscient de sa goujaterie.

— Et que feras-tu en décembre, quand elle reviendra ?

— Je serai bien obligé de lui parler à ce moment-là.

Tous deux savaient au contraire qu'il pourrait continuer ce petit jeu indéfiniment et, à force de le voir repousser l'échéance, Natalie se disait parfois qu'il préférerait rompre avec elle plutôt que de parler à sa fille. L'incapacité d'Hugues à s'engager commençait à lui rappeler tristement sa relation précédente, qui avait pourtant duré huit ans. Tandis qu'ils rejoignaient leur hôtel en voiture, la tension entre eux était palpable. Natalie ne revint plus sur la question de tout le week-end. Le lendemain matin, elle sortit se promener toute seule sur la plage et, quand il la déposa devant son immeuble en rentrant à New

York le soir venu, elle ne lui proposa pas de monter à son appartement. Le lendemain matin, il l'appela pour savoir s'il pouvait passer chez elle dans la soirée. Elle l'invita à dîner et se montra attentionnée, mais il avait l'impression qu'un mur s'était dressé entre eux.

— Ecoute, je sais que tout ça a l'air complètement fou, mais Héloïse est encore jeune, elle n'a pas autant de recul que nous et elle risque d'avoir du mal à comprendre.

— Moi non plus, je ne comprends pas, dit-elle après un long silence, en le regardant droit dans les yeux. Et pourtant je ne suis plus si jeune que ça. Qu'est-ce que ça veut dire ? Que tu as honte de moi ? Que je ne suis pas digne de toi ? Pour être tout à fait honnête, je me sens carrément minable.

— Je suis désolé. Je t'ai déjà expliqué mille fois que notre situation familiale était un peu particulière et tu sais bien pourquoi je n'arrive pas à lui parler pour le moment...

— Qui me dit que tu le feras un jour, alors que tu ne l'as pas fait en six mois ?

— Ecoute, je vais la voir pendant une semaine, c'est tout. J'y retournerai peut-être quelques jours en automne, mais ensuite elle rentrera à la maison.

— Et que feras-tu alors ? Imagine qu'elle te force à rompre avec moi et que tu finisses par céder... Je suis incapable de mesurer l'influence que cette gamine a sur toi, mais pour l'instant c'est elle qui a le beau rôle, et moi je ne suis que le dindon de la farce. C'est vraiment humiliant, d'autant plus que je me suis déjà fait larguer dans des circonstances similaires.

— Je croyais que ton ex était parti avec ta meilleure amie ?

— Ça revient au même : toi non plus, tu n'es pas capable de t'engager. Tu es bien trop lâche.

Il encaissa sans broncher. C'était le plus violent reproche qu'elle lui ait jamais adressé, mais il était mérité.

Ce soir-là, elle ne lui proposa pas de passer la nuit chez elle, ni de le revoir avant son départ pour la France, ce qui n'augurait rien de bon. Quand il essaya de l'appeler, à son arrivée à Paris, elle ne décrocha pas. Sa couardise et sa muflerie semblaient avoir eu raison de la patience de Natalie. Elle ne daigna pas non plus répondre aux dizaines de SMS qu'il lui envoya. Pourtant, il s'y répandait en excuses et en serments d'amour éternel.

A Paris, il descendit au Ritz et tenta de profiter au mieux de son séjour. Hélas, la semaine passa vite et elle ne fut pas de tout repos, car Héloïse organisait son emménagement avec François. Il les accompagna chez Ikea pour les aider à meubler leur minuscule appartement ; les deux jeunes gens, stressés par le début de leur stage, ne cessaient de se disputer. Pour ne rien arranger, les transports en commun et les aéroports s'étaient mis en grève, de sorte que la ville fut paralysée toute la semaine par d'interminables embouteillages, au milieu desquels les plus courageux se faufilaient à vélo pour se rendre à leur travail.

Il invita le jeune couple à dîner au restaurant une fois ou deux, mais il ne trouva pas beaucoup d'occasions de se retrouver seul avec sa fille. De toute façon, le moment semblait moins propice que jamais pour lui parler de Natalie, dont le silence prolongé commençait à l'inquiéter pour de bon. Le 31 mai, la veille du jour

166

où Héloïse et François entamaient leur stage au George V, il fut presque soulagé de s'en aller. Il leur souhaita bonne chance et bon courage ; Héloïse promit de l'appeler pour tout lui raconter.

Comme c'était bizarre, de la savoir seule avec François, alors qu'elle ne laissait pas son propre père vivre sa vie comme il l'entendait ! Hugues se dit que les deux femmes qu'il aimait n'étaient vraiment pas raisonnables. La grève ayant pris fin la veille, il embarqua dans un avion plein à ras bord. Il arriva épuisé et, pour couronner le tout, il s'aperçut à l'aéroport que ses bagages avaient été perdus.

Une fois dans la voiture, il essaya d'appeler Natalie, et tomba une fois de plus sur sa messagerie. A son cabinet, on lui répondit qu'elle était sortie. C'est en arrivant au Vendôme qu'il comprit enfin la raison de son long silence. Quand il entra dans son bureau, Jennifer lui tendit une épaisse enveloppe cachetée, portant la mention « personnel ». Il referma la porte derrière lui pour pouvoir lire la lettre en paix.

Il fut confronté de plein fouet à tout ce qu'il n'avait pas envie d'entendre. Natalie l'aimait passionnément, de tout son être, et n'aurait pas souhaité mieux que passer le reste de ses jours à ses côtés. Cependant, elle avait sa dignité et méritait d'être considérée comme une honnête femme, non comme un secret honteux. Si au bout de sept mois il ne l'aimait pas assez pour dire la vérité à sa fille, c'est qu'il n'avait pas de place pour elle dans sa vie. Elle ne se laisserait plus humilier de la sorte. Elle comprenait son dilemme et ses craintes concernant Héloïse, mais la jeune fille serait bien ingrate si, après les seize années de soins et d'affection qu'il lui avait consacrées, elle n'était pas capable de lui témoigner un peu d'indulgence et de faire preuve de moins d'égoïsme. Un père si dévoué avait bien le droit de vivre sa vie. Enfin, elle lui souhaitait d'être heureux et lui demandait de ne plus essayer de l'appeler. La lettre était signée « Je t'aime. Natalie ». Et voilà tout. C'était fini. Terminé.

Assis à son bureau, Hugues eut l'impression qu'une bombe venait d'exploser dans la pièce. Bien qu'il ait conscience de mériter ce qui lui arrivait, il avait tenté jusqu'au bout de croire que les choses finiraient par s'arranger d'elles-mêmes. Il était effaré par son propre manque de courage. La vérité était que sa fille comptait plus que tout à ses yeux, et Natalie l'avait compris. Il l'aimait, pourtant, mais comme elle le disait de façon si poignante dans sa lettre, pas suffisamment. Après lui avoir trop long-temps promis ce qu'il n'était pas en mesure de lui donner, il se devait de la laisser partir sans tenter de la retenir, par respect pour elle. Elle méritait telle-ment mieux...

Les yeux humides, il replia la lettre, la replaça dans son enveloppe, puis rangea le tout dans un tiroir qu'il ferma à clé. Il resta encore assis quelques instants, la tête dans les mains, avant de rouvrir la porte du bureau. Il avait l'air lugubre.

— Tout va comme vous voulez ? s'inquiéta Jenni-fer.

Après un instant d'hésitation, il hocha la tête et sor-tit dans le hall pour consulter le planning et les registres de la réception. A la seule expression de son visage, Jennifer avait deviné le contenu de la lettre qu'il venait de recevoir. Même si elle comprenait la décision de Natalie, elle était navrée pour eux. Jennifer ne revit pas son patron de toute la journée. Le soir venu, après avoir parcouru l'hôtel de la cave au grenier pour s'informer des dernières nouvelles et s'assurer que tout était en ordre, il rentra directement à l'appartement, se coucha sans dîner, et s'endormit au bord des larmes.

14

L'été fut long et solitaire pour Hugues et Natalie. Aucun des nouveaux contrats que la décoratrice avait signés ne lui plaisait autant que la rénovation des suites du Vendôme. Elle avait accepté de prendre en charge une villa à Southampton, une autre à Palm Beach, ainsi que deux appartements à New York. Ses clients étaient charmants et adoraient son style, mais elle avait perdu toute motivation et ne s'était jamais sentie si peu inspirée.

Chaque matin, elle devait littéralement se traîner jusqu'à son bureau, luttant même contre une affreuse sensation de nausée dans les jours qui suivirent sa rupture avec Hugues. Pour avoir déjà vécu ce genre de situation, elle savait que seul le temps lui apporterait un peu de réconfort. En attendant, elle souffrait le martyre.

Ses trois assistants s'inquiétaient beaucoup à son sujet. Au début, incapable de se concentrer, elle leur avait délégué de nombreuses tâches, puis peu à peu elle trouva refuge dans le travail et se remit à l'ouvrage avec acharnement. En trois mois, elle se rendit deux fois à Palm Beach, à l'autre bout du pays, pour rencontrer le client et son architecte. Pendant son second voyage, son cabinet reçut une demande de devis pour l'une des gigantesques demeures coloniales de Greenwich, dans le Connecticut. Ses affaires n'avaient jamais été aussi florissantes, mais elle, elle ne s'était jamais sentie aussi mal.

Début septembre, elle avait presque fini par s'habituer à son état dépressif. Le jour, elle travaillait comme un automate. La nuit, cependant, le souvenir de son bonheur perdu la hantait et la privait de sommeil. Quoiqu'elle n'eût plus rien à lui dire, elle ne pouvait s'empêcher de penser à Hugues ; comme elle le lui avait demandé, il ne l'avait pas rappelée depuis son retour de Paris. Combien de temps encore lui faudrait-il pour réussir à l'oublier ? Chaque jour lui paraissait une décennie. Elle avait l'impression d'être enlisée au fond d'un lac, sous un bloc de béton. Même lors de sa précédente rupture, elle n'avait pas autant souffert. Hugues avait répondu à sa lettre d'adieux par un petit mot, dans lequel il lui réitérait toutes ses excuses. Il admettait son erreur, mais en l'état actuel des choses, la situation était trop compliquée. Il l'aimait, il lui souhaitait d'être heureuse.

L'été fut aussi douloureux pour lui que pour elle. Et, tout comme Natalie, Hugues tenta de noyer son chagrin dans un travail acharné. Ceux qui le connaissaient depuis les débuts du Vendôme affirmaient qu'ils ne l'avaient pas vu dans un tel état depuis son divorce.

Les employés s'étonnèrent de ne plus voir Natalie à l'hôtel : personne ne savait exactement ce qui s'était passé, mais elle était devenue si proche du directeur que la fin des travaux de rénovation ne suffisait sans doute pas à expliquer sa disparition soudaine. Ils regrettaient sa gentillesse et sa joie de vivre communicative.

Hugues travaillait tous les soirs jusqu'à minuit et ne s'autorisait pour tout divertissement que de longues marches dans Central Park. Il se montrait irritable, ce qui ne lui ressemblait guère, et perdait rapidement patience avec ses subordonnés. La plupart des employés l'évitaient autant que possible, espérant que cette période difficile serait de courte durée. Il lui arriva même de lever le ton sur Jennifer une fois ou deux, en dépit des efforts qu'elle déployait pour se faire toute petite. Elle s'inquiétait beaucoup à son sujet et ne lui avait jamais reparlé de Natalie. A son retour de Paris, le directeur lui avait simplement demandé de régler la facture de la décoratrice. Depuis, à sa connaissance, il avait coupé toute communication avec elle.

Le jour de Labor Day, le premier lundi de septembre, le système de climatisation tomba en panne aux cinquième et sixième étages de l'hôtel, alors que New York traversait une période de canicule. Pendant que les techniciens s'activaient de leur mieux pour réparer l'avarie, Hugues demanda aux réceptionnistes d'accorder une remise aux clients excédés. En fin de journée, quand la température fut un peu retombée, il décida de s'accorder une pause et partit se promener dans Central Park. Dans les allées et les bosquets, l'air circulait plus librement qu'entre les buildings. Il faisait toutefois encore trop chaud pour sortir Maude et Hugues avait préféré la laisser dans la fraîcheur relative de l'atelier de Jan ; depuis le départ d'Héloïse, la chienne passait la plupart de ses journées en compagnie de la fleuriste.

Il avait dénoué sa cravate et marchait le long du lac artificiel, en manches de chemise, quand un coup de tonnerre retentit. Presque aussitôt, un éclair zébra le ciel et des trombes d'eau se mirent à tomber, libérant la ville de son étouffante chape de plomb. En moins d'une minute, Hugues se retrouva trempé, la chemise collée à la peau. Il continua à marcher sous la pluie, pensant aux événements du mois de juin. Il était trop tard pour revenir en arrière. Par sa faute, Natalie était partie pour de bon.

Alors qu'il finissait le tour du lac, il aperçut une femme qui lui ressemblait. En short et tee-shirt, elle courait avec détermination sur le chemin de terre battue, sans prendre la peine d'éviter les flaques de boue. Hugues rejeta sa première impression : cette femme devait lui rappeler Natalie parce qu'il était justement en train de penser à elle... La pluie avait plaqué dans son dos ses longs cheveux blonds, attachés en queue-de-cheval. Visiblement, elle non plus ne se souciait pas d'être trempée. Tout à coup, la jeune femme bifurqua et Hugues comprit qu'il n'avait pas rêvé : c'était bien Natalie. Elle parut aussi surprise que lui. Ne sachant comment réagir, ni où regarder, ils continuaient à avancer l'un vers l'autre. Devait-il lui dire bonjour ? Ils s'apprêtaient à se croiser sans un mot, quand une force irrésistible le poussa à faire un pas de côté pour lui barrer la route. Elle ne chercha pas à s'échapper. Au contraire, elle leva les yeux vers lui, et la douleur qu'il lut sur son visage lui transperça le cœur. Elle semblait si malheureuse.

— Je te demande pardon, Natalie, j'ai été tellement stupide.

— Oh, tu sais... Je t'aimais malgré tout, dit-elle avec un sourire triste. Peut-être que j'aurais dû essayer d'attendre encore, mais je n'en pouvais plus.

— Ce n'est pas moi qui vais te le reprocher. J'avais si peur de perdre ma fille... que je n'ai pas su te retenir.

— Tu as sans doute fait le bon choix. Héloïse est ta fille unique.

— Je t'aime, Natalie, répondit-il sans oser la toucher, de peur de la brusquer.

— Moi aussi, tu le sais, mais où tout cela peut-il nous mener ? Elle serait capable de te faire du chantage jusqu'à ce que tu me quittes.

— Je ne me laisserai pas faire, si... si seulement tu me donnais une dernière chance. Je suis prêt à me battre comme un lion pour toi. Je t'en prie...

Les vêtements trempés de Natalie dévoilaient ses formes. Nuit après nuit, Hugues avait tant rêvé de son corps, de son visage, de ses yeux... qu'il aurait voulu la déshabiller sur-le-champ.

— Je ne sais pas trop, dit-elle. J'ai peur que cela ne nous ramène à la case départ.

— Et si je te promets de tout raconter à Héloïse en décembre ?

— Elle risque de te tuer... lâcha-t-elle avec un sourire qui le fit fondre. Finalement, je devrais peut-être m'estimer heureuse de ne pas avoir eu d'enfants.

— Ma fille me cause parfois du souci, mais je ne regrette rien. Et je ne la laisserai plus me priver de toi, quoi qu'il m'en coûte. Même si elle menace de se fâcher à mort. J'ai trop souffert, ces trois derniers mois.

— Désolée, Hugues, mais je ne veux pas que tu fiches ta vie en l'air pour moi, répondit-elle après un silence.

Elle semblait décidée à tourner la page. Une fois de plus, il ne se sentit pas le droit d'insister.

— Bon, eh bien, prends soin de toi, dit-il en s'écartant pour lui céder le passage.

Tandis qu'il la suivait du regard, elle se remit en marche, puis s'arrêta quelques mètres plus loin. Elle se retourna vers lui, le visage baigné de larmes sous la pluie battante. Hugues la rattrapa et la serra dans ses bras. Les mots leur manquaient. Ils ne savaient que trop bien comment leur histoire s'était terminée... Alors, pris d'un élan de tendresse irrépressible, il l'embrassa ; rien n'aurait pu l'en empêcher. Elle l'enlaça à son tour et ils restèrent longtemps sans bouger, serrés l'un contre l'autre sous l'orage.

— Je ne veux pas te perdre, murmura-t-elle.

— Ça n'arrivera plus, je te le promets. Comment ai-je pu être aussi stupide ?

— Tu avais peur...

— Crois-moi, j'ai repris courage. Est-ce que tu veux passer à l'hôtel pour te sécher ?

Elle acquiesça en silence. Ils traversèrent le hall à la hâte, dégoulinant sur le tapis rouge. Dans l'ascenseur, le liftier fut heureux de revoir Natalie. Pour la première fois depuis des mois, M. Martin semblait avoir retrouvé le sourire...

Hugues fit entrer Natalie chez lui et alla chercher des serviettes. Elle se déchaussa et commença par s'essuyer les cheveux.

— On peut donner tes vêtements à sécher à la lingerie, si tu veux...

— Oui, merci.

Elle se dirigea vers l'une des deux salles de bains de l'appartement et en ressortit quelques instants plus tard, vêtue de l'un des épais peignoirs de l'hôtel. Hugues, qui s'était changé lui aussi, appela la femme de chambre et lui remit les vêtements trempés de Natalie. Ils se retrouvèrent seuls et Natalie lui sourit, ne sachant que dire. Hugues n'avait que trop conscience de sa nudité sous le tissu éponge, pourtant il n'osait pas l'approcher.

— Que dirais-tu d'une tasse de thé ? proposa-t-il.

— Avec plaisir...

Elle n'aurait jamais imaginé revenir un jour dans cet appartement si familier.

Quand le plateau arriva, Hugues tendit à Natalie une tasse de son earl grey préféré, juste comme elle l'aimait. Elle s'assit et le regarda dans les yeux. Où en étaient-ils, désormais ? Etaient-ils réunis pour quelques heures, ou bien pour la vie ? Aucun des deux n'aurait su le dire. Une seule chose était certaine : la providence les avait à nouveau réunis. Hugues lui effleura la main avec délicatesse.

— Tu sais, j'étais sérieux, tout à l'heure. Je suis prêt à me battre pour nous deux, à condition que tu en aies envie, toi aussi.

Elle reposa sa tasse et le serra contre elle, laissant son peignoir glisser à terre. Il la souleva à bras-le-corps, la porta jusqu'à la chambre à coucher, l'allongea sur le lit et contempla ses courbes parfaites.

— Tu n'as pas besoin de te battre pour moi, dit-elle avec douceur. Je ne veux déclarer la guerre à personne. Je veux seulement faire partie de ta famille et continuer à t'aimer.

Hugues acquiesça. Il mesurait combien Natalie lui était précieuse. Ils firent l'amour à cœur et à corps perdus, brûlant d'un désir que trois mois de séparation n'avaient pas suffi à éteindre, puis restèrent allongés l'un contre l'autre, bouleversés d'avoir retrouvé le bonheur qu'ils avaient failli perdre. Désormais, ils étaient bien décidés à ne plus le laisser échapper.

15

Au mois d'octobre, Hugues retourna voir Héloïse à Paris. Pendant quatre jours, le père et la fille furent enchantés de se retrouver. Un soleil radieux brillait sur la capitale française. Même si Hugues n'évoqua pas Natalie de façon explicite, la jeune fille s'aperçut que quelque chose avait changé. Un soir où ils dînaient en tête à tête, elle lui en fit la remarque, vaguement inquiète.

— Eh bien, disons que tu as beaucoup mûri, ces derniers temps, expliqua-t-il. Et moi aussi, sans doute. Jusqu'à aujourd'hui, je n'étais peut-être pas aussi adulte que je voulais bien le croire. Tu sais, ça risque de te faire un drôle d'effet, de revenir à la maison après tout ce temps. Ici, tu as ton indépendance, tu vis même avec un homme... Nous allons devoir nous adapter, voilà tout.

Par ces paroles, il espérait la préparer à ce qui l'attendait. De retour à New York, il soumit une idée à Natalie : pourquoi ne pas rénover l'une des petites suites du cinquième étage à l'intention d'Héloïse ? Cette dernière serait peut-être choquée de se voir chassée de l'appartement où elle avait grandi, mais n'avait-elle pas déjà quitté le nid depuis plus d'un an ? De plus, ils auraient besoin de préserver leur intimité.

Ce dernier argument fit mouche. Natalie comprit qu'il voulait réparer les erreurs du passé et se donner les moyens de préparer leur vie commune. Elle se sentait enfin aimée et respectée comme elle le méritait.

— Comment Héloïse va-t-elle le prendre, à ton avis ? demanda-t-elle.

— Elle risque de se fâcher, d'avoir peur, d'être triste... et heureuse en même temps. Qui sait ? Il faut bien passer par tout cela à la fois, quand on grandit.

Hugues demanda à Natalie de déployer tout son talent et de ne pas regarder à la dépense. Il ne doutait pas de la capacité de sa décoratrice préférée à terminer les travaux avant les vacances de Noël. Elle se mit aussitôt à l'ouvrage, et dès Thanksgiving, elle put lui annoncer que la suite était presque prête. Elle avait réussi à créer une atmosphère à la fois fraîche et stylée, parfaite pour une jeune femme qui venait de vivre six mois à Paris. Hugues, de son côté, avait décidé de ne pas toucher à sa chambre d'enfant pour le moment ; il la laisserait emménager dans son nouvel appartement quand elle se sentirait prête, ce que Natalie jugea elle aussi plus prudent.

Trois jours avant son retour, Hugues reçut un appel d'Héloïse lui annonçant qu'elle venait de rompre avec son petit ami. Elle était en larmes et son père craignit de devoir la ramasser à la petite cuiller. François et elle ne cessaient de se disputer depuis plusieurs mois et il ne lui pardonnait pas sa décision de rentrer aux Etats-Unis. Pour couronner le tout, elle venait de découvrir qu'il l'avait trompée avec une autre stagiaire du George V. Tout était terminé entre eux, elle passait ses derniers jours à Paris chez une amie. Hugues était sincèrement désolé pour elle, même s'il se sentait par ailleurs profondément soulagé : ce ne serait pas François qui la retiendrait en France.

Il avait déjà invité tous ses amis pour fêter son retour. Natalie, secondée par Sally, s'était chargée de l'organisation de la réception, qui aurait lieu dans la salle de bal le lendemain de l'arrivée d'Héloïse. La jeune fille avait prévu d'aller skier avec des amis dans le Vermont, juste après Noël ; elle commencerait son stage dès le début du mois de janvier. En attendant, l'hôtel bourdonnait comme une ruche. Hugues faisait face aux tracas habituels. Un client ivre était tombé dans un escalier et lui intentait un procès. On déplorait des vols de nourriture en cuisine, de sorte qu'il avait dû licencier plusieurs personnes en cette période particulièrement chargée. Et cependant, malgré toute cette agitation, Hugues et Natalie restaient sereins dans la tempête, savourant leur bonheur retrouvé depuis le mois de septembre. Certes, la jeune femme redoutait un peu le retour d'Héloïse, mais elle avait désormais confiance en Hugues. Cette fois-ci, il ferait tout son possible pour assumer ses responsabilités. Elle se sentait de nouveau chez elle à l'hôtel, où elle passait la plupart de ses nuits. Quant à Jennifer, elle ne cachait pas sa joie de les voir réunis, d'autant plus que, après un été difficile, Hugues avait enfin retrouvé son amabilité légendaire. Il était plus épanoui que jamais.

Le jour de l'arrivée d'Héloïse, il avait réservé le minibus de l'hôtel, au cas où... Bien lui en prit. Quand il vit ses bagages, il eut l'impression qu'elle était partie seize ans, plutôt que seize mois... Elle avait emporté pas moins de huit valises et plusieurs cartons, pleins à craquer de babioles chinées sur les marchés aux puces de Paris. Elle se jeta à son cou dès qu'elle le vit. Elle était sophistiquée en diable dans le sublime manteau Balenciaga qu'elle venait d'acheter avec sa permission. Elle avait ramassé sa chevelure rousse sous un béret en tricot, et de longues bottes à talons hauts complétaient sa silhouette raffinée. Elle babilla avec animation sur le chemin du retour, sans toutefois évoquer François. Elle semblait se remettre facilement de sa rupture. A dire vrai, elle ne s'était fait aucune illusion quant à la longévité de leur histoire : depuis plusieurs mois déjà, tous deux avaient envisagé de se séparer quand elle repartirait pour les Etats-Unis. Hélas, le jeune homme n'avait pas choisi la façon la plus élégante de mettre un terme à leur relation...

Comme l'année précédente, de nombreux employés attendaient la jeune fille dans le hall, où trônait l'immense sapin de Noël. Elle ne se doutait pas qu'un accueil plus fastueux encore lui serait réservé le lendemain, dans la salle de bal. Hugues avait décidé de lui laisser quelques jours pour prendre ses repères avant de lui parler de la suite du cinquième... et de son intention de vivre avec Natalie. D'ici là, cette dernière dormirait chez elle. Elle savait cette fois qu'il serait fidèle à sa promesse. Il était prêt à affronter la réaction de sa fille, quelle qu'elle soit.

Ce soir-là, Héloïse prit le temps de dîner avec Hugues avant de sortir avec ses amis. Elle semblait bien plus mûre et plus posée que lors de sa dernière visite ; son expérience au guichet de conciergerie du George V lui avait appris à garder son sang-froid en toutes circonstances.

Hugues prévoyait de l'affecter pendant un mois au moins à la réception, afin de la confronter aux clients les plus difficiles et de parfaire ainsi ses compétences en diplomatie. Mais la majeure partie de son année se passerait au guichet de conciergerie. Le moment était venu pour elle de découvrir tous les aspects du métier, c'est pourquoi elle occuperait aussi la fonction d'aide-comptable pendant un mois, puis celle de demi-chef de rang au service d'étage, pour quelques semaines. A l'issue de ce programme, Héloïse serait fin prête à entrer pour de bon dans la vie professionnelle. Hugues serait fier de l'accompagner à Lausanne pour la cérémonie de remise des diplômes au mois de juin. Et si tout se passait bien, Natalie pourrait peut-être venir avec eux...

Le lendemain, Héloïse annonça à son père qu'elle prévoyait de sortir avec ses amis pour la soirée, mais il lui répondit qu'il aurait impérativement besoin de son aide à la réception. Quoiqu'un peu surprise, puisque son stage ne commençait que début janvier, elle lui promit qu'elle serait à l'hôtel à l'heure qu'il voudrait. Elle avait clairement plus de plomb dans la cervelle que l'année précédente ; la rigueur du George V lui avait profité.

— Parfait, dit Hugues. Alors, rendez-vous ici à sept heures et demie. Mets une belle robe de cocktail, car nous devrons superviser un banquet dans la salle de bal, avant d'accueillir un client important.

Héloïse distribua dans la journée tous les cadeaux qu'elle avait rapportés d'Europe à l'intention de ses employés préférés : elle offrit des souvenirs de Paris à Jan, Ernesta, Jennifer et Bruce, ainsi qu'une boîte de chocolats belges aux employés du standard téléphonique. Elle prit le temps de bavarder avec chacun d'entre eux, avant de sortir pour effectuer ses derniers achats de Noël.

A dix-neuf heures trente, arborant son air le plus officiel, Hugues la retrouva à l'appartement comme prévu. Sa fille était vraiment très élégante dans sa jolie petite robe de dentelle noire, achetée à Paris évidemment, et ses escarpins assortis. Elle le suivit aveuglément jusqu'au deuxième étage, sans se douter le moins du monde de ce qui l'attendait. La fête devait déjà battre son plein, car on entendait de la musique... Dès qu'elle pénétra dans la salle de bal, décorée d'une multitude de ballons multicolores, tout le monde s'écria : « Surprise ! » Tous les employés qui l'avaient vue grandir se trouvaient là, ainsi que ses amis du Lycée français. Pendant un instant, elle resta muette de stupeur, puis se retourna vers son père.

— C'est pour moi ? demanda-t-elle, incrédule.

Elle en avait les larmes aux yeux.

— Mais oui, répondit Hugues, bienvenue à la maison !

Plusieurs minutes s'écoulèrent avant qu'elle ne comprenne réellement ce qui lui arrivait et ne commence à saluer les uns et les autres. Tandis qu'elle se frayait un chemin parmi les invités, Hugues rejoignit Natalie. Ils étaient côte à côte quand Héloïse revint vers lui.

— Tu te souviens de Natalie, lui dit-il. Depuis l'année dernière, elle a rénové plusieurs autres suites, dont une qui devrait te plaire tout particulièrement...

Héloïse, trop excitée par la fête pour prêter attention à ce que disait son père, échangea quelques mots avec Natalie, puis se perdit de nouveau dans la foule. Les jeunes gens restèrent danser jusqu'à deux heures du matin, mais Hugues et Natalie, ainsi que la plupart des employés, s'éclipsèrent bien avant. Le couple passa un long moment à bavarder au bar, puis Hugues dut se résigner à appeler son chauffeur pour qu'il raccompagne Natalie chez elle.

Le lendemain, Héloïse remercia son père du fond du cœur pour cette merveilleuse soirée : jusqu'à la dernière minute, elle n'avait rien deviné et pensait sincèrement qu'il avait besoin de son aide à la réception. Puis elle fronça les sourcils.

— Au fait, tu n'étais pas en train de flirter avec la décoratrice, hier soir ? Elle est plutôt jolie, et j'ai comme l'impression que tu lui plais... dit-elle d'un air amusé.

Elle était habituée au succès de son père auprès des dames et s'imaginait encore qu'il ne répondait jamais à leurs sollicitations que par un badinage sans conséquence. Pour Héloïse, son père resterait toujours un célibataire endurci.

— J'espère bien que je lui plais... répondit-il avec un sourire serein. Parce que nous nous voyons depuis un an, maintenant. Elle compte beaucoup pour moi et j'espère que tu apprendras à l'apprécier.

La porte était enfin ouverte. Hugues eut l'impression de respirer plus librement : c'en était fini des mensonges.

Héloïse, cependant, avait l'air de quelqu'un qui vient de recevoir un seau d'eau glacée sur la tête. Elle ne parvenait pas à croire ce qu'elle venait d'entendre.

— Comment ça, vous vous « voyez » ? Tu veux dire que tu couches avec elle ?

Son père allait sûrement lui dire que ce n'était qu'une blague, qu'ils étaient juste amis... Mais Hugues ne se départait pas de son calme olympien. Il avait assez tergiversé, il était plus que temps pour elle de grandir, que cela lui plaise ou non.

— C'est ta petite amie, c'est ça ? reprit-elle, craignant la réponse.

— Oui, Héloïse, exactement.

— Je n'arrive pas à le croire ! Pourquoi est-ce que tu ne m'as rien dit avant ? s'écria-t-elle avec une expression mêlée de douleur et d'indignation.

— J'ai essayé, mais le moment ne semblait jamais propice. Tu étais si loin d'ici. Et puis ça ne dure pas vraiment depuis un an. Nous avons cessé de nous voir pendant quelques mois.

Héloïse se leva et alla se poster près de la fenêtre, les yeux perdus dans le vague. Puis elle jeta à son père un regard désespéré, qui lui transperça le cœur.

— Mais pourquoi ? cria-t-elle. Pourquoi as-tu besoin d'une petite amie, tout à coup ? C'est de ma faute, n'est-ce pas ? Tu te sens seul, depuis que je suis partie ?

— Ecoute, je suis sorti avec plusieurs femmes, ces dernières années. Mais aucune n'a jamais vraiment compté pour moi et c'est pourquoi je ne te les ai pas présentées. Avec Natalie, c'est différent.

— Comment ça ? demanda-t-elle avec anxiété. On était si bien tous les deux, pourquoi tout gâcher ?

— Natalie ne changera rien à l'amour que j'ai pour toi, répliqua-t-il, réprimant son envie de la rejoindre et de la prendre dans ses bras. D'ailleurs toi-même, tu as vécu six mois avec François, il n'y a que moi qui n'aurais pas le droit d'avoir quelqu'un dans ma vie ?

Ces derniers mots ne firent qu'augmenter le sentiment de terreur de la jeune fille. Envisageait-il de passer toute sa vie avec cette femme ? La décoratrice était encore en âge d'avoir un enfant ! Un scrupule empêcha cependant Héloïse de faire remarquer à son père que treize années le séparaient de sa bien-aimée.

— Nous avons vécu des années merveilleuses, toi et moi, reprit Hugues. Si c'était à refaire, je n'échangerais ma place contre personne au monde. Mais tu n'es plus une petite fille. Je t'ai laissée vivre avec un homme pendant six mois sans faire aucune objection, et pourtant j'étais mort d'inquiétude. Je suis convaincu que tu as le droit de faire tes propres choix. Alors je t'en prie, respecte le mien. Natalie et moi vivons une relation très harmonieuse et il n'y a pas de raison que tu te sentes lésée.

Héloïse était sous le choc. C'était déjà trop tard : Natalie lui avait volé son père. Rien ne serait plus jamais comme avant. Elle aurait pourtant voulu redevenir une toute petite fille. Lisant sa détresse dans son regard, Hugues lui parla sans détour.

— Ma chérie, je vois bien que tu as peur de me perdre, mais c'est absurde. Personne ne pourra te remplacer. Il y a assez de place pour elle et pour toi dans mon cœur, dit-il avec une tendresse infinie.

— Ça m'étonnerait ! s'exclama-t-elle, un sanglot dans la voix. Puisque c'est comme ça, je retourne en France ! C'est décidé !

— Il n'en est pas question, répondit Hugues en s'efforçant de garder son calme, tandis qu'elle faisait les cent pas devant la fenêtre, tel un animal pris au piège. Tu t'es engagée pour un stage de six mois dans cet hôtel et ton diplôme en dépend. Et puis tu es ici chez toi.

— Eh bien pas elle ! Je refuse de la voir à l'appartement.

— Héloïse, je n'ai pas du tout l'intention de te la cacher plus longtemps. J'ai trop de respect pour chacune de vous deux. J'aurais dû tout t'expliquer il y a un an déjà, j'ai eu tort de ne pas te faire confiance. Les cachotteries ont assez duré. Maintenant, j'aimerais que tu t'habitues à cette nouvelle situation et que tu fasses plus ample connaissance avec Natalie. Elle ne demande pas mieux que d'être ton amie.

— J'ai assez d'amis, merci beaucoup. Je n'ai pas besoin d'elle. Elle a deux fois mon âge !

Hugues préféra ne rien répondre, attendant qu'elle se calme. Au lieu de cela, Héloïse s'empara de son manteau.

— Merci d'avoir fichu ma vie en l'air, dit-elle, le visage inondé de larmes, avant de sortir en courant et de claquer la porte de l'appartement derrière elle.

Le moment tant redouté était passé, il fallait maintenant laisser du temps au temps. La violence des paroles de sa fille ne le choquait même pas. Il était simplement triste pour elle.

Plus tard dans la matinée, il appela Natalie pour lui rapporter la conversation, passant toutefois sous silence les déclarations les plus crues d'Héloïse. Il avait enfin tenu parole, et la réaction avait été aussi brutale qu'il le craignait. Pour sa part, Natalie s'estimait heureuse : elle s'était attendue au pire.

— Comment va-t-elle ? demanda la jeune femme avec inquiétude.

— Pas très bien, c'est le moins qu'on puisse dire, mais je suis sûr que ça va passer. C'est une question de temps. En tout cas, je suis content d'avoir crevé l'abcès.

Héloïse passa la nuit chez une camarade et refusa de parler à son père pendant plusieurs jours. Le 24 décembre, elle choisit de travailler à la réception plutôt que de réveillonner avec lui. Natalie, de son côté, passait les fêtes chez son frère, comme chaque année.

A son retour de Philadelphie, le lendemain de Noël, Hugues l'invita à dîner chez lui. Ils finissaient tranquillement leur repas, quand Héloïse apparut dans la salle à manger. En voyant Natalie, elle traversa la pièce comme une tornade, entra dans sa chambre d'un pas rageur, puis claqua la porte sans un mot. Sa déception et son sentiment de panique s'étaient mués en une colère d'enfant bornée.

— Eh bien… souffla Natalie, comprenant tout à coup pourquoi Hugues avait si longtemps retardé le moment de vérité.

Héloïse ignorait toutes les règles de la politesse la plus élémentaire. Elle avait parlé de son désarroi à ses amis les plus proches parmi les employés de l'hôtel, notamment à Jennifer. Tous lui avaient dit du bien de Natalie, qui était à leurs yeux la femme dont son père avait besoin. Leur sympathie à l'encontre de la décoratrice ne fit qu'attiser sa fureur. Alors qu'elle aurait voulu rallier le monde entier à sa cause, elle se sentait trahie par tous ceux qui l'avaient vue grandir, et les maudissait eux aussi. Mais son ressentiment était avant tout dirigé contre son père.

— Ça lui passera, soupira Hugues.

Natalie ne savait comment réagir. Elle ne voulait pas qu'Hugues et sa fille unique cessent de se parler à cause d'elle. Mais ils étaient impuissants face à sa fureur et ne pouvaient qu'attendre la fin de l'orage, aussi longtemps qu'il le faudrait.

Le lendemain, Héloïse partit comme prévu pour ses vacances au ski dans le Vermont. Elle ne prit pas la peine de dire au revoir à son père. Dans un sens, il fut soulagé par cette trêve de quelques jours. Natalie pouvait de nouveau dormir chez lui. De son côté, elle commençait à s'inquiéter pour Hugues, regrettant presque de l'avoir entraîné dans cette situation.

— Est-ce que tu préférerais que nous nous séparions de nouveau ? lui demanda-t-elle.

— Certainement pas. Il m'en a assez coûté de lui dire la vérité, et je reste convaincu que c'était la seule chose à faire. Je t'en prie, aide-moi à traverser cette

187

crise. On ne peut pas quitter le navire dès la première grosse vague.

— C'est vrai, admit-elle. Mais crois-tu qu'elle me laissera ma chance, un jour ou l'autre ?

— Pas tout de suite, c'est sûr. Elle est très têtue, mais elle finira bien par se fatiguer toute seule. Il faut que nous tenions le coup, dit-il en mettant un bras autour de ses épaules pour l'embrasser.

Sa belle confiance ne convainquit toutefois pas Natalie, qui s'inquiétait désormais plus que lui. Elle passa une très mauvaise nuit, ne cessant de se retourner dans le lit.

— Je t'en prie, ma chérie, ne t'en fais pas, lui dit-il le lendemain en voyant ses yeux cernés. Ce n'est qu'une question de temps.

Natalie parvint enfin à se détendre le soir du Nouvel An, qu'ils passèrent chez Hugues en toute tranquillité, à regarder de vieux films et à boire du champagne. Vers minuit, Hugues essaya d'appeler Héloïse pour lui souhaiter la bonne année, mais elle ne daigna pas décrocher et il lui laissa un message sur son répondeur. Natalie était sidérée par son calme, qui semblait indéfectible depuis qu'il s'était soulagé de son secret.

A la surprise générale, Héloïse ne semblait pas de meilleure humeur quand elle revint de son séjour à la montagne, plus rancunière que jamais. Elle commença son stage à la réception le 3 janvier, jetant un regard noir à son père chaque fois qu'elle le croisait. Hugues lui laissait tout l'espace possible : il n'essayait pas plus de l'amadouer que de la remettre à sa place. Elle savait maintenant tout ce qu'elle avait besoin de savoir, c'était à elle de s'adapter et de se faire une raison.

La jeune fille ne baissa pas la garde de tout le mois de janvier. En cinq semaines, elle n'échangea pas deux mots avec son père et ignora complètement Natalie. Devant cette absence d'amélioration, Hugues ne montra pas à sa fille la suite qui avait été redécorée à son intention. De toute façon, peut-être n'aurait-elle pas daigné l'écouter ou le suivre. Il commençait cependant à perdre courage et se demandait combien de temps il devrait encore supporter cette vendetta. Même les admonestations de Jennifer restaient sans effet sur Héloïse, qui demeurait sourde à tout argument rationnel. Elle haïssait Natalie, point final.

— Je t'assure qu'elle n'a rien à voir avec cette intérimaire, tu te rappelles, celle qui flirtait avec ton père quand elle ne couchait pas avec le bel Italien dans la chambre froide, lui dit un jour l'assistante.

Héloïse sourit à ce souvenir. Elle avait complètement oublié l'existence de Hilary.

— Natalie est une femme bien, continua Jennifer. Elle ne te mettra jamais de bâtons dans les roues, et elle n'a pas l'intention de te voler ton père. Tu devrais au moins faire un effort et essayer de la connaître.

— Ah oui ? Je n'ai pas besoin d'une mère. J'en ai déjà une. Et je ne vois pas pourquoi je devrais partager mon père.

— Tu sais quoi, Héloïse ? Tu te conduis comme une enfant de cinq ans, gâtée et immature. Cela me déçoit beaucoup de ta part, lâcha Jennifer.

Vexée comme un pou, la jeune fille sortit en trombe du bureau pour reprendre son poste dans le hall. De ce côté-là, au moins, Hugues n'avait pas à se plaindre d'elle ; il était heureux de l'écho favorable que lui remontait le chef de réception.

189

Début février, Héloïse n'avait toujours pas décoléré, Natalie avait les nerfs en pelote et la patience d'Hugues s'émoussait. Natalie lui réitérait sans cesse sa proposition qu'ils se séparent. Rien n'aurait pu faire plus plaisir à Héloïse. Chaque matin, Hugues faisait le point de la situation avec Jennifer. Celle-ci l'exhortait à tenir bon et à ne pas désespérer.

— Puisque Natalie compte tellement pour vous, pourquoi ne pas l'épouser ? lui suggéra-t-elle un jour. Au point où vous en êtes... Héloïse est déjà fâchée, de toute façon. Ça ne peut pas être pire. Et si vous décidiez de vous marier plus tard, elle le vivrait comme une nouvelle trahison, alors autant arracher le pansement une bonne fois pour toutes. A ce moment-là, Natalie pourrait emménager chez vous et Héloïse serait sacrément culottée d'y trouver à redire.

L'idée de Jennifer plut à Hugues et il s'accorda moins d'une semaine pour y réfléchir. Son assistante avait raison, la situation avec Héloïse ne pouvait guère empirer. De plus, il n'avait aucun mal à se projeter dans l'avenir avec Natalie... Tous deux avaient déjà évoqué la question, avant que la situation ne s'envenime.

Sans rien dire à personne, il acheta un magnifique manteau rouge chez Givenchy, qu'il offrit à Héloïse au petit déjeuner le jour de la Saint-Valentin. Elle fut tentée de refuser le paquet, mais sa curiosité prit le dessus. Elle se décida à l'ouvrir en arborant son air le plus renfrogné, qui se dissipa dès qu'elle vit le manteau.

— Oh, papa, il est magnifique ! s'exclama-t-elle.

L'espace de cinq minutes, elle recouvra sa bonne humeur naturelle. Elle serra Hugues dans ses bras pour la première fois depuis de nombreuses semaines, puis enfila le manteau avant de regagner sa chambre... sans oublier d'en claquer la porte. Cette éclaircie fugitive donna un peu d'espoir à Hugues : la colère d'Héloïse commençait à dater, elle ne pourrait pas durer éternellement.

Le soir venu, il invita Natalie à dîner à La Grenouille, son restaurant préféré, puis ils rentrèrent à son appartement du centre-ville, où ils passèrent une soirée détendue. Ces derniers temps, Hugues se réfugiait chez Natalie aussi souvent que possible et évitait d'aborder des sujets désagréables.

Alors qu'ils étaient allongés l'un contre l'autre, Natalie revint sur l'attitude intransigeante d'Héloïse. Mais son amant se mit à la taquiner et l'embrasser, et parvint à lui faire oublier la question. Tout à coup, il prit un air inquiet.

— Qu'est-ce que tu as dans l'oreille ? demanda-t-il sur un ton sérieux.

— Dans l'oreille ? répéta-t-elle en esquissant un geste, comme pour chasser un insecte.

— Mais oui, je t'assure, il y a quelque chose, dit-il en fronçant les sourcils.

Il approcha l'œil de son visage.

— Tu me chatouilles, protesta-t-elle en riant. Qu'est-ce que tu fabriques ?

— Je crois que c'est coincé. Je devrais peut-être aller chercher une pince.

— Arrête tes bêtises, dit-elle en se retournant pour l'embrasser, ce qui parvint à le distraire quelques instants.

Il avait envie d'elle, mais il aurait tout le temps de l'aimer plus tard. Là, il avait une urgence à traiter.

— Tu n'aurais pas une pince sous la main, par hasard ?

— Mais non. Et je ne veux pas que tu me mettes quoi que ce soit dans l'oreille.

— Oh, regarde-moi ça ! Je l'ai eu ! Je savais bien qu'il y avait un truc caché là-dedans !

Il tenait l'objet en question du bout des doigts. En y regardant de plus près, Natalie put à peine en croire ses yeux. C'était une bague sertie d'un magnifique solitaire. Suivant les conseils de Jennifer, Hugues s'était rendu chez Cartier.

— Tu es sérieux ? fit Natalie, incrédule.

— Cette bague m'a l'air tout ce qu'il y a de plus sérieux, répondit-il en riant. Heureusement que je l'ai attrapée, sinon il aurait peut-être fallu te couper l'oreille...

Il adopta alors l'air plus solennel que la circonstance exigeait.

— Natalie, veux-tu m'épouser ? demanda-t-il.

Puis, tremblant d'émotion, il lui passa l'anneau au doigt et l'embrassa tendrement.

— Oui, je le veux, murmura-t-elle quand ils reprirent leur souffle. Et ce n'est pas pour la bague, même si jamais je n'aurais imaginé recevoir un diamant pareil.

Hugues, qui adorait la gâter et la couvrir de bijoux, était content de son petit effet. Après toute la patience dont elle avait fait preuve envers lui, elle méritait bien ce genre d'égards. Certes, il avait mis du temps avant de clarifier leur situation, mais à présent il était prêt à aller encore plus loin.

— Quand nous marions-nous ? lui demanda-t-il, heureux et apaisé, tandis qu'elle faisait jouer les reflets du diamant sur sa main.

Elle souriait jusqu'aux oreilles.

— Je ne sais pas. Tu crois que demain serait trop tôt ? J'ai peur que tu ne changes d'avis !

— Madame, sachez qu'il n'y a aucun danger. Laisse-moi réfléchir... En juin, il faudra que j'accompagne Héloïse à Lausanne pour assister à la remise des diplômes. D'ici là, j'espère que tu pourras venir avec nous. J'aimerais à cet égard organiser une petite fête à son retour. Ce sera l'occasion de célébrer son entrée dans la majorité, puisqu'elle aura vingt et un ans. Et je ne veux pas que nous lui volions la vedette. Ce qui nous amène au mois de juillet. Qu'en penses-tu ?

— Ça me semble parfait, répondit-elle en l'embrassant. Mais qu'allons-nous dire à Héloïse ?

— Que nous nous marions, pardi. De toute façon, elle me déteste déjà. Tu crois vraiment qu'elle peut se fâcher encore plus ?

— C'est un risque... répondit Natalie.

— Elle s'en remettra, dit-il avec fermeté. Quand elle se sera un peu calmée, je lui demanderai d'être mon témoin.

— Et moi, je demanderai à mon frère de m'accompagner à l'autel, renchérit Natalie. Mais j'y pense... Si ça se trouve, mon neveu plairait à ta fille. Nous le lui présenterons au mariage, dit-elle en faisant rouler ce dernier mot dans sa bouche avec délectation.

Le mariage ! Ces quelques syllabes promettaient une éternité de bonheur !

— Oui, approuva Hugues, la rencontre d'un beau jeune homme l'aidera peut-être à avaler la pilule. Tu es d'accord pour que la fête ait lieu dans la salle de bal du Vendôme ?

— Bien sûr. Nous pourrions même faire venir un pasteur pour célébrer la cérémonie.

Natalie n'était pas très pratiquante et ne ressentait pas le besoin de se marier à l'église. De son côté,

Hugues, puisqu'il était divorcé, n'aurait pas pu recevoir la bénédiction d'un prêtre. Cette solution leur parut donc idéale. Tout semblait devoir s'enchaîner comme dans un rêve. Après des années de célibat, Hugues s'autorisait de nouveau à vivre.

16

Hugues décida d'annoncer la nouvelle à Héloïse dès le lendemain matin. Il trouva la jeune fille à son poste à la réception et lui demanda, d'un ton très solennel, de venir le voir dès qu'elle pourrait se libérer. Quelques minutes plus tard, elle apparut dans son bureau.

— J'ai fait une bêtise ? demanda-t-elle, un peu inquiète.

L'espace d'un instant, elle avait oublié sa rancœur et craignait seulement d'avoir commis une erreur à la réception. Un client s'était-il plaint à son sujet ?

— Non, répondit Hugues en lui faisant signe de s'asseoir. C'est même toi qui risques de te fâcher. Mais avant tout, je tiens à te répéter que je t'aime et que personne ne pourra jamais te remplacer. Tu es ma fille, et ma relation avec Natalie se situe sur un autre plan. C'est vrai, on a formé une drôle de famille, toi et moi, et c'était très bien comme ça. Mais je suppose que tu n'as pas l'intention de passer le reste de ta vie toute seule. Eh bien, figure-toi que moi non plus, et tu n'as pas le droit de m'en empêcher.

Héloïse se tortillait sur sa chaise.

— De toute façon, puisque tu m'en veux déjà tellement, je n'ai pas grand-chose à perdre. Alors voilà, tu es la première à l'apprendre : hier soir, Natalie a accepté ma demande en mariage. J'aimerais pouvoir compter sur toi le jour de la cérémonie, en tant que témoin. Tant pis si tu es furieuse contre moi, j'espère qu'un jour ou l'autre tu finiras par laisser sa chance à Natalie. Le mariage aura lieu en juillet, après ta remise de diplôme qui, soit dit en passant, est un événement très important à mes yeux.

Héloïse fixait son père avec une expression de profonde souffrance. Les larmes commencèrent à rouler sur ses joues.

— Comment peux-tu me faire une chose pareille ? s'exclama-t-elle. Tu m'avais toujours dit que tu ne te remarierais pas ! Elle va sûrement te plaquer du jour au lendemain, comme maman ! ajouta-t-elle d'un ton rageur, dans l'intention délibérée de le blesser.

— Natalie est très différente de ta mère, répondit-il sans ciller. J'espère sincèrement que notre union est vouée à durer, mais si elle échoue, c'est que je n'aurai pas été à la hauteur. Je t'assure qu'elle ne me quittera pas pour une rock star ni aucun autre homme. C'est une femme sérieuse. Je t'en prie, fais un effort. Je suis sûr que tu finiras par l'apprécier.

A ces mots, Héloïse réalisa que son père allait l'abandonner pour une femme qu'elle connaissait à peine. Cependant, son seul regret était d'être partie en Europe pendant si longtemps. Si elle était restée, rien de tout cela ne serait arrivé, elle en était convaincue.

Le moment sembla bien choisi à Hugues pour lui annoncer sa deuxième grande nouvelle. Il se leva et s'approcha d'elle, le regard plein de tendresse.

— Maintenant, si tu veux bien, retourne à la réception et va chercher la clé de la 502. Je t'attends devant l'ascenseur.

Héloïse obéit, trop bouleversée pour lui demander une quelconque explication. Le sous-directeur sourit en la voyant décrocher la clé du tableau : la suite neuve demeurait inoccupée depuis deux mois, et il se demandait quand Hugues lui ferait enfin la surprise.

Le père et la fille montèrent en silence jusqu'au cinquième étage. Hugues ouvrit la porte de la 502, alluma la lumière dans le vestibule, puis fit signe à sa fille d'entrer. Dès qu'elle en franchit le seuil, Héloïse s'aperçut que la suite venait d'être redécorée. Le salon avait été repeint dans des tons beiges allant du sable à l'écru, tandis que la chambre à coucher était tapissée dans un rose pâle délicat. Les pièces semblaient à la fois plus spacieuses et plus joyeuses qu'auparavant et, à cette heure de la matinée, elles étaient inondées de soleil.

— C'est très joli, dit Héloïse d'une voix blanche. Est-ce que tu me montres tout ça pour que j'admire le travail de Natalie, ou bien est-ce que je suis censée faire quelque chose ?

Hugues lui tendit la clé.

— Voilà deux mois que j'attendais le bon moment pour te faire visiter cet appartement, dit-il.

— Ah oui ? Pourquoi ?

— Parce qu'il est à toi. Tu peux venir t'installer ici quand tu veux. Evidemment, je ne te mets pas à la porte. Tu peux garder ta chambre au dixième aussi longtemps que tu veux, mais, un jour, tu auras sans doute envie d'un peu d'intimité. En attendant, garde la clé.

Pendant un instant, Héloïse ne put dissimuler l'éclat de joie qui brillait dans ses yeux, mais elle reprit rapidement sa mine lugubre.

— J'imagine que c'est un moyen de te faire pardonner le mariage ?

— Non, répondit-il. Natalie a commencé les travaux en octobre. Et moi, je n'ai décidé de la demander en mariage que depuis deux semaines.

— Pour mon malheur, lâcha-t-elle d'un air sombre.

— Tu dis vraiment n'importe quoi, ma chérie. Je te le promets, tout va bien se passer, murmura-t-il en la serrant dans ses bras, alors que de nouvelles larmes coulaient sur ses joues. Tu as le choix : tu peux emménager ici quand bon te semble, ou bien rester avec nous à l'appartement de direction et garder la suite pour recevoir tes amies. Mais si tu habites avec nous, j'exige que tu te montres polie envers Natalie.

— Merci, papa, dit-elle après un long silence, séchant ses larmes. L'appartement est magnifique. Il me plaît beaucoup.

Elle le gratifia d'une bise sur la joue. Partagée entre le plaisir que lui causait ce somptueux cadeau et un profond désespoir, elle ne savait pas sur quel pied danser. Depuis deux mois, ses émotions étaient de véritables montagnes russes. Elle décida cependant d'apprécier l'instant présent et explora la suite jusque dans les moindres recoins.

— C'est très beau, admit-elle de nouveau. J'aime beaucoup les tableaux.

— J'espérais bien qu'ils te plairaient. C'est moi qui les ai choisis.

— Eh bien, tu as bon goût, finalement. N'empêche… je t'en veux pour Natalie, dit-elle d'un air las.

Sa colère avait perdu de sa vigueur.

— Je sais, ma chérie. J'espère que tu t'y habitueras. Acceptes-tu d'être mon témoin malgré tout ? lui demanda-t-il d'un ton grave.

— Peut-être... répondit-elle, le regard perdu. Natalie est une très bonne décoratrice. Mais tu n'as pas besoin d'une femme. Tu m'as, moi.

— Oui, je t'ai. Et c'est un de mes plus grands bonheurs. Néanmoins, tu ne vas peut-être pas passer toute ta vie ici... Et quant à moi, je n'ai pas envie de vieillir seul. Je vous aime toutes les deux, toi et Natalie, d'une façon différente.

— Merci, papa. J'adore l'appartement, dit-elle en glissant la clé dans la poche de son uniforme, comme si elle craignait qu'il ne change d'avis.

— Et moi je t'adore, toi. Allez, retourne à ton poste, maintenant.

A la réception, ses collègues l'accueillirent avec un large sourire.

— Alors, qu'est-ce que tu dis de ton appart ? lui demanda le sous-directeur.

— Il est super-cool, répondit Héloïse en lançant un coup d'œil à son père, tandis qu'il traversait le hall, l'air satisfait.

De retour dans son bureau, il décrocha le téléphone pour appeler Natalie.

— Est-ce que la suite lui plaît ? s'enquit-elle.

— Tu plaisantes ? Elle est sous le charme. Comme je venais de lui annoncer que nous allions nous marier, je voulais lui faire comprendre qu'elle n'était pas obligée de vivre avec nous si elle n'en avait pas envie. Dans son propre appartement, elle se sentira un peu moins comme la cinquième roue du carrosse.

— Et comment a-t-elle pris l'annonce du mariage ? demanda Natalie, un peu anxieuse à l'idée qu'elle risquait de passer la fin de ses jours sous le même toit qu'une belle-fille hystérique.

— Elle est surtout choquée... Elle s'y fera. Je pense avoir réussi à faire diversion en lui montrant l'appartement. Mais elle n'a pas manqué de me dire que tu me quitterais, toi aussi, pour une rock star.

— Quelle horreur ! s'écria Natalie en riant.

— Bon, tu me rassures. Mais tu vois à quel point elle peut être puérile, en ce moment.

La matinée avait été riche en émotions. Hugues se sentait vidé.

— Je lui ai aussi demandé d'être mon témoin, ajouta-t-il.

— Alors ?

— Elle a répondu « peut-être ». Au vu de la situation, je ne pouvais pas espérer mieux. Je suis sûr que d'ici juillet elle se sera calmée.

— Moi, j'ai appelé mon frère : il a accepté de me conduire à l'autel. Maintenant, il faut que je trouve une robe de mariée.

A cinq mois à peine du grand jour, ils avaient beaucoup de choses à organiser.

— Tu devrais en parler au service des noces et banquets dès que possible, dit-il. Tu verras, Sally est géniale. Il faut que nous bloquions une date. Heureusement, en juillet, il n'y a pas trop de demandes. La plupart des gens veulent se marier en mai, en juin, à la Saint-Valentin ou encore à Noël. A propos, où irons-nous pour notre lune de miel ?

Quel plaisir de se projeter dans un avenir commun ! Hugues se sentait pousser des ailes.

— Je ne sais pas, répondit-elle sur un ton innocent. Dans un bel endroit... Je te laisse décider !

A ces mots, Hugues eut une illumination : le One and Only Palmilla, à San José del Cabo. Cet hôtel balnéaire était sans doute le plus luxueux de la côte enchanteresse de Basse-Californie. Aux yeux d'Hugues, seul l'hôtel du Cap à Antibes pouvait rivaliser avec ce cadre idyllique et, à choisir, le charme tropical du Mexique lui semblait plus dépaysant.

— Merci encore pour l'appartement d'Héloïse, reprit-il. Elle te remerciera un jour, même si ça doit prendre un petit bout de temps.

— L'idée venait de toi, et tu m'as payée pour exécuter les travaux. C'est plutôt toi qu'elle devrait remercier.

— C'est déjà fait, dit-il en souriant.

Ils bavardèrent encore quelques instants avant de raccrocher, puis Jennifer entra dans le bureau pour apporter à Hugues son cappuccino matinal ainsi qu'une pile de documents à signer.

— Merci pour votre excellent conseil, lui dit-il. Pas plus tard qu'hier soir, j'ai demandé à Natalie de m'épouser et elle a dit oui ! Le mariage aura lieu en juillet. Enfin, à condition que nous trouvions une date disponible dans la salle de bal du Vendôme.

— J'ai des contacts là-bas, répondit-elle d'un ton plaisant. Je pense pouvoir vous trouver quelque chose. Et surtout, félicitations et tous mes vœux de bonheur à la mariée ! L'avez-vous déjà dit à Héloïse ?

— A l'instant.

— Elle l'a bien pris ?

— Non, elle est sous le choc. Mais elle s'en remettra.

L'assistante quitta la pièce tout sourire, les documents signés sous le bras. Elle n'aurait pu être plus heureuse pour son patron. Une fois qu'ils auraient rallié Héloïse à leur cause, l'avenir serait radieux pour les nouveaux mariés. Jennifer en était convaincue, Natalie pourrait mieux que quiconque incarner la figure maternelle positive qui avait tant manqué à la jeune fille. Même si Héloïse n'en avait pas encore conscience, c'était la femme qu'il leur fallait, à tous les deux.

17

Les mois qui précédèrent le mariage d'Hugues et Natalie, ainsi que la remise de diplôme d'Héloïse, furent frénétiques. Natalie faisait face sur tous les fronts : il lui fallait à la fois planifier une réception, diriger une entreprise, entretenir une relation amoureuse et tenter de faire la paix avec une belle-fille qui s'obstinait à lui livrer une impitoyable guerre froide. Dans ces conditions, la fiancée d'Hugues était pour le moins stressée. De son côté, le directeur du Vendôme s'efforçait de ne pas perdre patience et de rassurer chacune des deux femmes de sa vie, mais Héloïse restait sourde à ses arguments ; elle ignorait superbement la future femme de son père chaque fois qu'elles se retrouvaient dans la même pièce. De plus, elle refusait de s'impliquer de près ou de loin dans la préparation du mariage. Natalie ne pouvait compter que sur l'aide d'une seule organisatrice, alors que la jeune fille avait assisté à des dizaines de mariages à l'hôtel. En discutant du menu et du déroulement de la cérémonie avec Sally, et de la décoration de la salle avec Jan, elle aurait pu lui faciliter considérablement la tâche.

Si Héloïse recevait souvent ses amis dans son nouvel appartement, elle vivait toujours dans sa chambre d'enfant au dixième étage, de sorte qu'elle était souvent amenée à croiser Natalie, même si les futurs mariés passaient la plupart de leurs nuits dans l'appartement de celle-ci. Le seul moyen dont Hugues disposait pour empêcher Héloïse de trop penser au mariage était de l'accabler de travail dans le cadre de son stage. Il inscrivait souvent deux périodes de travail consécutives à son planning et la déplaçait sans cesse de service en service, ainsi que l'exigeait la convention signée avec l'Ecole hôtelière. Il était résolu à ne réserver aucun traitement de faveur à sa fille.

Sous prétexte qu'elle avait grandi au Vendôme, Héloïse avait parfois tendance à croire que l'hôtellerie n'avait plus de secrets pour elle, or elle avait encore beaucoup à apprendre. Cependant, tous ses collègues s'accordaient à dire qu'elle travaillait dur, avec enthousiasme et de façon très consciencieuse.

Le seul point d'achoppement entre Hugues et sa fille restait Natalie. Elle finit même par déclarer qu'elle n'assisterait pas au mariage, ni comme témoin, ni comme simple invitée. De peur de la braquer encore davantage, il n'insista pas. Héloïse aurait peut-être recouvré la raison d'ici au mois de juillet.

Il était clair cependant que sa future belle-mère ne serait pas la bienvenue à la cérémonie de remise des diplômes, à Lausanne. Natalie affirma qu'elle n'en prenait pas ombrage, et d'ailleurs elle avait bien trop à faire. Le mariage était prévu pour le samedi 7 juillet, pendant le pont du 4 Juillet, la fête nationale, car c'était le seul créneau disponible pour la salle de bal. Héloïse fit savoir que, en ce qui la concernait, cette date était idéale, puisque beaucoup de gens s'absenteraient pour le week-end prolongé ; elle espérait que personne ne viendrait à la cérémonie.

Elle-même s'appliquait à préparer la fête qui célébrerait la fin de ses études et son vingt et unième anniversaire, trois semaines avant le mariage. Elle planifiait la réception en étroite collaboration avec Sally et Jan, tout en évitant d'aborder le sujet du mariage avec l'une ou l'autre.

Pour son diplôme, Héloïse reçut d'excellentes appréciations de la part des directeurs de service du Vendôme avec lesquels elle avait travaillé. Son tact, son dévouement, la pertinence de ses jugements et son professionnalisme, aussi bien envers les clients qu'envers ses collègues, furent reconnus à l'unanimité. Ses maîtres de stage soulignèrent l'attention méticuleuse qu'elle prêtait au moindre détail et son talent inné pour ce métier. Sa manie de suivre son père à travers tout l'hôtel depuis sa plus tendre enfance avait porté ses fruits. Une seule critique revenait systématiquement dans les commentaires de ses supérieurs : Héloïse était un peu trop indépendante et s'autorisait parfois à prendre des décisions sans consulter sa hiérarchie. Elle semblait née pour diriger et encadrer, plutôt que pour exécuter les ordres. Néanmoins, la plupart des clients qu'elle accueillait ne soupçonnaient pas qu'elle était la fille du directeur, car elle ne cherchait jamais à s'en glorifier. A son retour de Lausanne, elle reprendrait modestement son poste à la réception : elle était encore très jeune et Hugues ne lui accorderait pas de passe-droit.

Elle comptait prendre l'avion pour Genève une semaine avant la cérémonie de remise des diplômes. Elle voulait profiter de ses camarades de classe avant le début des festivités. Hugues ne la rejoindrait que quatre jours plus tard. Le matin de son départ, elle passa le voir dans son bureau ; comme souvent, il était en train de signer des chèques.

— Ça y est, tu t'en vas ?

Elle opina du chef. En dépit de leur différend, il était fier de la qualification qu'elle venait d'obtenir.

— Est-ce que tu as besoin d'argent ?

Il lui posait systématiquement la question dès qu'elle sortait, ne serait-ce que pour aller manger une pizza avec ses amis. Il est vrai que sa maigre indemnité de stage suffisait à peine comme argent de poche.

— Ne t'inquiète pas, j'en ai emprunté à la comptabilité. On se voit vendredi, à Lausanne ! lança-t-elle sur un ton chaleureux. Il y aura un dîner de bienvenue pour les parents, et un banquet après la cérémonie.

Quand il se leva pour la serrer dans ses bras, elle s'aperçut à quel point elle était heureuse que Natalie ne les accompagne pas. C'était sans doute l'une des dernières occasions où Héloïse aurait son père pour elle. Sa vie avait pris un tournant décisif ces derniers mois. Il se passait rarement une journée sans qu'elle soit obligée de croiser Natalie et elle ne se résolvait pas à lui adresser la parole – ce qui constituait d'ailleurs un affront plus cinglant encore que des paroles blessantes. Pendant les deux semaines à venir, en revanche, elle serait seule avec son père et il lui consacrerait toute son attention. Quant à sa mère, Héloïse l'avait naturellement invitée à la cérémonie, sans toutefois se faire trop d'illusions. En effet, bien qu'elle eût été prévenue un an à l'avance, Miriam prétendit qu'il lui était impossible de décaler ses vacances au Vietnam avec Greg... Pour Héloïse, qui au fil des années s'était habituée à sa désinvolture, l'essentiel était qu'Hugues soit présent.

Il l'accompagna jusque sur le trottoir, où la voiture et le chauffeur l'attendaient, et l'aida à porter la housse contenant sa robe de cérémonie.

— Merci, papa. A vendredi !

Hugues ne regrettait pas d'avoir usé de tant de patience et d'indulgence face au comportement de sa fille ; elle semblait s'être un tant soit peu radoucie. Quant à Héloïse, elle se sentait soudain très adulte, à l'approche de la remise des diplômes. Il faut dire que son stage au Vendôme lui avait beaucoup appris. Au cours des six derniers mois, on lui avait confié de vraies responsabilités et elle avait parfois eu à gérer des situations délicates. Ses supérieurs s'étaient montrés sévères, même ceux qui l'avaient vue grandir. Le Vendôme plaçait la barre bien plus haut que l'Ecole hôtelière.

Hugues regarda Héloïse s'éloigner en lui adressant un signe de la main et, tandis qu'il rentrait dans l'hôtel, un sourire rêveur flottait sur ses lèvres. Comment toutes ces années avaient-elles pu passer si vite ?

A son arrivée à Lausanne, Héloïse retrouva ses camarades de classe. L'ambiance était festive. Ils avaient tous des millions de choses à se raconter sur leurs expériences dans les plus grands hôtels des cinq continents. Héloïse se tenait cependant un peu en retrait, car six mois déjà s'étaient écoulés depuis la fin de son stage au George V. Son semestre au Vendôme, quoique tout aussi formateur, avait forcément été moins dépaysant. C'était aussi la première fois qu'elle revoyait François. Elle fut horripilée de le voir se pavaner avec une nouvelle petite amie pendue à son bras. Il est vrai que plusieurs autres étudiants avaient invité l'élu de leur cœur à la cérémonie, alors qu'Héloïse, soumise au programme de travail draconien imposé par Hugues, n'avait guère eu le temps de faire des rencontres.

Tous les soirs, ils sortirent dîner en bande dans les restaurants de la ville et du campus, assistèrent aux dernières conférences de leur cursus et participèrent à une répétition générale de la cérémonie, qui s'avéra déjà très émouvante. Pour Héloïse comme pour la majorité de ses camarades, l'une des périodes les plus intenses de leur vie allait prendre fin, même si certains s'étaient inscrits pour deux ans de plus à l'Ecole, afin de décrocher un Master. La fille du directeur du Vendôme jugeait pour sa part qu'aucun cours théorique ne remplacerait jamais l'expérience du terrain.

A son arrivée en Suisse, le vendredi, Hugues descendit dans l'hôtel d'application de l'Ecole, où les élèves étaient aux petits soins pour les clients. Naturellement, il y séjournait avec d'autant plus de plaisir qu'il y avait lui-même fait ses premières armes : il avait passé les plus belles années de sa vie à Lausanne. Tandis qu'il arpentait les allées immaculées du campus, empli de nostalgie, il se prit à imaginer que ses petits-enfants viendraient étudier en ces lieux à leur tour. Qui sait si lui, Hugues Martin, propriétaire d'un établissement de cent vingt chambres à peine, n'était pas voué à devenir le fondateur d'une véritable dynastie hôtelière ?

— A quoi tu rêves, papa ? lui demanda Héloïse, qui venait à sa rencontre.

Il leva les yeux vers elle, lui sourit, puis passa un bras autour de ses épaules. Pour quelques jours au moins, en l'absence de Natalie, elle semblait avoir enterré la hache de guerre. Hugues retrouvait sa fille telle qu'il la connaissait.

— Ça va te paraître idiot, répondit-il, mais je me disais que tes enfants étudieront peut-être ici, un jour.

— Je n'ai pas très envie d'avoir des enfants, dit-elle d'un air pensif.

— Ah bon ? Et pourquoi pas ?

— C'est trop de travail, dit-elle en balayant cette idée d'un revers de main.

Hugues éclata de rire.

— Figure-toi que diriger un hôtel aussi, c'est du travail. Et je t'assure qu'avoir un enfant n'a pas de prix, même si c'est parfois épuisant. Ma vie n'aurait aucun sens si tu n'étais pas là, déclara-t-il, la voix vibrante d'émotion.

— Vraiment ? Même maintenant que tu as Natalie ?

— Bien sûr, qu'est-ce que tu crois ? J'ai été très amoureux de ta mère et aujourd'hui j'aime Natalie de tout mon cœur, mais ça n'a rien à voir. On ne peut pas comparer l'amour romantique avec l'amour que l'on porte à son enfant. Les relations amoureuses vont et viennent... Il est de plus en plus rare qu'elles durent une vie entière. Toi, en revanche, je ne cesserai de t'aimer que lorsque j'aurai cessé de respirer.

Ils s'arrêtèrent de marcher.

— C'est vrai ? demanda-t-elle après un silence. Je pensais que tes sentiments avaient changé.

— Certainement pas, ma chérie. Ils ne changeront jamais. Tu m'entends, Héloïse ? Jamais, martela-t-il.

La jeune fille hocha lentement la tête. Elle semblait comme soulagée. Peut-être Hugues n'avait-il pas mesuré la profondeur de l'angoisse de sa fille, par ailleurs si adulte. Sa propre mère ne l'avait-elle pas abandonnée pour l'amour d'un homme ? En réalité, Miriam n'avait jamais développé de sentiment maternel... Mais comment concevoir une chose pareille à l'âge de quatre ans ? Hugues comprenait un peu mieux la réaction d'Héloïse à l'annonce de sa nouvelle relation. Il la serra contre lui de toutes ses forces et caressa ses longs cheveux soyeux. Ils reprirent le chemin de l'hôtel bras dessus, bras dessous, partageant un sentiment de profonde sérénité. Finalement, il ne regrettait pas d'être venu sans Natalie. Il avait ainsi pu dire à son enfant chérie les mots qu'elle avait besoin d'entendre.

La veille de la remise des diplômes, un dîner de gala fut servi en l'honneur des parents dans un vaste auditorium, décoré pour l'occasion de guirlandes et de ballons. Le directeur de l'Ecole et plusieurs étudiants prononcèrent des discours émouvants, qui conférèrent à la soirée un caractère à la fois festif et solennel. Ensuite, la plupart des jeunes gens sortirent par petits groupes dans les bars et les boîtes de nuit des environs. Héloïse passa la fin de la soirée avec sa bande de copains. Elle était vraiment triste à l'idée de les quitter. Deux de ses camarades lui avaient annoncé qu'ils commenceraient prochainement un stage à New York, mais ils ne faisaient pas partie de ses amis proches. Désormais, tous poursuivraient le même objectif : gravir les uns après les autres les échelons d'une brillante carrière dans l'industrie hôtelière. Aucun d'entre eux n'ignorait la difficulté de ce métier ; ils l'avaient choisi en connaissance de cause et étaient impatients d'entrer pour de bon dans la vie active. Deux élèves seulement avaient décroché en cours de route. Le premier avait dû rentrer précipitamment au chevet d'un parent malade, tandis que la seconde était tombée enceinte en cours d'année et s'était mariée en catastrophe. Elle s'était néanmoins promis de reprendre son cursus là où elle l'avait interrompu, dès que sa vie de famille lui en laisserait le loisir.

Le lendemain, la remise des diplômes proprement dite amena des larmes au bord des yeux de nombreux étudiants et de leurs parents. Elle se déroula selon le protocole en vigueur depuis la création du vénérable établissement : rien n'avait changé depuis l'époque d'Hugues, quelque trente ans auparavant. Lors de la distribution des prix, Héloïse se distingua par deux mentions honorables ; à la fin de la cérémonie, le public se leva pour acclamer les lauréats. Les voix des étudiants se mêlèrent alors en un immense cri de joie, tandis que l'orchestre entonnait un air triomphal. Héloïse pleurait à chaudes larmes quand elle rejoignit son père pour le serrer dans ses bras. Lui-même avait bien du mal à contenir son émotion.

— Si tu savais comme je suis fier de toi... dit-il d'une voix étranglée.

En cet instant, Héloïse avait l'impression qu'ils étaient seuls au milieu de la foule, et même seuls au monde. Hugues se félicita une fois de plus d'être venu sans Natalie pour partager avec son enfant l'intensité de ce rite de passage et ainsi lui assurer son amour indéfectible. D'un autre côté, il en voulait plus que jamais à Miriam d'avoir failli à toutes ses responsabilités et manqué tous les événements importants de la vie de sa fille. Il en était venu à se reprocher d'avoir donné à Héloïse une mère aussi indigne. Natalie pourrait-elle un jour compenser ce manque, dans une certaine mesure ? Il était trop tôt pour le dire. Dans un premier temps, Hugues espérait seulement qu'Héloïse finirait par concéder une trêve dans la guerre sourde qu'elle livrait contre sa future belle-mère.

Le banquet qui suivit la cérémonie fut encore plus fastueux que celui de la veille. Le menu était digne d'un grand restaurant, et un orchestre de très bon niveau assura l'ambiance musicale de la soirée. Héloïse dansa avec son père et avec ses amis, puis tous les jeunes diplômés sortirent en ville. Au petit matin, ils se réunirent une dernière fois pour se dire adieu et échanger leurs adresses. Héloïse n'avait même pas pris la peine de se coucher avant d'embarquer dans le taxi qui les conduisit, son père et elle, à l'aéroport de Genève. Dès qu'elle s'assit dans l'avion, elle sombra dans un profond sommeil et Hugues la borda sous une couverture. Héloïse avait beau être une jeune femme accomplie, à l'aube d'une belle carrière professionnelle, ses cheveux flamboyants et ses taches de rousseur lui donnaient l'air d'une petite fille. Il l'embrassa précautionneusement et la regarda dormir : quoi qu'il advienne, elle resterait toujours son bébé.

18

Dès leur retour, la vie reprit son rythme effréné pour Hugues et surtout pour Héloïse, qui était de service à la réception le soir même. Son diplôme, qui n'avait pas encore quitté sa valise, n'y changeait rien. A peine arrivée, elle dut téléphoner à l'aéroport pour aider une cliente dont les bagages avaient été perdus. Il lui fallut ensuite reloger une autre dame qui n'aimait pas sa suite, aussi surprenant que cela puisse paraître ; c'était pourtant l'une des créations de Natalie. Le vert lui donnait, paraît-il, des migraines ; or les doubles-rideaux étaient noués par des cordons de cette couleur. Par miracle, Héloïse put lui attribuer la chambre d'un client qui n'était pas encore arrivé. A minuit passé, elle appela un médecin pour un enfant de cinq ans brûlant de fièvre, puis fut contrainte de faire intervenir le service de sécurité pour gérer une scène de ménage entre deux ivrognes au quatrième étage. Heureusement, il ne fut pas nécessaire de recourir à la police. A New York, les nouvelles allaient vite : il valait mieux éviter toute mauvaise publicité. Vers deux heures du matin, elle eut une petite explication avec les employés du service d'étage, qui ne répondaient au téléphone qu'au bout de la énième sonnerie, et à cinq heures, elle dut gérer un monsieur impatient qui ne comprenait pas pourquoi le guichet de conciergerie n'était pas encore ouvert. A la fin de son service, sur le coup de sept heures, c'était à peine si elle tenait debout. En arrivant à l'appartement de direction, elle trouva Natalie qui prenait son petit déjeuner avec Hugues. Elle était si fatiguée qu'elle oublia de s'en offusquer, même si le regard enamouré de son père avait le don de l'horripiler. Il dégoulinait littéralement de tendresse pour Natalie. A son âge, n'était-il pas indécent de roucouler de la sorte ?

— B'jour, marmonna la jeune fille, après avoir envoyé valser ses escarpins réglementaires près de la porte d'entrée.

— Comment ça s'est passé, cette nuit ? demanda son père.

— Pas trop mal. C'était un peu le bazar au quatrième : il y a eu une échauffourée chez les Moretti, suffisamment longue pour que les occupants des chambres voisines veuillent appeler la police.

— Comment t'en es-tu sortie ?

— Oh, j'ai fait monter du Dom Pérignon aux gens qui se plaignaient, dit-elle d'une voix ensommeillée. Et Bruce est monté raisonner les Moretti. Apparemment, monsieur avait insulté la mère de madame ; au bout d'une heure de palabres, il a fini par tomber de fatigue, complètement ivre. On a donné une chambre gratis à sa femme, à un autre étage. Je ne savais pas quoi faire d'autre... Et j'ai appelé le médecin pour la dame de la 219. Son gamin avait une otite.

— Tu as fait tout ce qu'il fallait, approuva Hugues.

Au cours des deux dernières années, elle avait appris que, dans l'hôtellerie, la diplomatie et l'ingéniosité étaient aussi indispensables que le sens du service. Il fallait avoir l'esprit pratique et cela réussissait fort bien à la jeune fille : dans la plupart des circonstances, elle savait instinctivement quelle était la bonne attitude à adopter.

— Ces Moretti auraient besoin d'un psy, dit-elle en jetant sa veste d'uniforme sur une chaise.

Elle risqua un regard en direction de Natalie.

— Comment s'annonce le mariage ? demanda-t-elle.

Natalie sourit, avant de pousser un soupir.

— Ma foi, ma belle-sœur s'est cassé la cheville en faisant du roller la semaine dernière, mes deux nièces ont la mononucléose et risquent de ne pas pouvoir venir, et il y a une menace de grève des contrôleurs aériens en Hollande, donc il se pourrait que les fleurs ne soient pas livrées à temps. Sinon, nous n'avons toujours pas arrêté le menu et ton père ne veut pas de pièce montée. Pour couronner le tout, trois de mes clients veulent que je réalise leurs travaux cette semaine, pendant qu'ils sont en vacances. A part ça, tout va très bien.

Héloïse ne put s'empêcher de rire à ce tableau apocalyptique.

— A trois semaines du jour J, ça ne me semble pas si mal. En général, ces trucs-là arrivent la veille de la cérémonie : vous êtes juste en avance sur le programme ! dit Héloïse, sur un ton plaisant.

Hugues sourit et échangea un bref coup d'œil avec Natalie : c'était la première fois qu'Héloïse lui adressait la parole depuis plusieurs mois. Son séjour à Lausanne lui avait fait du bien.

— Ça ne me rassure pas beaucoup... reconnut Natalie, tout en se demandant si la jeune fille était prête à signer l'armistice, ou bien si la fatigue avait temporairement eu raison de sa rancœur.

— Sally vous aidera à gérer tout ça, répliqua Héloïse. Elle a l'habitude : aucun problème n'est insurmontable pour elle ! Un jour, les futurs mariés se sont fait lâcher par l'officiant à la dernière minute. En moins d'une demi-heure, Sally avait trouvé un autre rabbin, qui séjournait justement à l'hôtel. Il était en voyage de noces, mais elle n'a pas hésité à le tirer du lit. En même temps, elle a appelé un chantre de ses amis et au bout du compte la cérémonie s'est très bien déroulée. Je ne m'en ferais pas trop, à votre place !

La jeune fille se tourna ensuite vers son père avec un air désapprobateur.

— Et toi, d'abord, pourquoi est-ce que tu ne veux pas de pièce montée ?

— Je ne sais pas, je crois que je me sentirais un peu bête... J'ai dû assister à trop de mariages. Et puis je n'ai jamais aimé ça. Je veux un dessert digne de ce nom, dit-il sur un ton plaintif.

— J'y crois pas ! Tu peux commander tous les desserts que tu veux au service d'étage, mais le jour de ton mariage, tu dois servir une pièce montée, un point c'est tout, répliqua-t-elle en s'emparant d'un muffin. J'en peux plus... Il faut que je retourne bosser à quinze heures. Le planning de la réception est vraiment pourri, ce mois-ci.

Sur ce, elle se dirigea vers sa chambre et referma la porte derrière elle, pour une fois sans la claquer.

— Est-ce que j'ai rêvé ? On dirait que ça va mieux... dit Natalie en adressant un regard étonné à Hugues.

— C'est possible, répondit-il à mi-voix, de peur que sa fille ne l'entende.

Il commençait à désespérer qu'Héloïse emménage un jour dans son appartement. Son besoin d'intimité avec Natalie se faisait de plus en plus pressant, or pour le moment la jeune fille ne semblait pas décidée à quitter les lieux.

— Il est peut-être trop tôt pour se réjouir... reprit Hugues. La remise des diplômes lui a rappelé que je suis toute sa famille, la seule personne sur qui elle puisse compter. Je crains que cela ne renforce sa jalousie. En revanche, j'ai pu lui parler et je crois qu'elle comprend peu à peu que mon amour pour toi ne lui enlèvera jamais rien.

— Sa mère n'est pas venue à la cérémonie ? s'indigna Natalie.

— Bien sûr que non, répondit Hugues d'une voix rageuse. Elle était en vacances au Vietnam, mais elle aurait aussi bien pu prétexter un rendez-vous chez le coiffeur ou un nouveau tatouage...

— Comme ça doit être dur pour Héloïse ! Son sentiment d'abandon doit être terrible. Tout le monde rêve d'avoir ses parents à ses côtés dans de telles occasions. Comment peut-on avoir confiance en qui que ce soit ensuite, si eux ne viennent pas ? C'est comme ça qu'on bousille la vie de ses enfants...

Natalie semblait en savoir long sur le sujet.

— J'ai donné le meilleur de moi-même à Héloïse, dit Hugues, mais j'ai parfois l'impression que le mal est fait. Je crains de ne jamais pouvoir compenser les défaillances de Miriam.

Natalie hocha la tête, puis revint sur la question du gâteau de mariage.

— D'accord, ma chérie, d'accord, finit-il par dire. On commande une pièce montée, même si je déteste ces gros gâteaux, avec leur glaçage blanc trop sucré. D'ailleurs, je te laisse choisir le parfum. Je n'ai pas l'intention de faire comme tous les futurs mariés de ce pays, qui passent une demi-journée à déguster une douzaine de recettes différentes. En ce qui me concerne, je commanderai un autre dessert, alors fais-

toi plaisir ! Et pas question que tu me donnes la bec-
quée devant tout le monde en me barbouillant le visage
de crème au beurre ! Je n'ai jamais apprécié cette tradition américaine ridicule... A la rigueur, tu peux m'en
donner une petite bouchée de façon civilisée, avec une
fourchette.

— C'est promis, répondit Natalie, reconnaissante.

Contrairement à lui, elle était attachée aux rituels et
superstitions liés au mariage de ce côté de l'Atlantique.
La mariée devait par exemple porter « quelque chose de
neuf, quelque chose de vieux, quelque chose
d'emprunté et quelque chose de bleu ». Elle avait déjà
acheté une jarretière bordée de dentelle bleue et
conservait précieusement une pièce d'un penny, porte-
bonheur qu'elle glisserait dans son soulier, le grand
jour venu. A quarante et un ans, elle avait sans doute
passé l'âge de ces enfantillages, mais, alors qu'elle avait
presque perdu tout espoir de se marier un jour, son
rêve était en train de devenir réalité et elle voulait profiter à fond de son bonheur.

Et puis elle n'aurait pas besoin de passer deux heures
en cuisine pour choisir son gâteau, car elle avait une
idée très précise de ce qu'elle voulait : un moelleux au
chocolat fourré de ganache. Il serait nappé de crème au
beurre d'un coloris blanc cassé et décoré de rubans en
pâte d'amande ainsi que de fleurs naturelles. Elle
n'avait pas attendu l'accord d'Hugues pour montrer au
chef pâtissier une photo de cette création, découpée
dans un magazine. Après tout, elle espérait bien ne se
marier qu'une fois dans sa vie et n'avait pas l'intention
de réfréner ses désirs. Elle avait trouvé la robe idéale,
simple et élégante, parfaitement adaptée à une femme
de son âge. Même si Hugues, qui avait assisté à
d'innombrables mariages dans cet hôtel, semblait un

peu blasé, Natalie comptait bien l'impressionner. A la voir ainsi toute de blanc vêtue, il en aurait le souffle coupé... du moins elle l'espérait.

Un peu plus tard dans la matinée, tous deux quittèrent l'appartement. Natalie avait promis à Hugues de jeter un œil à une des chambres qui venait de subir un dégât des eaux : il voulait profiter de l'occasion pour la redécorer. Il avait quant à lui une douzaine de rendez-vous ce jour-là, ainsi qu'une réunion de la Fédération hôtelière. Au cours des dernières années, il avait effectué plusieurs mandats comme président de cette organisation, qui lui permettait de maintenir de bonnes relations avec ses homologues. Peu avant quinze heures, Héloïse émergea de son lit et se prépara pour son poste de l'après-midi, auquel s'ajouteraient deux heures de permanence au guichet de conciergerie, car elle avait promis de remplacer une collègue au pied levé.

Les jours suivants s'enchaînèrent à vive allure. Héloïse eut à peine le temps de se préparer pour sa fête d'anniversaire. Heureusement, elle avait passé tous les détails en revue avec Sally, qui dirigeait les opérations avec son sang-froid habituel. La salle était toute décorée de blanc et or : des bouquets de fleurs blanches trônaient sur chaque table, tandis qu'une multitude de ballons dorés flottaient au plafond. Le groupe qu'Hugues avait engagé assura une ambiance musicale endiablée jusqu'à quatre heures du matin, puis un petit déjeuner fut servi dans un salon adjacent à la salle de bal. Héloïse remercia chaleureusement son père : elle ne s'était jamais autant amusée !

Hugues et Natalie s'étaient éclipsés dès vingt-trois heures pour laisser les jeunes s'amuser entre eux, mais cela avait suffi à leur donner un avant-goût du mariage des plus agréables, d'autant que les efforts d'Héloïse pour être aimable semblaient se confirmer. Sa colère était retombée, envers son père comme envers Natalie. Elle avait enfin compris qu'elle ne risquait pas de le perdre et, même si elle ne se rejouissait pas encore du mariage, elle envisageait la situation avec plus de maturité. Elle avait avoué ses remords à Jennifer à son retour de Lausanne. En y repensant, elle avait un peu honte de s'être comportée de la sorte.

Pendant de longs jours, Natalie s'employa à résoudre le casse-tête que représentait le plan de table. En dépit du week-end prolongé, un peu plus de deux cents invités étaient attendus et la future mariée ne pouvait dissimuler son anxiété, même si tout se déroulait comme prévu jusqu'à présent. Elle n'avait jamais rien organisé d'une telle envergure : la tâche lui paraissait bien plus ardue que de concevoir la décoration d'une maison ou d'un appartement et de s'assurer que tous les artisans remplissaient bien le cahier des charges. Ce n'était vraiment pas sa tasse de thé et elle préférait s'en remettre aux conseils des professionnels du Vendôme, tout en évitant d'importuner Hugues par ses questions. Son fiancé n'avait pas besoin de cette surcharge de travail et, de plus, elle voulait le surprendre.

Selon la tradition américaine, un repas formel devait réunir les proches des mariés la veille du mariage. Ce dîner, précédé en principe d'une répétition de la cérémonie, était un événement bien plus simple à organiser, puisque Natalie n'avait pour toute famille que son frère, sa belle-sœur et leurs quatre enfants, et qu'Hugues n'en avait aucune, hormis Héloïse. En ajoutant les amis intimes et les invités venus de loin, le repas réunirait une soixantaine de convives et serait servi dans un des salons privés de l'hôtel. Il n'y aurait ni danse ni musique, cependant il fallait choisir les fleurs et la graphie des marque-places, ainsi que le menu et les vins. Natalie, aux prises avec une quantité phénoménale de plans, de listes et de tableaux, avait l'impression d'être un général d'état-major et elle restait en communication radio permanente avec Sally. Si elle ne tentait toujours pas d'impliquer Héloïse dans ces préparatifs, elle l'avait néanmoins invitée au repas organisé par ses amies en guise d'enterrement de vie de jeune fille. Naturellement, Héloïse avait refusé, prétextant qu'elle était de service ce soir-là, ce qui était vrai. Elle se sentait encore incapable de se réjouir à l'idée de ce mariage et estimait que sa présence aurait été hypocrite. En outre, elle préférait s'épargner le spectacle affligeant de ces femmes d'âge mûr offrant à Natalie des dessous coquins censés séduire son père.

Un mois auparavant, les employés masculins d'Hugues avaient préparé une surprise à l'intention de leur patron : un dîner marocain animé par des danseuses orientales. Ses rares amis, tous hôteliers, étaient également de la partie. Dans une ambiance détendue, Hugues avait été invité à danser avec les jeunes femmes. Les convives s'étaient bien tenus, ce qui n'était pas toujours le cas... Lors de ces enterrements de vie de garçon, le mauvais goût était souvent de mise et il n'était pas rare que les amis du marié fassent appel à des prostituées. Heureusement, personne n'aurait songé à agir de la sorte avec Hugues, qui ne mangeait pas de ce pain-là, et tous avaient passé une soirée bon enfant.

Quand arriva la veille du mariage, Natalie était au bord de la crise de nerfs. Elle avait réservé une chambre à un autre étage pour y suspendre sa robe de mariée et se préparer le jour J. Son frère et sa belle-sœur séjournaient à l'hôtel avec leurs deux garçons

– les jumelles, elles, étaient encore clouées au lit par la mononucléose. Quand Héloïse aperçut la future mariée dans le salon de coiffure, cet après-midi-là, elle s'arrêta au passage pour lui dire bonjour. Natalie, dont le visage était recouvert d'un masque à l'argile verte, ouvrit les yeux. Depuis une semaine, elles avaient à peine eu le temps de se croiser.

— Comment ça va ? demanda poliment Héloïse.

— C'est l'horreur, répondit Natalie, en évitant de trop bouger les lèvres, de peur de faire craquer son masque. Avec ce truc sur la figure, je ressemble à la sorcière dans *Le Magicien d'Oz*. Mais je n'ai pas le choix, parce que je suis en train de me couvrir de boutons. J'ai l'estomac tout retourné... Le chanteur du groupe ne pourra pas venir, il est coincé à Las Vegas, et je commence à penser que nous aurions mieux fait de nous marier en secret sur une île déserte.

— Ça va aller... Essayez de vous détendre, soupira Héloïse.

Jusqu'à présent elle n'avait rien fait pour l'aider, mais elle ne pouvait plus rester de marbre face à la détresse de Natalie.

— Voulez-vous que je parle à la commerciale ? demanda-t-elle d'une voix douce.

— Ça ne te dérangerait pas ? J'avoue que je n'ai aucune idée de ce que je suis censée faire, et je suis tellement stressée que je vais devenir dingue.

Elle se garda en revanche de lui avouer qu'elle était sous traitement et que ses médicaments avaient une fâcheuse tendance à aggraver sa nervosité. Hugues, qui était au courant, s'efforçait de la calmer et de la rassurer de son mieux, mais, étant donné les circonstances, ce n'était pas chose facile.

— D'accord, répondit Héloïse en souriant. Je passerai dans le bureau de Sally dès que j'aurai une pause. Pour le moment, ne vous occupez que de vos cheveux et de votre manucure. Laissez-nous gérer le reste, et tentez de faire une sieste.

Natalie opina du chef et la regarda quitter le salon de coiffure, soulagée. La hache de guerre semblait enterrée. La jeune fille ne lui avait certes pas présenté ses excuses ni déclaré son amitié, mais au moins elle ne la méprisait plus et s'adressait à elle normalement.

Trente minutes plus tard, Héloïse faisait le point avec Sally. En réalité, l'essentiel de la cérémonie était calé et elles réglèrent en peu de temps les détails de dernière minute laissés en suspens par Natalie et pour lesquels Sally attendait le feu vert. Puis, elles apportèrent des amendements que personne ne remarquerait sans doute, mais qui feraient toute la différence. La disposition des tables et la taille des compositions florales furent repensées. Les chaises ordinaires, utilisées lors des séminaires, furent remplacées par d'autres bien plus belles, mieux adaptées à la circonstance. L'arrivée des invités, l'emploi du temps, les plans de table et l'emplacement de la cérémonie, tout fut passé en revue et rectifié. La répétition initialement prévue avait été annulée, car la famille de Natalie arriverait trop tard, juste à temps pour le dîner de bienvenue. Sally remercia Héloïse : c'était gentil de sa part de s'impliquer de la sorte, alors qu'elle n'avait pas caché son hostilité à ce mariage. Soudain, la jeune fille s'aperçut que l'idée même de la cérémonie ne la rendait plus malade. Maintenant qu'elle avait accepté la situation, elle ne demandait pas mieux que de se rendre utile.

Héloïse rappela à Sally de faire livrer les fleurs de Natalie dans la chambre qu'elle avait réservée pour s'habiller. Outre le bouquet de la mariée, il ne fallait pas oublier celui que porterait sa belle-sœur, ni les fleurs qui orneraient sa coiffure. Quant à la boutonnière d'Hugues, un petit brin de muguet, il faudrait la lui apporter à l'appartement.

— Et toi alors ? Tu ne porteras pas de bouquet ? se risqua à demander Sally.

— Oh non, je ne suis pas demoiselle d'honneur, ni quoi que ce soit de ce genre. Je ne fais pas partie du cortège, répondit Héloïse, un peu gênée.

— Ah bon ?

Jusqu'à présent, Héloïse n'avait pas officiellement accepté la demande de son père, ni même confirmé sa seule présence au mariage. Sally, sa vieille amie, la regarda d'un air interrogateur.

— Mon père n'a pas voulu choisir de garçon d'honneur, finit-elle par dire. Tu sais, il est tellement européen... Il préfère que je sois son témoin. Et si tu me commandais une boutonnière de muguet, à moi aussi, plutôt qu'un bouquet ? Je l'épinglerai à ma robe. Ou bien une rose blanche... Non, va pour le muguet. Comme ça, on verra que je suis du côté de papa.

Les petites clochettes avaient toujours été ses fleurs favorites et elle trouvait qu'elles conféraient beaucoup de charme aux bouquets de mariées. De son côté, Natalie s'était décidée pour des fleurs plus sophistiquées : de superbes orchidées blanches, de la variété *phalaenopsis*, qui s'accorderaient parfaitement avec sa robe.

Sally et Héloïse se quittèrent satisfaites. La jeune fille adorait les mariages et possédait un sens inné du détail ; elle avait fait d'excellents choix.

Elle monta ensuite à l'appartement pour déjeuner sur le pouce. Elle trouva Natalie allongée sur le canapé.

— Comment ça va ? demanda-t-elle, pleine de sollicitude.

— Pas très bien, j'ai les nerfs en pelote. Tu as vu Sally ?

— Oui, tout est sous contrôle, répondit Héloïse avec un sourire rassurant. Essayez de ne plus penser à rien. Vous n'avez qu'à vous laisser porter jusqu'à demain. Qu'allez-vous mettre pour le dîner ?

Héloïse elle-même n'avait pas réfléchi à sa toilette et n'avait pas fait d'achats pour l'occasion.

— Une robe de satin bleu. Les centres de tables sont bleus, eux aussi.

— Oui, je sais, je viens de tout passer en revue. Une tasse de thé, ça vous dirait ?

Natalie acquiesça, l'air toujours aussi anxieuse. Elle parvint cependant à sourire, reconnaissante, quand Héloïse lui tendit une tasse d'earl grey quelques minutes plus tard. Elle était sincèrement impressionnée par la métamorphose de la jeune fille. Hugues avait eu raison depuis le début. « Elle se calmera », ne cessait-il de répéter.

— Quelle étrange situation, dit Natalie, après avoir avalé une petite gorgée de thé brûlant. Voilà que ma future belle-fille me materne, alors que ma mère, elle, ne s'est jamais montrée attentionnée. Elle nous traitait comme des étrangers, mon frère et moi. Elle était si froide et si conventionnelle... Par sa seule attitude, elle semblait dire : « Vous ne pouvez pas être mes enfants, voyons ! Comment vous aurais-je conçus ? Il eût fallu que je me dévêtisse ! »

Héloïse sourit à cette description imagée. Sa propre mère n'était pas triste non plus, quoique dans un tout autre genre...

— A la mort de mon père, quand j'avais douze ans, elle m'a envoyée en pension, reprit Natalie. A partir de là, je ne l'ai plus beaucoup vue. Elle a déménagé en Europe et ne nous a plus fait venir que pour les vacances, mon frère et moi. Lui non plus, je ne le voyais pas souvent. Il a dix ans de plus que moi, et il a lui aussi passé toute son adolescence en internat. Je n'ai pas eu l'occasion de le connaître vraiment avant la fin de mes études, mais aujourd'hui nous nous entendons très bien. Il était déjà grand quand notre père est mort, mais pour lui aussi notre mère est restée un mystère. Lors de ses funérailles, alors que j'étais encore étudiante, j'ai eu l'impression d'assister à l'enterrement d'une inconnue. Les femmes comme elle ne devraient pas avoir d'enfants... Seulement c'était ce que l'on attendait d'elle, et elle n'aurait jamais remis en question les conventions sociales. Je me demande bien quel genre de vie elle a mené, après la mort de mon père, si elle a eu un nouveau compagnon... La seule chose que je sais, c'est qu'elle jouait beaucoup au bridge. Avec moi, elle ne parlait que du temps qu'il faisait et des bonnes manières. Donc, finalement, je crois qu'elle n'aurait pas pu m'aider pour ce mariage, si elle avait été encore de ce monde. Merci d'avoir parlé à Sally, Héloïse.

La jeune fille écoutait en souriant, pensive et touchée par le récit de Natalie.

— Ma mère à moi est spéciale, elle aussi. J'imagine que papa vous a parlé d'elle... Elle l'a quitté quand j'avais quatre ans pour une rock star, un type qui passe son temps à se droguer et qui ne se déplace jamais sans sa cour, une foule de gens aussi tarés que lui. Ma mère adore ça. Ensemble, ils ont eu deux enfants dans la foulée, et elle m'a vite oubliée. C'est un peu le même topo qu'avec vous : elle me parle comme si j'étais une inconnue, ou la fille d'une copine. Je la vois une fois par an environ, quand elle parvient à me caser dans son agenda. J'ai l'impression qu'elle a divorcé de moi en même temps que de mon père.

— Ça doit faire vraiment mal, dit Natalie, compatissante.

Elle lisait une profonde détresse dans les yeux d'Héloïse. Quelle étrange coïncidence ! C'était leur première conversation digne de ce nom, et, déjà, les deux femmes se découvraient un point commun inattendu. Elles appartenaient toutes deux aux Enfants de Mères Inadaptées Anonymes, comme Natalie les appelait avec ses amies... Ou bien était-il plus exact de parler des Enfants de Mères Indignes ? Hélas, elles étaient légion de par le monde et infligeaient à leurs enfants des blessures indélébiles. Natalie n'avait réussi à surmonter ses souffrances que grâce à des années de psychothérapie.

— Oui, c'est horrible, reconnut Héloïse, qui préférait généralement éviter d'y penser.

— Je me rappelle que je pleurais pendant des semaines après chaque période de vacances, poursuivit Natalie. C'est dur à dire, mais j'ai beaucoup moins souffert après sa mort. Là, au moins, elle ne pouvait plus me décevoir. C'est moins pire que quand vos parents essaient sciemment de vous éviter ou qu'ils se comportent comme s'ils ne se souvenaient pas de vous.

— Moi aussi, j'ai horreur d'aller la voir, renchérit Héloïse.

A l'idée de pouvoir partager ce fardeau avec quelqu'un d'autre, en toute franchise, la jeune fille se sentit soudain soulagée ; elle n'abordait jamais ce sujet avec son père. La seule mention du nom de Miriam le mettait dans une colère noire. Elle préférait passer les pires détails sous silence quand elle lui racontait ses séjours chez elle, refusant, en outre, de se montrer déloyale.

— J'ai toujours l'impression d'être la cinquième roue du carrosse, poursuivit-elle. Quand je suis chez ma mère, elle me traite comme une parfaite inconnue et s'occupe plus de ses invités que de moi. Et elle ne se débrouille pas beaucoup mieux avec mon frère et ma sœur. Ils sont horriblement mal élevés, voire pas élevés du tout... Je ne comprends pas pourquoi elle m'a abandonnée sans scrupule.

— Tu n'as rien à te reprocher, expliqua Natalie. Le problème vient d'elle. J'ai mis des années à l'accepter, mais il y a des personnes, comme ta mère ou la mienne, qui ont le cœur sec. Elles sont incapables de donner quoi que ce soit à qui que ce soit. Alors inutile de te torturer à te demander ce que tu as bien pu faire – ou oublier de faire – pour mériter autant de mépris. Elle est comme ça, point final.

— C'est vrai...

Ce fut comme un déclic dans l'esprit de la jeune fille. Elle venait de comprendre ce que Natalie savait depuis longtemps déjà.

— C'est peut-être pour ça que je n'ai pas eu d'enfants. J'avais trop peur de ressembler à ma mère et de les faire souffrir, avoua Natalie.

— Moi aussi, j'ai peur d'avoir des enfants, dit doucement Héloïse. Mon père s'en est très bien sorti, mais cela n'a jamais été facile d'expliquer à mes amis que ma mère ne voulait pas de moi et qu'elle vivait sa vie à l'autre bout du monde. Bon, d'accord, quand j'étais plus jeune, mes copines étaient épatées que Greg Bones soit mon beau-père, mais je vous assure que ça ne fait plus rêver personne... Ce type est répugnant.

— Au moins, tu avais ton père, observa Natalie. Le mien était presque aussi froid que ma mère. Dans le fond, ils détestaient autant les enfants l'un que l'autre.

— C'est vrai, papa est génial, acquiesça la jeune fille.

Les deux femmes se regardèrent un long moment. Désormais, Héloïse devrait partager Hugues avec Natalie. L'idée ne lui paraissait plus aussi révoltante. Elle commençait même à comprendre pourquoi il était tombé amoureux d'elle. Natalie était honnête, franche, attentionnée et d'une bonne volonté à toute épreuve : au cours des six derniers mois, elle avait réussi à ne pas sortir de ses gonds, en dépit de l'attitude inacceptable d'une certaine jeune fille.

— Merci de m'avoir aidée pour le mariage, reprit-elle au bout d'un moment. Tout ça me fait encore tellement peur...

Natalie semblait si jeune et si vulnérable ! C'était une personne très humaine, qui avait souffert dans son enfance. Sa rencontre avec Hugues l'avait comblée de bonheur, et elle n'avait rien à voir avec la rivale menaçante, la Mata Hari conquérante, que redoutait Héloïse...

— La cérémonie va bien se passer, je vous le promets. Et si le moindre problème survenait, ne vous inquiétez pas, je m'en chargerais, avec ou sans l'aide de Sally. C'est votre journée à vous. Détendez-vous et profitez-en au maximum.

— Je ne me serais jamais imaginé qu'organiser un mariage était si stressant et si compliqué... Je ne m'imaginais même pas me marier un jour... Je me suis laissé complètement déborder par ces milliers de choses auxquelles il faut penser !

— Oh, en fait ce n'est pas si difficile. La préparation d'un mariage, ce n'est qu'une liste de petits détails tout bêtes. La décoration d'intérieur est beaucoup plus complexe, à mon avis. Je serais bien incapable de faire votre métier... Vous êtes très douée. A propos, j'adore mon appartement : mes copines sont vertes de jalousie !

— Tout le plaisir était pour moi, dit Natalie en souriant.

Elle se leva du canapé, visiblement plus détendue. De peur de la brusquer, ou de franchir trop vite la distance qui les séparait encore, elle résista à son envie de prendre la jeune fille dans ses bras. Quel chemin parcouru en moins d'une heure, cependant ! Héloïse, grâce aux confidences de Natalie, avait fait le ménage de ses vieilles rancœurs et s'était débarrassée de ses préjugés. Toutes deux respiraient désormais un air plus frais.

— Ma pause est presque finie, il faut que j'y retourne, soupira Héloïse en remettant sa veste de tailleur et ses escarpins. A ce soir pour le dîner ! N'oubliez pas : vous n'avez rien d'autre à faire qu'être la plus belle et passer une bonne soirée. Pour le reste, faites-nous confiance.

— Merci du fond du cœur, répondit Natalie, sincèrement touchée. Je vais essayer. Au fait, il serait grand temps de me tutoyer, tu ne crois pas ?

— Tu as raison... dit Héloïse avec un sourire, avant de quitter l'appartement pour reprendre son poste.

Cinq minutes plus tard, Hugues entrait dans la pièce.

— Qu'est-ce que tu fais là ? demanda-t-il, surpris de trouver sa fiancée à la maison en ce début d'après-midi. Tu as l'air bizarre…

— J'essaie de me remettre de mes émotions. Figure-toi que je viens d'avoir une conversation des plus agréables avec ta fille.

— Ah bon ? A propos de quoi ? s'étonna-t-il en s'asseyant près d'elle.

— De nos mères. Elle m'a parlé de Miriam et je lui ai dit que la mienne n'était pas un ange non plus. Elle avait un style et un mode de vie bien différent, mais en réalité c'était exactement le même type de personne : un monstre de narcissisme, qui n'aurait pas dû avoir d'enfants. Quel soulagement, de pouvoir enfin communiquer avec ta fille. C'est une bonne petite. Elle a même proposé de m'aider pour le mariage. Si tu savais comme ça m'a fait plaisir…

La voix de Natalie se brisa et des larmes d'émotion jaillirent de ses yeux. Après avoir vaillamment résisté à la tension des derniers mois, avec l'aide de sa thérapeute, elle lâchait prise.

— Je sais, ma chérie. Moi aussi, je suis très content qu'elle soit passée te voir, répondit Hugues en la prenant dans ses bras. A part ça, je te trouve très belle. Tu as quelque chose de prévu cet après-midi ?

— Non, pourquoi ? J'avais l'intention de faire une sieste avant le dîner, et j'ai un massage à dix-sept heures.

— Parfait ! Mon rendez-vous de quinze heures vient d'être annulé, dit-il en ôtant son veston. Je vais me faire couper les cheveux à dix-huit heures, mais, avant, j'ai bien envie d'une sieste, moi aussi…

Il lui lança un regard canaille et tous deux se précipitèrent dans la chambre à coucher comme de mauvais garnements. En une seconde, leurs vêtements volèrent à travers la pièce. Il la rejoignit sous les draps, puis lui fit l'amour avec la fougue d'un adolescent. Natalie croyait à peine à son bonheur : dans moins de vingt-quatre heures, elle serait unie pour toujours à cet homme merveilleux.

19

Le soir venu, le dîner se déroula sans anicroche. Dans sa robe courte à bustier bleu glacier, Natalie était radieuse, et les boucles d'oreilles en diamant qu'Hugues venait de lui offrir s'accordaient merveilleusement à sa bague de fiançailles. Un rang de perles, hérité de sa mère, complétait sa tenue.

Héloïse, de son côté, avait déniché au fond de son placard une petite robe de cocktail noire, toute simple, parfaite par conséquent, car tous les regards seraient tournés vers Natalie : il ne s'agissait pas de lui voler la vedette ! Héloïse s'entendit très bien avec James, le frère de Natalie, et son épouse Jean, qui boitillait de son mieux avec sa cheville plâtrée. Et elle trouva charmants leurs deux fils. Le cadet, âgé de dix-sept ans, intégrerait la prestigieuse université de Princeton à la rentrée. Son frère aîné, Brad, vingt-cinq ans, étudiait le droit à Columbia. Ajoutons que sa beauté ne passait pas inaperçue. Héloïse et lui n'eurent pas beaucoup l'occasion de se parler au cours de la soirée, néanmoins il sembla intrigué par la forte personnalité de la jeune fille, qui lui promit de poursuivre la conversation le lendemain midi : ils seraient assis à la même table lors du repas de mariage.

James et Hugues prononcèrent chacun un discours, et Jean lut un poème de sa composition, des strophes pleines d'esprit dans lesquelles elle arrivait à cette conclusion fort heureuse : les mariés étaient faits l'un pour l'autre ! Maintenant qu'elle connaissait un peu l'histoire de sa future belle-mère, Héloïse elle-même dut admettre que le texte était à la fois touchant et drôle. Quant à Natalie, elle fut sensible aux petites attentions de chacun. Après le repas, Hugues l'accompagna jusqu'à la suite où elle avait entreposé sa robe et ses accessoires : il ne la verrait plus jusqu'au moment de la cérémonie, car elle voulait ménager le suspense aussi longtemps que possible. Il l'embrassa donc tendrement sur le seuil, avant de regagner l'appartement de direction en compagnie de sa fille.

Après des mois de rejet farouche, Héloïse regrettait presque que Natalie ne soit pas avec eux. Aussi incroyable que cela puisse paraître, depuis qu'elles avaient échangé des confidences dans l'après-midi, elle était impatiente de la connaître davantage.

— Alors papa, tu as le trac ? demanda-t-elle.

— Un peu, je l'avoue. C'est une étape importante dans la vie d'un homme, même pour un vieux chnoque comme moi, surtout que je n'aurais jamais imaginé me remarier un jour.

— Tu n'es pas vieux, voyons ! Moi, je te trouve jeune et beau.

— Merci, ma chérie. Dis-moi, acceptes-tu d'être mon témoin ?

— Bien sûr, papa.

Hugues eut l'impression d'être libéré d'un poids. En consentant à jouer un rôle dans la cérémonie, Héloïse acceptait symboliquement la femme qu'il avait choisie. A présent, la jeune fille regrettait de ne pas avoir acheté de vêtements neufs pour l'occasion. Elle se souvint cependant d'une robe à bustier d'un coloris or pâle poudré, qu'elle avait portée pour la Saint-Sylvestre, trois ans auparavant. Elle était sobre, élégante et pas trop décolletée. Un boléro assorti lui permettrait de se couvrir pendant la cérémonie, puis elle dévoilerait ses épaules quand viendrait le moment de danser...

Après qu'Hugues fut allé se coucher, elle erra un moment dans l'appartement. A la réflexion, elle ne s'y sentait plus à sa place. Non pas que Natalie l'ait poussée vers la sortie... Elle avait grandi et se sentait mûre pour partir, tout simplement. C'était décidé : elle emménagerait dans son nouveau chez-elle pendant que les mariés seraient en voyage de noces. Désormais, elle ne ressentait plus le besoin de défendre son territoire. Il n'était plus menacé.

Le lendemain, Héloïse se leva dès six heures du matin, ainsi qu'elle l'avait toujours fait les jours de grand mariage. Elle passa en vitesse un jean, un tee-shirt et une paire de sandales, puis descendit admirer la mise en place de la salle de bal. Les deux assistantes de Sally supervisaient l'installation des tables et de l'estrade, tandis que Jan disposait les arrangements floraux et que Bruce, campé en évidence à l'entrée de la salle, veillait. Héloïse échangea quelques mots avec chacun d'eux et passa les derniers détails en revue. A sept heures, elle fit un détour par l'office du service d'étage, afin de s'assurer que Natalie avait commandé son petit déjeuner. Puis elle monta la voir. La future mariée semblait au bord de la crise de nerfs.

— Tout va bien se passer, lui assura la jeune fille. Je viens de la salle de bal. Chacun est à son poste et la déco est somptueuse.

Le garçon d'étage arriva peu de temps après et Héloïse tint compagnie à Natalie pendant qu'elle déjeunait, avant de remonter à l'appartement. Hugues dormait encore et elle se sentit un peu désœuvrée ; elle avait promis à Natalie de revenir deux heures plus tard pour l'aider à s'habiller, juste avant l'arrivée de la maquilleuse et de la coiffeuse. Xenia, celle qui lui tressait les cheveux quand elle était petite, avait pris sa retraite l'année précédente, mais le salon avait récemment embauché plusieurs jeunes employées très compétentes.

Héloïse décida donc de procéder à des essayages et de se préparer tranquillement. La robe dorée lui allait encore comme un gant. Elle se maquilla légèrement, releva ses cheveux en un chignon sans fioritures et enfila une paire de sandales à talons, assortie à sa robe. A dix heures et demie, elle frappa de nouveau à la porte de Natalie.

Ce fut Jean qui lui ouvrit.

— Comment va la mariée ? demanda Héloïse sur le ton d'une conspiratrice.

Elle s'aperçut soudain qu'elle était maintenant impliquée à part entière dans le mariage, alors qu'elle n'avait rien voulu en savoir au cours des cinq derniers mois.

— Elle est morte de peur, murmura Jean en la laissant entrer.

En dépit de sa nervosité, Natalie était rayonnante. La coiffeuse était en train d'enrouler ses cheveux en un élégant chignon banane, qui lui donnait l'air d'un mannequin ou d'une star de cinéma. Pétrifiée par le trac, elle arrivait à peine à aligner deux mots, ce qui ne l'empêcha pas de suivre la conversation animée dans laquelle Héloïse et Jean s'étaient engagées. La jeune fille lui fit servir un thé et un biscuit, qu'elle accepta avec gratitude.

A midi sonné, elles entreprirent de l'aider à s'habiller. Elles ne furent pas trop de deux pour soulever précautionneusement le long fourreau de dentelle blanche au-dessus de sa tête, qu'elles laissèrent ensuite glisser jusqu'au sol le long de sa fine silhouette. Ainsi moulée dans cette robe à manches longues, col cheminée et traîne interminable, Natalie était éblouissante. Reculant pour juger de l'effet produit, Héloïse et Jean en eurent le souffle coupé. Natalie avait tenu à porter une vraie robe de mariée ; celle qu'elle avait choisie, sobre et du meilleur goût, convenait parfaitement à son âge ainsi qu'à l'heure de la cérémonie. L'esthéticienne avait réussi à sublimer son teint de pêche de façon subtile : elle ne semblait presque pas maquillée. Avec sa petite coiffe de dentelle et son long voile, elle avait l'air d'une épousée de l'ancien temps, tandis que son bouquet d'orchidées apportait une note contemporaine, qui complétait l'ensemble à merveille. Peu de mariées du vingt et unième siècle incarnaient aussi bien la grâce, l'élégance et la féminité. Héloïse avait hâte de voir la réaction de son père : aussi amoureux fût-il, il ne pouvait s'attendre à une apparition si féerique !

— Je n'ai jamais vu de plus jolie mariée, pourtant je t'assure que j'ai de l'expérience dans ce domaine... dit Héloïse en toute sincérité.

Jean approuva. Elle portait, quant à elle, une longue robe de soie bleu marine, une veste brodée de perles et des escarpins en satin. Sa tenue lui conférait un air respectable, très « mère de la mariée », qui lui seyait à ravir.

A peine Natalie fut-elle habillée que Jennifer apparut dans la suite pour vérifier que tout se passait bien. Elle resta sans voix, tant la fiancée de M. Martin était éblouissante ! Elle partit à regret après quelques minutes. Pour l'ensemble du personnel aussi, c'était un grand jour.

Héloïse, assistée de Jean, accompagna alors Natalie jusqu'à l'ascenseur de service, qu'elle avait fait tapisser de draps et de doublure de mousseline, de façon à ne pas abîmer la robe. On pouvait dire qu'elle avait pensé à tout ! Elle replia soigneusement la traîne avant d'actionner la porte, puis appela Sally sur sa radio afin de s'assurer que tout était prêt pour leur arrivée. Héloïse avait fini par s'équiper d'une oreillette et d'un micro, comme tous les acteurs clés de la cérémonie. Le déroulement des opérations était chronométré avec autant de précision qu'un hold-up de grande envergure ! C'était tout de même le mariage du patron...

Sally confirma qu'Hugues était en place, juste devant l'autel. Tous les invités étaient installés.

— C'est parti mon kiki ! lança-t-elle, en pouffant de rire dans son émetteur.

Au moment où la porte de l'ascenseur s'ouvrit, l'orchestre entonna un air de musique classique. Héloïse et Jean lissèrent les plis de la robe, redressèrent le voile et la traîne et attendirent que Sally vienne les chercher. Un large sourire se dessina sur le visage de la responsable des noces et banquets quand elle vit Natalie.

— Quand vous voudrez, madame Martin, lui dit-elle, ce qui fit aussitôt monter les larmes aux yeux de la mariée.

— Interdit de pleurer, la sermonna Héloïse. Il ne s'agit pas de faire couler ton mascara !

— J'ai tellement hâte... et tellement peur en même temps ! bredouilla-t-elle.

— Tout va bien, ne t'inquiète pas. Je te laisse avec Sally.

Brad escorta Jean et Héloïse jusqu'à l'autel, et chacun rejoignit la place qui lui revenait : Jean se posta entre ses deux fils, du côté de la mariée, et Héloïse près de son père. James, lui, était déjà sorti, car c'était lui qui accompagnait Natalie jusqu'à l'autel. Hugues embrassa sa fille sur la joue, pressa ses mains dans les siennes, puis sourit en remarquant qu'elle arborait un brin de muguet épinglé à son vêtement. Il semblait aussi anxieux que sa promise. Tout à coup, la musique de Haendel résonna et Natalie apparut dans l'encadrement de l'immense porte de la salle de bal, au bras de son frère. A pas lents, elle remonta l'allée centrale, resplendissante, arborant en apparence un calme souverain. Se tournant vers son père, Héloïse s'aperçut combien il était bouleversé.

Quelques instants plus tard, le pasteur les déclarait mari et femme. Hugues embrassa Natalie et aussitôt après il serra sa fille dans ses bras. Puis il se tourna vers l'assistance, tenant par la taille les deux femmes de sa vie. Il n'aurait pas pu envoyer plus fort message de loyauté à son enfant chérie : il ne l'abandonnerait jamais et tous trois formaient désormais une seule famille. A son tour, Natalie embrassa Héloïse, dont les larmes coulaient. Il n'y eut bientôt plus un œil de sec dans toute l'assemblée...

La musique reprit, tandis qu'Hugues, Natalie, Héloïse et la famille de James, en rang d'oignons, saluaient chacun des deux cent quatorze invités. Les employés les plus anciens de l'hôtel étaient présents. La fête pouvait commencer ! Par petits groupes, les invités posèrent pour le photographe avec les mariés dans un salon adjacent. Tout le monde passait un bon moment, les amuse-bouche étaient délicieux, et l'orchestre était de grande qualité.

Les mariés ouvrirent le bal, puis Hugues invita Héloïse, tandis que Natalie dansait avec James. En début d'après-midi, les convives prirent place aux tables qui leur étaient assignées pour le déjeuner tardif. Quand Héloïse s'assit à côté de Brad, le neveu de Natalie, elle était trop excitée pour manger. Les deux jeunes gens s'engagèrent dans une conversation animée au sujet de leurs études. Brad semblait fasciné par le parcours d'Héloïse, et surtout par sa personnalité piquante et hors du commun. Après qu'il l'eut invitée une première fois pour une valse, ils ne quittèrent presque plus la piste de danse. Natalie ne manqua pas de s'en apercevoir et le fit remarquer à Hugues. Ce dernier jeta un regard discret en direction de sa fille, hypnotisée par ce grand et beau jeune homme qui la dévorait des yeux.

Le moment tant attendu de la pièce montée arriva. Les mariés en découpèrent un morceau ensemble, puis Natalie, fidèle à sa promesse, se contenta d'en donner une petite bouchée à Hugues, trop heureux d'échapper à la traditionnelle mais humiliante séance de barbouillage. Finalement, il s'amusait comme un fou à son propre mariage, sans pour autant déroger à ses bonnes manières européennes ! Il embrassait sa femme toutes les deux minutes, dansait avec elle dès que ses invités lui en laissaient le temps, et il aurait bien aimé faire swinguer sa fille si celle-ci avait cessé un instant de se trémousser sur la piste avec Brad...

Natalie annonça soudain qu'elle allait lancer son bouquet. Elle se jucha sur un petit podium recouvert pour l'occasion de fleurs et de satin blanc, ce qui contribua à faire de ce moment un tableau des plus photogéniques. Toutes les femmes célibataires se rassemblèrent autour de la mariée pour tenter d'attraper les fleurs au vol. Naturellement, Héloïse était parmi elles : elle en avait si souvent rêvé quand elle était petite ! D'ailleurs, lorsque Sally ou son père n'étaient pas là pour la surveiller, il lui était arrivé de se mêler discrètement à la foule des invitées... Là, elles étaient près d'une trentaine à retenir leur souffle. Ses chances étaient donc plutôt minces. Or, à cet instant précis, le regard de Natalie croisa le sien. La mariée visa et, comme au ralenti, son projectile atterrit pile dans la main tendue de sa belle-fille. Des acclamations s'élevèrent dans toute la salle, tandis qu'Héloïse, brandissant le bouquet au-dessus de sa tête comme un trophée, articulait un grand « Merci » en direction de Natalie. Le sourire d'Hugues était encore plus large que le sien : les deux femmes de sa vie avaient appris à s'aimer !

La musique reprit et Brad rejoignit sa cavalière. L'ambiance se faisait de plus en plus animée au fil de l'après-midi.

— C'est dangereux de te fréquenter, si tu dois être la prochaine à te marier... dit-il en désignant le bouquet. Mais je ne suis pas du style à me laisser impressionner ! Tu danses ?

Héloïse posa son précieux butin sur la table avant de suivre son partenaire sur la piste. Beaucoup plus tard, Sally vint lui annoncer qu'Hugues et Natalie s'étaient éclipsés. La jeune fille pouvait néanmoins continuer à s'amuser, car Jean avait accompagné sa belle-sœur pour l'aider à se changer.

241

Les deux tourtereaux s'envolaient le soir même. Raison pour laquelle ils avaient opté en faveur d'un déjeuner de mariage plutôt qu'un dîner : selon la vieille tradition, ils partiraient alors que la fête battait encore son plein. Ils feraient étape au Bel-Air Hotel de Los Angeles et arriveraient au Mexique le lendemain.

Quand Sally vint les chercher, Héloïse et Brad, suivis d'une foule d'invités, se dirigèrent vers le hall de l'hôtel. La Rolls était garée devant la porte à tambour et les portiers distribuaient des pétales de roses à tout le monde. Quelques minutes plus tard, les jeunes mariés apparurent. Hugues portait un costume de lin beige, une chemise blanche et une cravate Hermès jaune pâle, tandis que sa femme était vêtue d'un tailleur blanc de chez Chanel : tous deux, souriants sous la pluie de pétales de roses, paraissaient sortis d'une couverture de magazine. Hugues aperçut Héloïse et l'attira à lui.

— Je t'aime, ma fille, dit-il en la serrant de toutes ses forces contre son cœur.

Natalie l'embrassa elle aussi, puis ils montèrent à bord de la voiture et s'éloignèrent dans les hourras de la foule qui leur adressait comme un seul homme de chaleureux signes de la main. Héloïse les suivit du regard pendant une bonne minute, se sentant soudain étrangement abandonnée.

— Ça va aller ? lui demanda Brad en lui effleurant le bras.

— Oui, tout va bien, répondit-elle tout en tentant de cacher les larmes qui perlaient au coin de ses yeux. Que je suis bête ! Ils reviennent dans deux semaines à peine...

La présence de Brad opéra comme un charme. Ils retournèrent dans la salle de bal et y découvrirent Bruce et Jennifer en train de danser un pas compliqué : Héloïse sourit ; elle dut avouer qu'ils s'en sortaient plutôt bien. Les imitant, elle se lança dans la fête à corps perdu et Brad et elle furent parmi les derniers à partir.

Héloïse invita ensuite les deux neveux de Natalie, ainsi que plusieurs autres jeunes, à manger des hamburgers dans son appartement. Ils commandèrent aussi de la bière et, plus tard dans la soirée, des pizzas. La suite résonna de rires et de bavardages jusqu'à minuit passé. Quand l'heure fut venue de prendre congé, Brad sembla avoir le plus grand mal à se séparer de sa belle hôtesse. Il lui dit qu'il avait prévu de passer la journée du lendemain avec ses parents, avant qu'ils ne rentrent à Philadelphie, mais qu'il aimerait dîner avec elle la semaine suivante, si elle était d'accord. Héloïse acquiesça avec un sourire. Quelle chance qu'il étudie ici, à Columbia, plutôt que dans une quelconque université éloignée de New York ! Il lui promit de l'appeler afin de fixer un rendez-vous. Pour la première fois, Héloïse passa la nuit dans sa nouvelle chambre. L'appartement de direction lui aurait semblé bien trop vide, sans son père et sans Natalie. Dès le lendemain, elle déménagerait ses affaires.

Elle repassa dans sa tête le film de cette journée mémorable : la cérémonie, le bal, tous ces nouveaux visages, la danse avec son père, le bouquet de la mariée et bien sûr sa rencontre avec Brad... Une page importante venait de se tourner pour chacun d'entre eux, à n'en pas douter.

Quant aux jeunes mariés qui traversaient le ciel étoilé en direction de Los Angeles, ils trinquaient au champagne et s'embrassaient en se tenant par la main. Soudain, le commandant de l'avion annonça que deux passagers étaient en lune de miel.

— Félicitations à Natalie et Hugh ! dit-il, raccourcissant à l'anglaise le prénom d'Hugues.

Ils sourirent, rayonnants de bonheur, sous les vivats des voyageurs.

20

Alors qu'Hugues et Natalie profitaient de leur séjour de rêve sur la plage privée de l'extraordinaire One and Only Palmilla, Héloïse travaillait sept jours sur sept et veillait au grain. Même si deux directeurs adjoints remplaçaient officiellement son père, l'œil aguerri de la jeune fille n'était pas de trop pour les aider à s'assurer que tout se passait bien et que le personnel continuait à se comporter de façon irréprochable en l'absence du patron. En dépit de ses lourds horaires de travail, elle trouva le temps de dîner avec Brad Peterson, quelques jours après le mariage. Lui non plus ne chômait pas : il suivait des cours d'été, qui lui permettraient d'accélérer l'obtention de son diplôme de droit. Pour le moment, il hésitait entre une carrière de fiscaliste et celle d'avocat spécialisé dans le show-business, ces deux domaines l'intéressant à part égale. Ce dont il était sûr, en revanche, c'était qu'Héloïse l'intriguait. Il l'emmena dîner près de son université, dans un restaurant chinois qui grouillait d'étudiants, même en cette période estivale. Héloïse lui parla encore de son expérience à l'Ecole hôtelière et de son stage au George V, mais surtout de sa vie au Vendôme.

— Ce doit être génial, de grandir dans un endroit pareil, dit-il. Est-ce que tu penses reprendre un jour le flambeau à la suite de ton père ? Je suis sûr que tu en serais capable.

— Je ne sais pas trop. Je crois que j'aimerais mieux le seconder. En tout cas, je n'arrive pas à imaginer le Vendôme sans lui. C'est vraiment son bébé et il peut être fier de lui. Nous proposons exactement les mêmes services que les plus grands hôtels, quoique avec moins de chambres, et nos clients sont triés sur le volet.

Brad lisait dans les yeux de la jeune fille toute l'admiration qu'elle vouait à son père. En revanche, elle ne lui parla guère de sa mère, si ce n'est pour lui expliquer que ses parents avaient divorcé quand elle avait quatre ans. Il fut surpris d'apprendre que Miriam avait épousé Greg Bones en secondes noces. Héloïse semblait toujours avoir quelque chose d'intéressant ou d'insolite à raconter. Bien qu'américaine, elle avait quelque chose de très européen dans ses manières. Il adorait son style vestimentaire, tout à la fois jeune, chic et sexy. Elle l'attirait de plus en plus. Et elle lui paraissait moins vaine que les autres filles rencontrées jusqu'alors...

Lors de leur deuxième rendez-vous, le week-end suivant, il l'emmena dîner au Café Cluny, dans le quartier branché de West Village. Le dimanche soir, elle l'invita à regarder des DVD dans son appartement, où ils se firent livrer des plateaux télé par le service d'étage. Ils réussirent à se revoir deux fois dans le courant de la semaine. Dans l'intervalle, ils avaient échangé leurs premiers baisers et étaient en train de tomber amoureux avec l'ingénuité de deux écoliers.

Quand Hugues et Natalie rentrèrent de leur voyage de noces, Brad et Héloïse ne se quittaient plus. Tout l'hôtel s'était habitué aux fréquentes visites du jeune homme. On trouvait que la fille du patron et lui formaient un bien joli couple.

Héloïse fut heureuse de retrouver son père et Natalie, bronzés, heureux et détendus. Au cours du dîner, le soir de leur retour, Hugues observa qu'elle avait déménagé la plupart de ses affaires dans son appartement.

— C'était trop triste ici, sans vous. J'avais envie de changer d'air. Et puis vous avez besoin d'intimité. Tout comme moi, d'ailleurs.

Hugues ne manqua pas de relever cette dernière remarque. Qu'avait-elle bien pu faire de son peu de temps libre, en leur absence ?

— On s'est beaucoup vus, Brad et moi, dit-elle en toute transparence.

— Alors comme ça, c'est sérieux, entre vous ? demanda Natalie.

Hugues sursauta, tandis qu'Héloïse haussait les épaules, un sourire mystérieux flottant sur ses lèvres. Ils n'étaient pas partis quinze jours que sa fille avait déjà un nouvel amoureux ? Après tout, c'était de son âge... Elle n'avait pas eu de véritable relation depuis sa rupture avec François. De plus, Natalie lui avait bien dit, avant le mariage, que son neveu était un garçon charmant et qu'il plairait sans doute à Héloïse.

— Je ne sais pas, il est encore trop tôt pour savoir...

— Voilà qui est intéressant, dit Natalie avec un sourire.

Elle soupçonnait qu'Héloïse et Brad n'avaient pas encore couché ensemble, mais que cela n'allait pas tarder... Après tout, la jeune fille ne pouvait pas vivre pour son seul travail ! Hugues savait par ses employés à quel point elle s'était investie dans l'hôtel en son absence. Non contente de s'acquitter à la perfection de ses tâches de réceptionniste, elle avait eu l'œil à tout. Il pouvait être fier d'elle, si responsable et si zélée.

Hugues et Natalie n'avaient pas d'autres projets pour le mois d'août que de prendre le rythme de leur nouvelle vie de couple marié. Natalie, qui s'apprêtait à vendre son appartement, devrait aussi déménager ses affaires et entreposer une partie de son mobilier à l'hôtel. Septembre arriverait bien assez tôt, avec son lot de nouveaux clients et un certain nombre de chambres à rénover au Vendôme.

Un jour qu'elle revenait de son appartement, chargée de sacs et d'accessoires de décoration, elle tomba nez à nez avec Héloïse et Brad dans l'ascenseur.

— Tiens, bonjour, Natalie, dit le jeune homme en embrassant sa tante.

— Qu'est-ce que vous faites de beau, tous les deux ? demanda-t-elle tout en songeant que son neveu semblait très à l'aise dans l'hôtel.

— On revient d'un vide-greniers au centre-ville, répondit Héloïse.

La jeune fille avait un peu plus de temps libre depuis le retour de son père ; elle rayonnait de bonheur. Brad passa un bras autour de ses épaules, puis ils sortirent au cinquième étage.

— Vous viendrez dîner avec nous tout à l'heure ? proposa Natalie.

— Euh... Non, merci, on va sortir. A plus tard ! répondit Héloïse avant que la porte ne se referme.

Natalie n'en crut pas un mot. Elle ne savait pas pourquoi, mais quelque chose lui disait que les deux tourtereaux allaient rester en tête à tête dans la suite d'Héloïse...

Plus tard, quand Hugues la rejoignit après sa séance de sport, elle lui raconta sa rencontre dans l'ascenseur.

— Tu crois que c'est sérieux ? demanda-t-il.

— Ma foi, autant que cela peut l'être à leur âge. En tout cas, ils sont mignons. Et puis, ils sont plutôt matures. Chacun construit sa carrière... Héloïse aurait pu tomber plus mal.

— Tu dois avoir raison, admit-il.

Il se fiait entièrement aux jugements de son épouse, y compris en ce qui concernait sa fille. Celle-ci lui manquait un peu, même s'il appréciait de se retrouver seul avec Natalie.

En septembre, la frénésie coutumière reprit ses droits à l'hôtel : avec la fin des congés d'été, les clients réguliers étaient de retour et les affaires repartirent de plus belle. Pour couronner le tout, une alerte à la bombe obligea à faire évacuer l'hôtel. Ayant reçu une menace terroriste, Hugues évalua les risques avec la police. On lui envoya une unité spéciale et les démineurs ordonnèrent l'évacuation.

Les employés frappèrent aux portes de toutes les chambres, tandis que les agents de sécurité dirigeaient le flot des clients dans les escaliers. Héloïse courait d'étage en étage pour vérifier que personne ne s'avisait de rester planqué. Jennifer, Bruce et le portier de service indiquaient aux gens où ils devaient se regrouper. En moins de vingt minutes, tout le monde fut évacué et encadré par un cordon de police, à deux rues de l'hôtel. L'alerte avait été donnée en début de soirée, de sorte que le Vendôme était plein à craquer de clients qui venaient de rentrer dans leur chambre et n'avaient pas encore dîné. Natalie arrivait justement de son bureau quand elle vit cette marée humaine se déverser dans la rue.

Héloïse appela Brad sur son portable. C'était désormais devenu un réflexe pour elle : ils se parlaient ou s'envoyaient des SMS plusieurs fois par jour.

— Est-ce que tu veux que je vienne vous donner un coup de main, proposa-t-il ?

— Ce serait génial.

Quand il arriva de Columbia, située à seulement trente minutes de l'hôtel en métro, il s'étonna de voir cette foule rassemblée dans la rue. L'évacuation s'était déroulée dans le plus grand calme, même si certains clients ne cachaient pas leur mécontentement. Nombreux étaient ceux qui avaient prévu de sortir ce soir-là et ils se retrouvaient coincés sur le trottoir en peignoir de bain. Hugues s'estimait heureux que l'alerte ne soit pas survenue en plein hiver, sous une tempête de neige, comme cela lui était déjà arrivé une fois. Dans le fond, personne n'était réellement furieux. Certains étaient même amusés et en profitaient pour lier connaissance. Bruce et les agents de sécurité prodiguaient des paroles rassurantes, tandis que les garçons d'étage circulaient pour distribuer bouteilles d'eaux et boissons chaudes, livrées par l'intermédiaire d'un traiteur extérieur. Pendant ce temps, l'unité de déminage passait le Vendôme au peigne fin, étage par étage, à la recherche d'explosifs. Désormais, aucun établissement n'était plus à l'abri de telles menaces.

Au bout de trois heures d'investigation, les policiers déclarèrent le risque écarté. Un grand soupir s'éleva de la foule, d'agacement pour certains, car ils avaient été dérangés pour rien, de soulagement pour la plupart. Quand tout ce petit monde eut réintégré l'hôtel, Brad raccompagna Héloïse à son appartement, très impressionné par le sang-froid dont elle avait fait preuve au cours de l'incident. Il ne cacha pas son admiration : pas de doute, la jeune fille était faite pour ce métier, dans lequel il fallait savoir rester calme au milieu de la tempête. Elle lui retourna le compliment ; lui aussi s'était montré serviable et prévenant envers chacun. Il n'avait pas hésité à donner un coup de main aux employés du service d'étage pour distribuer des biscuits et des sandwichs, tout en rassurant de son mieux les clients les plus anxieux.

— Ça m'a fait plaisir de t'aider ! Quelque part, c'était plutôt marrant, avoua-t-il. Et j'ai appris plein de trucs passionnants sur le plan antiterroriste... Toute cette animation, ça change de la routine !

— Ne répète jamais une chose pareille devant mon père ! Il déteste ce genre d'aventures. Les clients en gardent une très mauvaise impression et après il est obligé de se mettre en quatre pour rattraper le coup. Ce soir, par exemple, il ne facturera sans doute pas les chambres. Il n'a pas vraiment le choix, même s'il n'est responsable en rien.

Elle retira ses escarpins et s'effondra sur le canapé. Brad avait parfois du mal à croire qu'elle n'avait que vingt et un ans. Toute la soirée, elle lui avait paru si adulte, si parfaitement compétente et professionnelle, avec son tailleur bleu marine et ses talons hauts ! Mais alors qu'elle ôtait sa veste d'uniforme et dénouait son chignon, elle sembla rajeunir instantanément. Ses boucles mordorées se répandirent en cascade sur ses épaules et ses taches de rousseur marquèrent ses pommettes de façon plus visible. Elle était redevenue une toute jeune fille. Il se pencha vers elle pour l'embrasser.

— Tu sais que tu es sexy, avec les cheveux lâchés ? murmura-t-il à son oreille.

Eux qui deux minutes plus tôt tombaient de fatigue se sentirent soudain pleins d'une énergie prête à se transformer en élan de passion irrépressible. Avant qu'ils aient le temps de comprendre ce qu'il leur arrivait, ils se retrouvèrent en train de faire l'amour à même le sol. Tous deux attendaient cet instant depuis si longtemps que rien n'aurait pu les arrêter. Quand ils émergèrent, à bout de souffle, de cette étreinte échevelée, ils échangèrent un regard étonné et éclatèrent de rire.

— Oh là là ! Qu'est-ce qui s'est passé ? dit-il en fourrageant dans ses cheveux courts.

— J'avais trop envie de toi... avoua-t-elle.

Ils rirent de plus belle, puis firent la course jusqu'à la chambre à coucher et plongèrent sur le lit. La vie en compagnie de Brad s'annonçait si belle ! Avec François, il fallait toujours que les choses tournent au mélodrame. Et dire qu'il avait eu le culot de la tromper... Brad, lui, non seulement la faisait rire, mais encore il savait relativiser et désamorcer les situations les plus délicates. Héloïse sentait qu'elle pouvait lui faire confiance.

Cette nuit-là, ils firent l'amour encore et encore. Le lendemain, Brad se leva de bonne heure pour se rendre en cours. Héloïse lui commanda un petit déjeuner, puis enfila un survêtement avant de l'accompagner jusqu'à la bouche de métro. De retour à l'hôtel, elle croisa Hugues et Natalie qui sortaient, vêtus eux aussi de vêtements confortables. Il était sept heures du matin.

— Où est-ce que vous allez, à une heure pareille ? demanda Héloïse sans réfléchir.

Son père évita son regard et Natalie ne semblait pas sûre d'elle.

— J'ai rendez-vous avec un client pour le petit déjeuner, dit-elle après une hésitation. On s'appelle tout à l'heure !

Hugues franchissait déjà la porte à tambour. Pourquoi donc étaient-ils si pressés ? Et pourquoi Natalie, qui prenait toujours si grand soin de son apparence, ne portait-elle qu'un simple jean, un sweat-shirt et une paire de sandales plates ? Voilà qui était étrange ! Cependant, Héloïse avait d'autres choses à l'esprit, et surtout cette nuit extraordinaire qu'elle venait de passer avec Brad. Elle trouva un texto de lui sur son portable en sortant de la douche. Il n'avait pas pu attendre la fin de son cours pour lui dire qu'il l'aimait et qu'elle était la femme la plus sexy qu'il ait jamais rencontrée ! Ce n'était pas la première fois qu'il lui déclarait sa flamme, mais après ce qu'ils venaient de partager, ces mots la touchaient encore davantage... Elle avait hâte de le retrouver.

Alors qu'ils venaient de monter à bord du taxi, Natalie jeta un regard inquiet à Hugues.

— Tu crois qu'elle se doute de quelque chose ?

— Mais non, répondit-il en passant un bras autour de ses épaules. Je ne vois pas comment elle pourrait y songer. Et de toute façon, nous ne faisons rien de mal.

Natalie avait pris l'une des décisions les plus importantes de sa vie. Elle attendait cela depuis très longtemps, même si elle n'avait réussi à exprimer que très récemment ce désir de façon consciente. Depuis trois mois déjà, Hugues lui injectait chaque jour une dose d'œstrogènes, lesquels n'étaient pas étrangers à ses sautes d'humeur des dernières semaines. Ce matin-là, le couple était en route pour une clinique spécialisée dans le traitement des problèmes de fertilité. Natalie espérait que l'intervention du jour serait moins pénible que la ponction des ovocytes, deux jours plus tôt. Ses ovules ayant été fécondés par les gamètes d'Hugues, elle allait maintenant recevoir quatre embryons. Ensuite, ils n'auraient plus qu'à attendre de voir si un ou plusieurs d'entre eux s'implanteraient. Après quelques mois de tentatives infructueuses pour tomber enceinte de façon naturelle, elle avait suivi les recommandations de son médecin et tentait cette fécondation in vitro.

Son anxiété était telle qu'elle fondit en larmes en arrivant à la clinique. Ce n'était pas l'intervention proprement dite qui l'effrayait, mais elle plaçait tous ses espoirs dans cette procédure et craignait par-dessus tout d'être déçue. Les médecins lui avaient bien précisé qu'à son âge la probabilité de réussite n'était que de six à dix pour cent... Peu importait ! Cela valait la peine d'essayer. Elle en avait longuement discuté avec Hugues, après qu'il l'eut demandée en mariage. Voyant à quel point cela lui tenait à cœur, il avait fini par accepter. C'était déconcertant, car elle n'avait jamais vraiment voulu d'enfant avant de tomber amoureuse de lui. Depuis, ce désir avait tourné à l'obsession. Quant à Hugues, il se sentait un peu obligé envers elle : elle avait le droit de connaître les joies de la maternité. Le fait de tout recommencer à zéro avec un bébé lui semblait cependant bien étrange. Il avait maintenant cinquante-quatre ans, Natalie presque quarante-deux. Sans compter qu'il leur faudrait peut-être faire face à une naissance multiple. Quatre embryons allaient être implantés. Un nombre plus important aurait été dangereux, pour Natalie comme pour les futurs fœtus, et d'ailleurs, elle ne se voyait pas mère de toute une ribambelle d'enfants – un seul bébé suffirait à la combler, pourvu qu'il soit d'Hugues. D'un commun accord, ils avaient décidé de garder le secret et de ne rien dévoiler à Héloïse pour le moment. Il lui avait fallu si longtemps pour s'habituer à l'idée du mariage... Mieux valait éviter une nouvelle crise tant que la grossesse n'était pas avérée.

Natalie avait beaucoup prié pour que son vœu soit exaucé. Elle qui n'était pas particulièrement pieuse s'était même rendue plusieurs fois à l'église pour y allumer des cierges.

Hugues resta à ses côtés pendant que la gynécologue lui implantait les embryons. A peine une heure plus tard, ils reprenaient le chemin de l'hôtel. Natalie avait pour instruction de garder le lit ce jour-là et d'éviter tout effort dans la semaine qui suivrait : pas question de faire du sport, de soulever de lourdes charges, ni même de prendre des bains trop chauds. Elle pourrait effectuer le test de grossesse quinze jours plus tard. L'attente allait lui sembler interminable. Rien ne garantissait que le premier essai serait le bon. La FIV ne prenait souvent qu'à la troisième ou quatrième tentative – quand le couple pouvait se le permettre, car la procédure n'était pas prise en charge par les assurances de santé. Au moins l'argent n'était-il pas un problème pour eux.

De retour de la clinique, Hugues borda son épouse comme il l'avait fait pendant des années avec Héloïse, puis il se pencha pour déposer un baiser sur ses lèvres.

— Maintenant, vous allez rester bien sages, toi et tes bébés, dit-il doucement, en lui tenant la main. Je ne veux pas que tu te lèves.

— Non, c'est promis.

Il était si gentil... Cette aventure partagée les avait encore rapprochés – elle avait bien conscience qu'il s'était engagé dans cette folle entreprise pour lui faire plaisir.

Elle était donc couchée et grignotait un sandwich devant de vieilles séries télévisées, quand Héloïse l'appela sur son portable.

— Salut, Natalie ! Dis-moi, où couriez-vous comme ça, ce matin, papa et toi ?

— Oh, j'avais rendez-vous dans un quartier un peu louche, alors ton père a proposé de m'accompagner. Je ne voulais pas prendre la voiture, ni risquer de rester coincée là-bas sans taxi.

L'histoire était plausible. Héloïse la crut.

— Et là, tu es où ? A ton bureau ?

— Non, je suis rentrée après le rendez-vous et je me suis mise au lit. Je ne me sens pas très bien, je crois que c'est la grippe.

— Oh, mince ! Tu as commandé à manger ?

— Oui, j'ai pris un bouillon de poule. Je me sens déjà mieux. Si ça se trouve, ce n'est rien. J'ai seulement dû me lever trop tôt. Mais, comme tu vois, je reste disponible sur mon portable. Au cas où mes assistants auraient besoin de moi.

— Est-ce que tu veux que je te commande autre chose au service d'étage ?

— Je te remercie, mais ça va aller. A propos, je te retourne la question : qu'est-ce que tu fabriquais en tenue de sport de si bon matin ? J'espère que tu ne fais pas de jogging dans le parc à cette heure-ci, parce que c'est très dangereux.

Héloïse émit un gloussement amusé.

— Non, ne t'inquiète pas. Figure-toi que je raccompagnais Brad au métro. Il a passé la nuit ici.

— Vraiment ? Est-ce que c'était la première fois ?

— Oui, on a réussi à tenir jusqu'à hier soir. C'est la faute de l'alerte à la bombe ! On est montés chez moi après et... patatras !

— Ainsi, la soirée a été riche en émotions, à tout point de vue... Eh bien, même si je me doute que ça te fait une belle jambe, sache que j'approuve ! Je suis très contente pour vous.

— Merci ! Mais s'il te plaît, ne le dis pas à mon père. Je ne lui raconte pas ce genre de choses. Je ne veux pas lui faire de peine.

— Promis, ça reste entre nous.

Héloïse était désormais très à l'aise avec Natalie et se confiait plus volontiers à elle qu'à Jennifer, même si elle appréciait toujours autant la vieille assistante de son père. Ne serait-ce que par l'âge, elle se sentait plus proche de sa belle-mère. Quant à Natalie, elle brûlait d'envie de lui parler de sa fécondation in vitro, mais il était encore trop tôt pour le faire.

— Est-ce que tu as croisé Hugues aujourd'hui ? demanda-t-elle. C'est un peu triste ici, sans lui.

— La dernière fois que je l'ai vu, il était dans son bureau en train de rédiger une lettre pour les clients, par rapport à l'alerte d'hier soir. Il a passé beaucoup de temps dans le hall, à s'excuser et à les rassurer. Les gens sont restés plutôt cool, mais ils n'aiment pas l'idée que l'endroit où ils dorment fasse l'objet de menaces terroristes. Finalement, je pense que la plupart d'entre eux étaient contents que nous ayons décidé l'évacuation. Il vaut mieux prendre l'air pendant quelques heures plutôt que de partir en fumée, tu ne crois pas ?

— Oui, je l'avoue... dit Natalie en souriant du langage imagé de sa belle-fille.

Elle réalisa qu'elle avait eu bien de la chance que l'alerte ait lieu la veille. Cet après-midi-là, elle n'aurait voulu bouger pour rien au monde.

— Je te rappellerai plus tard pour voir comment tu vas, promit Héloïse avant de se remettre au travail.

Le soir venu, Hugues rentra plus tard que de coutume.

— Comment vas-tu ? demanda-t-il à sa femme, visiblement inquiet.

— Je me sens très bien. Aucun symptôme bizarre. Juste quelques crampes, mais la gynéco m'avait prévenue, dit-elle en souriant.

Hugues n'avait pas fini de se faire du souci, si la grossesse se confirmait. Même pour un jeune couple, ce n'était pas facile, alors à leur âge... Il l'embrassa tendrement. Il n'avait cessé de penser à tout cela dans la journée. Il commençait à imaginer leur vie avec un bébé, puis un petit bout de chou qui courait partout... et peut-être plus d'un ! Il se projetait de plus en plus dans sa nouvelle vie de famille et se sentait rajeunir à cette seule pensée.

La vie à l'hôtel reprit son cours habituel. Natalie retourna travailler, mais les deux semaines d'attente avant de pouvoir faire son test de grossesse lui parurent interminables. S'il était positif, il faudrait en confirmer le résultat par une échographie ainsi qu'une analyse de sang, pour mesurer son taux de HCG. Et si le diagnostic était établi pour de bon, elle serait redirigée vers un obstétricien, comme n'importe quelle future maman. La clinique spécialisée n'assurait pas le suivi, une fois l'objectif de la grossesse atteint.

Le test qu'elle avait acheté depuis longtemps était prêt pour le grand jour, dans un tiroir de la salle de bains. Après avoir uriné sur la bande de papier, comme indiqué sur le mode d'emploi, l'émotion la submergea. Elle serait tellement déçue s'il était négatif, et si bouleversée s'il était positif... L'enjeu l'avait obnubilée pendant toutes ces semaines, mais elle s'était efforcée de ne pas avoir trop d'illusions. Elle avait également évité d'en parler trop souvent avec Hugues, mais elle savait bien qu'il ne pensait qu'à cela lui aussi.

Le bâtonnet dans la main, elle ne quittait pas sa montre des yeux. Le temps était écoulé. Dépassé d'une minute. Elle n'avait toujours pas regardé. Prenant une grande inspiration, elle se jeta à l'eau. D'abord incrédule, elle éclata en sanglots. Deux traits roses apparaissaient dans la fenêtre de lecture. Deux petits traits rose vif, exactement comme sur la notice. Elle était enceinte !

21

Quand Hugues rentra à l'appartement ce soir-là, il remarqua aussitôt les yeux rouges et gonflés de Natalie. Elle avait pleuré tout l'après-midi, par intermittence, emportée par ses émotions. Dès qu'elle le vit, elle éclata de nouveau en sanglots, incapable de se contrôler. Persuadé que le test était négatif, il se précipita pour la prendre dans ses bras et la consoler.

— Ma chérie ! Nous recommencerons, je te le promets. Souviens-toi de ce qu'ils nous ont dit à la clinique : il faut souvent essayer trois ou quatre fois de suite. Crois-moi, la prochaine sera la bonne !

Soudain, Natalie éclata de rire à travers ses larmes, telle une hystérique, ce qui accrut l'inquiétude de son mari.

— Natalie, est-ce que tu vas bien ?

— Ouiiiii ! Je suis enceinte ! s'écria-t-elle en lui mettant les bras autour du cou.

Il était médusé.

— Ah bon ? J'ai cru que...

— Je ne sais pas pourquoi, mais je n'arrête pas de pleurer. Je suis tellement contente ! Je suis complètement folle ! articula-t-elle.

Hugues ne l'avait jamais vue dans un état pareil. Lui-même tremblait de tous ses membres : il n'aurait pu imaginer l'effet que lui ferait cette nouvelle extraordinaire. A présent, il en mesurait tout le poids.

— Mon Dieu ! Ça a marché ! Du premier coup ! Quand pourras-tu passer l'échographie ?

— La semaine prochaine. Mais on ne verra pas grand-chose, à part le nombre de sacs ovulaires et d'embryons.

Ils restèrent éveillés jusque tard dans la nuit, à rêver tout haut. Hugues caressait le ventre encore plat de Natalie et la serrait dans ses bras avec une tendresse et un soin infinis, comme si elle était faite de verre soufflé. Un nouvel être – à moins que ce ne fût plusieurs – allait avoir besoin de sa protection.

L'analyse de sang confirma la grossesse et le verdict de l'échographie tomba : on distinguait nettement trois sacs ovulaires, contenant chacun un embryon. Natalie attendait des triplés. Hugues était sous le choc. Trois bébés… En d'autres termes, il allait être père de quatre enfants ! Natalie semblait aussi stupéfaite que lui. Ils avaient investi tellement d'énergie dans ce projet qu'ils avaient du mal à croire que le résultat tant attendu soit tombé aussi vite, avec autant de facilité. Le traitement hormonal avait duré moins de trois mois et, si les bébés tenaient bon, ils arriveraient à terme le 1er juin, un an à peine après le début de la procédure. Naturellement, avec des triplés, il fallait s'attendre à une naissance prématurée. La gynécologue les avait prévenus que Natalie devrait peut-être rester alitée pendant une bonne partie de la grossesse. Malgré le risque encouru et la proposition qui leur avait été faite de réduire le nombre d'embryons, Natalie et Hugues avaient choisi de garder les trois. C'était tout ou rien.

Dans le taxi qui les ramenait au Vendôme, ils restèrent comme frappés de stupeur. Ainsi que le médecin l'avait dit, le premier trimestre serait déterminant. Ils se renouvelèrent donc leur promesse de ne révéler la grossesse à personne pour le moment : ils ne diraient rien à Héloïse avant le mois de décembre. Maintenant que la jeune fille avait accepté Natalie, Hugues espérait qu'elle partagerait leur joie, même si elle aussi serait sans doute secouée par cette nouvelle.

Au cours des trois mois qui suivirent, Hugues dut faire face à une menace de grève du personnel de cuisine. Grâce aux conseils avisés de ses avocats, ainsi qu'aux trésors de diplomatie qu'il sut déployer, il parvint à éviter le pire. Bien entendu, cette agitation s'ajoutait aux problèmes habituels de gestion du personnel et aux tracasseries occasionnées par les clients difficiles. Comme chaque automne, l'hôtel était plein à craquer ; le week-end de Thanksgiving fut complet dès le mois de septembre. Héloïse, toujours aussi occupée par son travail à la réception et dans tous les services où elle pouvait se rendre utile, consacrait la totalité de son temps libre à sa relation avec Brad. Quant à Hugues et Natalie, ils profitaient de leurs moments d'intimité pour parler des triplés. La grossesse suivait son cours et ils se rendirent ensemble aux différentes échographies. Les trois battements de cœur étaient désormais bien perceptibles. Natalie conservait les clichés sur son bureau et les regardait souvent, suppliant ses bébés de tenir bon, de rester au chaud le plus longtemps possible.

Deux semaines avant Noël, le seuil fatidique des trois mois fut enfin franchi. Ils étaient officiellement tirés d'affaire, même si en réalité la situation restait délicate. Natalie s'efforçait de réduire au minimum sa charge de travail, en déléguant de plus en plus de choses à ses assistants. Dans la mesure du possible, elle souhaitait mener à terme les projets qu'elle avait déjà commencés, mais avait décidé de ne pas en assumer de nouveaux. Les bébés étaient sa priorité absolue.

Elle avait hâte d'annoncer la nouvelle à Héloïse. Depuis un mois, elle portait des tuniques et des chemisiers amples, mais elle avait de plus en plus de mal à dissimuler son petit ventre.

Hugues et elle invitèrent la jeune fille à dîner le samedi suivant. Ayant prévu de passer la fin de la journée avec Brad, celle-ci préféra les rejoindre pour le déjeuner, pendant que son amoureux révisait ses examens de fin d'études. Depuis qu'il connaissait Hugues, il s'intéressait de plus en plus au droit du travail.

En arrivant à l'appartement, très élégante en pantalon noir ajusté, bottes cavalières et pull à col roulé en cachemire blanc, Héloïse embrassa tour à tour son père et sa belle-mère. Il lui sembla que Natalie avait pris un peu de poids ces derniers temps, mais après tout, cela lui allait bien. La faute en incombait sans doute au talent du chef de cuisine et à la tentation de commander des en-cas tardifs au service d'étage...

Le père et la fille parlèrent un instant de l'hôtel, puis Natalie, n'y tenant plus, les interrompit.

— Héloïse, accroche-toi bien, parce que nous avons une grande nouvelle à t'annoncer. Je suis enceinte et ce sont des triplés, dit-elle dans un seul souffle, tandis qu'Hugues souriait, gonflé de fierté.

Héloïse les regarda d'un air incrédule, puis se leva lentement comme si elle s'apprêtait à fuir, horrifiée.

— C'est une blague, n'est-ce pas ? Des triplés ! Comment est-ce que vous vous êtes débrouillés ? Vous n'avez jamais entendu parler de contraception ?

Elle était complètement abasourdie. On aurait dit qu'elle avait reçu un coup de massue sur la tête.

— Ce n'est pas un accident, répondit Natalie, désarçonnée. C'est notre choix.

— Mais pourquoi ? s'exclama Héloïse en faisant les cent pas. A votre âge ! C'est incroyable !

— Parce que je n'ai pas encore d'enfants et qu'ensuite il sera trop tard.

— Mais il est *déjà* trop tard ! lança Héloïse sans aucun ménagement, convaincue qu'ils s'étaient ligués pour lui gâcher la vie. Quand ces gamins entreront à la fac, tu auras soixante ans et papa en aura soixante-dix !

— C'est le cas de nombreux parents, de nos jours, répondit Natalie sans se départir de son calme. Certaines femmes sont même plus âgées que moi à la naissance de leur premier enfant.

Héloïse s'effondra sur le canapé et les regarda comme si elle portait toute la misère du monde sur ses épaules. Elle venait à peine de se faire à l'idée de leur mariage, et voilà qu'ils l'accablaient de nouveau.

— Je ne sais pas quoi dire... soupira-t-elle.

— Pourquoi pas « Félicitations » ? suggéra Hugues. Ça s'annonce assez difficile comme ça, surtout pour Natalie. Tu n'as pas besoin d'en rajouter. Est-ce que tu pourrais faire l'effort de partager notre bonheur ? Je te signale que les bébés vont faire partie de ta vie, que tu le veuilles ou non.

— Franchement, je ne sais pas quoi penser.

Elle n'aurait su dire si ce qu'elle ressentait était de la jalousie, de la colère, ou bien si elle était juste sous le choc. La situation lui paraissait surréaliste.

— Nous non plus, au début, nous ne savions pas comment réagir, reprit Natalie. Trois bébés d'un coup, ce n'est pas facile à imaginer. Surtout quand il s'agit de les mettre au monde.

— Ça ne te fait pas peur ? demanda Héloïse tout à trac. Ça va être horrible.

— Si, parfois. Je suis contente, mais en même temps triste, excitée, terrifiée, et la plus heureuse des femmes... En fait j'ai vraiment hâte. C'est ce que je désire le plus au monde, dit-elle en serrant la main d'Hugues dans la sienne.

Une fois de plus, Héloïse se sentait exclue et rejetée.

— Est-ce que vous avez calculé votre coup, ou bien vous avez simplement oublié de prendre des précautions ? demanda la jeune fille.

— C'est une fécondation in vitro. Nous avons investi beaucoup de temps et d'énergie pour en arriver là. C'était notre rêve.

A ces mots, Héloïse se tourna vers son père. Elle ne pouvait imaginer que ce rêve fût aussi le sien. A n'en pas douter, cette idée folle venait de Natalie. Hugues n'avait jamais exprimé le désir d'avoir d'autres enfants. Au contraire, il clamait depuis toujours qu'il était comblé par sa fille unique. Et là, il allait en avoir trois de plus d'un coup. Héloïse s'aperçut que cette nouvelle réveillait en elle le souvenir de la naissance d'Arielle, puis celle de Joey, juste après que Miriam l'eut abandonnée. Elle en avait le tournis.

— Il faut que je réfléchisse tranquillement, dit-elle en se relevant. Laissez-moi le temps de digérer tout ça. Je crois que j'ai besoin d'un peu de recul.

Hugues et Natalie échangèrent un regard. En fin de compte, la réaction d'Héloïse était moins violente et bien plus posée que l'année précédente, à l'annonce de leur relation. La jeune fille avait, quant à elle, l'impression qu'ils s'étaient concertés pour lui envoyer chaque année une bombe atomique en guise de cadeau de Noël.

Elle quitta l'appartement en silence et appela Brad dès qu'elle arriva chez elle. Elle avait besoin d'un point de vue extérieur pour remettre les choses en perspective. Etait-il bien raisonnable de se mettre dans un état pareil ? Elle lui semblerait peut-être complètement folle. Le moins que l'on puisse dire, c'était que l'arrivée prochaine des triplés ne l'enthousiasmait pas, elle ne pouvait tout de même pas le nier ! Elle ne s'était pas réjouie lorsque Arielle et Joey étaient nés et, aujourd'hui encore, elle se sentait incapable de les aimer. Pourquoi ses sentiments seraient-ils différents cette fois-ci ? Au son de sa voix, Brad s'aperçut aussitôt que quelque chose clochait.

— Qu'est-ce qui se passe ?

— Hmm... ce n'est pas facile à expliquer au téléphone. Je me sens un peu bizarre.

— Tu es malade ? demanda-t-il, inquiet.

— Non, rassure-toi. J'ai seulement besoin de te parler. Est-ce que tu peux passer dès que tu auras fini de réviser ?

— Bien sûr. J'en ai encore pour une demi-heure. Mais si tu veux, je viens tout de suite et je finirai plus tard. Est-ce que c'est grave ?

— Oui... Enfin, non... Je ne sais pas trop... Je suis juste dégoûtée. Mais peut-être que j'exagère.

— Est-ce que c'est moi ?

— Mais non, voyons !

Elle se mit à pleurer.

— J'arrive tout de suite, déclara-t-il.

Vingt minutes plus tard, il frappait à sa porte. Elle lui cria d'entrer et il la trouva prostrée sur le canapé. Sans un mot, elle se lova dans ses bras et il lui fallut près de cinq minutes pour se ressaisir.

— Raconte. Qu'est-ce qui s'est passé ? demanda-t-il en la couvant du regard.

— Ça va sûrement te paraître complètement idiot, dit-elle en se mouchant. Natalie est enceinte. Elle va avoir des triplés. Papa et elle se sont mis en quatre pour les avoir par fécondation in vitro. Résultat : ils sont là l'un pour l'autre, ils s'aiment à la folie et vont avoir trois bébés. Du jour au lendemain, c'est la famille idéale. Et pendant ce temps-là, ma mère me déteste, quand elle se souvient que j'existe, et fait sa vie sans moi avec les deux gosses qu'elle a eus après m'avoir laissée tomber. Je suis quoi, moi, dans tout ça ? Où j'en suis ? Dans quelle case je suis censée rentrer ? J'ai l'impression de m'être fait virer. Je suis l'ancien modèle. A la place, ils vont avoir trois exemplaires tout neufs.

Brad l'écoutait en silence, lui caressant les cheveux sans desserrer son étreinte. Au moins parvenait-elle à mettre des mots sur son ressenti. Il comprenait sa douleur et ne la jugeait pas disproportionnée. Cela ne devait pas être facile pour elle de se sentir remplacée alors qu'elle avait été abandonnée par sa mère.

— Tu sais, ça ne me paraît pas idiot du tout, dit-il enfin. A ta place, je me sentirais aussi mal que toi. Ça doit faire vraiment bizarre. Mais je ne pense pas qu'ils soient en train de te remplacer, parce que c'est impossible. Tu es toi. Ton père t'adore. Et je sais que Natalie t'aime bien. Mais elle n'a jamais eu d'enfants, alors c'est normal qu'elle ait envie d'essayer avant qu'il ne soit trop tard. C'est pour ça qu'ils se sont lancés dans toutes ces expériences de bébés-éprouvette... ce qui doit leur paraître aussi dingue qu'à toi. Pour autant, je suis persuadé que ton père n'a jamais eu l'intention de te mettre au placard.

— Et s'il les aime plus que moi ? Les vieux sont complètement gagas quand ils ont des bébés. Ça leur donne l'impression de rajeunir. Je le vois bien : parmi nos clients du troisième âge, il y en a plein qui arrivent à l'hôtel avec une minette trois fois plus jeune qu'eux et un enfant de deux ans.

Elle n'exagérait qu'à peine. Cette année-là, l'une de leurs clientes, âgée de cinquante-cinq ans, venait d'avoir un bébé, tandis qu'un diplomate européen à la retraite avait épousé une jeune femme de vingt-deux ans, avec laquelle il avait eu des jumeaux. C'était un véritable phénomène de société.

— Peut-être, mais ça ne veut pas dire qu'il va t'oublier. On n'efface pas vingt et un ans de complicité d'un revers de main. Personne ne pourra vous enlever tout ce que vous avez partagé. Pour être honnête, ils me font presque de la peine. Tu te rends compte à quel point ils vont en baver, à leur âge ? Si j'étais eux, je paniquerais.

— Ouais ! Eh bien j'espère qu'ils ne comptent pas sur moi pour jouer les nounous le samedi soir. J'ai assez de boulot dans cet hôtel. Pas question de garder trois bébés qui braillent en même temps !

Brad rit de bon cœur en imaginant le tableau.

— Ne t'inquiète pas, je te donnerai un coup de main… Tu sais quoi ? Pour nous venger et compléter la pagaille, nous pourrions faire un petit bout de chou, nous aussi. Mais sans éprouvette !

Héloïse sourit. Cette idée lui plaisait… dans l'absolu, non pour embêter son père ! Toutefois, elle venait juste de tomber amoureuse de Brad – follement certes –, et il était encore trop tôt pour penser à ce genre de choses.

— Merci de te montrer si compréhensif, Brad, dit-elle avec un soupir, en se blottissant dans ses bras. Je suis contente que tu sois venu. Excuse-moi d'avoir réagi comme une hystérique. En fait, je n'arrive pas à imaginer quelle sera ma place dans cette histoire, s'ils ont trois nouveaux enfants. J'ai presque honte de le dire.

— Mais bien sûr que si, tu auras ta place. Et un jour tu fonderas ta propre famille. Et puis je t'accorde que c'est un peu bizarre, par les temps qui courent, tous ces quadras qui veulent des enfants...

Ils sortirent se promener. Tout en marchant, Brad lui raconta qu'il n'avait pas de mal à comprendre ce qu'elle ressentait, car il se souvenait de sa propre réaction à la naissance des jumelles, quand il avait quatre ans, puis à celle de son frère, alors qu'il en avait déjà huit. Il n'avait certes pas bien pris les choses...

De retour chez elle, Héloïse appela sa belle-mère pour faire amende honorable. Grâce à Brad, elle avait pris beaucoup de recul. Natalie, qui s'inquiétait pour elle, la remercia et accepta ses excuses avec soulagement. Elle invita les deux jeunes gens à monter à l'appartement, mais Héloïse répondit qu'ils étaient épuisés après tant d'émotions. En réalité, la jeune fille avait besoin d'espace vital. Plus tard, Hugues descendit pour bavarder avec elle et Brad. Il détestait la voir dans cet état, mais put repartir rassuré. Brad, qui avait apporté ses manuels de droit, passa une partie de la soirée à réviser et resta dormir avec Héloïse, ce qui apporta beaucoup de réconfort à la jeune fille. Ils se sentaient bien en compagnie l'un de l'autre et partageaient leurs nuits de plus en plus souvent.

Les fêtes de fin d'année prirent une tournure étrange pour Héloïse. Tout lui semblait irréel. Elle supervisa comme d'habitude l'installation et la décoration de l'immense sapin dans le hall de l'hôtel, mais, pour la première fois, elle ne se sentait plus autorisée à le considérer en secret comme *son* arbre de Noël. La grossesse de Mme Martin était devenue le principal sujet de conversation du personnel. Jennifer prévoyait d'organiser une fête au cours de laquelle les employées, réunies autour d'un thé, de quelques douceurs et de petits jeux conviviaux, pourraient offrir à la femme du patron leurs cadeaux pour les bébés à naître. La perspective de cette réception, où Natalie et les triplés seraient à l'honneur, renforça le sentiment d'exclusion d'Héloïse. Elle s'obligea cependant à ne rien laisser paraître de sa frustration. Seul le temps permettrait de dire quelle place lui reviendrait dans la famille recomposée de son père. Alors que les triplés représentaient son avenir, elle avait l'impression d'être son passé. Un jour, bien sûr, elle fonderait sa propre famille, mais ce n'était pas d'actualité.

En attendant, Brad lui assurait un soutien indéfectible. Ils se voyaient désormais presque tous les soirs, soit en ville, quand ils en avaient le temps, soit chez elle. Il rentra chez ses parents à Philadelphie pour Noël, en compagnie de sa tante et de son oncle. Après de longues négociations, Natalie avait convaincu Hugues de venir avec elle pour deux jours, tant qu'elle pouvait encore voyager. Héloïse, elle, avait décidé de rester à New York. Le directeur du Vendôme était déchiré entre sa fille et sa femme, que la grossesse rendait plus nerveuse que jamais et qui fondait en larmes à la moindre contrariété. Mais Héloïse lui promit de veiller sur l'hôtel en son absence. Elle se porta volontaire pour travailler le soir du 24 et toute la journée du 25 décembre. Hugues lui téléphona dès leur arrivée à Philadelphie, puis à son réveil le matin de Noël. La jeune fille était déjà à son poste en réception. Pour la première fois, Miriam ne l'appela pas du tout.

22

Au mois de janvier, un groupe d'hommes d'affaires néerlandais loua quatre des grandes suites aux neuvième et dixième étages et investit la grande salle de séminaire. Ils représentaient, paraît-il, un important consortium européen. Héloïse ne fut pas surprise de croiser son père en leur compagnie à plusieurs reprises, car il prenait souvent le temps de converser avec les clients importants. Un jour, deux d'entre eux s'entretinrent longuement avec lui dans son bureau, tandis que deux autres faisaient le tour de l'hôtel en compagnie de Bruce Johnson, le directeur de la sécurité, et de Mike, le directeur technique. La jeune fille s'en étonna un peu, cependant elle était si occupée qu'elle ne prit pas le temps d'interroger son père. Croyant qu'elle était au courant, Mike vendit la mèche après le départ de ces gros bonnets.

— Ça va nous faire bizarre, si ton père leur vend l'hôtel. Apparemment, ils seraient prêts à débourser une fortune.

— De qui est-ce que tu parles ? demanda-t-elle en le regardant comme un extraterrestre.

— Des Hollandais. Ceux qui étaient là la semaine dernière. Ton père nous a dit de leur faire visiter l'hôtel jusque dans les moindres recoins. Il paraît qu'ils vont lui faire une offre impossible à refuser... s'ils ne l'ont pas déjà faite. Le bruit circule que M. Martin est intéressé.

A ces mots, Héloïse fut prise d'un léger vertige, comme si le sol se dérobait sous ses pieds. Elle se ressaisit aussitôt.

— Mike, tu ne devrais pas croire tout ce que les gens racontent ! dit-elle pour couper court à la rumeur.

Elle entra en tremblant dans le bureau de son père. Jennifer étant sortie pour déjeuner, Héloïse le trouva seul. Même si l'hôtel ne désemplissait pas, elle savait que les frais généraux du Vendôme étaient une source constante d'inquiétude pour lui... Mais ce n'était pas une raison ! Il venait de mettre sa femme enceinte de triplés, et voilà maintenant qu'il voulait vendre la maison où elle avait grandi ! Et, en plus, il ne lui avait rien dit. Elle avait le droit de savoir.

— Quelque chose ne va pas ? demanda-t-il en la voyant se planter devant lui, le teint livide, comme si elle avait vu un fantôme.

Elle ne tourna pas autour du pot.

— Mike prétend que tu veux vendre l'hôtel, lança-t-elle. Est-ce que c'est vrai ?

Il hésita. Trop longtemps. Il valait pourtant mieux qu'elle l'entende de sa bouche plutôt que de quelqu'un d'autre.

— A priori, je n'étais pas vendeur. Mais s'ils me proposent une somme intéressante, il se pourrait que j'accepte. Je n'ai encore pris aucune décision. Je n'ai pas été les chercher, ce sont eux qui m'ont trouvé, dit-il pour se justifier.

— Comment peux-tu me faire une chose pareille ? explosa-t-elle, la voix frémissante de rage. Cet hôtel est notre maison. C'était ton projet et maintenant c'est le mien. Tu n'as pas le droit de vendre notre rêve !

— Ecoute, j'ai cinquante-trois ans. D'ici quelques mois, j'aurai quatre enfants. Je dois pourvoir à vos besoins. Il faut que je pense à ton avenir, à celui de Natalie et au mien. Si quelqu'un est assez fou pour me proposer une telle somme, il faudrait que je sois plus fou encore pour la refuser.

Héloïse était trop furieuse pour comprendre cette logique. Elle avait la vie devant elle. Pas lui. Alors que sa famille s'apprêtait à doubler en nombre d'ici peu, il commençait à s'inquiéter pour ses vieux jours.

— Tu n'as aucune loyauté ! Je ne vois pas comment je pourrais encore te respecter si tu vendais l'hôtel. Je ne te le pardonnerais jamais ! déclara-t-elle en le regardant droit dans les yeux.

Il s'était attendu à une réaction violente de sa part. Il était servi.

Elle ne lui adressa plus la parole pendant trois jours, pas même quand elle le croisait dans l'ascenseur. Entre-temps, la rumeur avait fait le tour de l'hôtel. Une période difficile commença alors pour elle, au cours de laquelle Brad était le seul à pouvoir lui apporter un peu de réconfort. Il comprenait parfaitement l'enjeu de la situation : Héloïse voulait consacrer toute sa carrière au Vendôme et prendre la suite de son père un jour. Vendre l'hôtel revenait à mépriser ses efforts des dernières années et ce qu'elle avait appris à l'Ecole hôtelière. Héloïse imputa tous ses malheurs à Natalie. Sa belle-mère ne connaissait rien à l'hôtellerie et ne pouvait pas savoir à quel point Hugues et elle étaient attachés à leur métier. Héloïse l'imaginait en train de l'encourager à vendre. Ah, c'est sûr, elle raflerait un joli pactole. Comme s'il ne s'agissait que d'argent !

Alors que le Vendôme était constitué de tous les gens qui y travaillaient. C'était une histoire d'amour et de dévouement, le projet de toute une vie pour son père, et maintenant pour elle. Cela n'avait pas de prix. Hugues avait promis de lui faire part de sa décision dès que l'offre tomberait, et Brad savait qu'elle ne plaisantait pas quand elle disait qu'elle ne lui pardonnerait pas. La guerre contre Hugues et Natalie s'était donc rouverte, mais cette fois elle n'avait pas l'intention de céder.

Héloïse fut donc très surprise de recevoir un appel de Natalie sur son portable, cet après-midi-là. Elle avait un ton bizarrement étranglé.

— Tu es malade ? demanda-t-elle sur un ton glacial. Tu as une drôle de voix.

— Es-tu à l'hôtel ? Tu peux monter ?

— Oui, je suis chez moi. Qu'est-ce qui t'arrive ?

Pour toute réponse, Natalie n'émit d'abord qu'un gémissement sinistre.

— J'ai horriblement mal... articula-t-elle enfin. Je saigne... Je n'arrive pas à joindre ton père.

— Oh, merde ! lâcha Héloïse, tout en se précipitant vers l'escalier de secours.

Elle monta les marches quatre à quatre, le téléphone vissé à l'oreille. A l'aide de son passe-partout, elle ouvrit la porte de l'appartement de direction et trouva Natalie recroquevillée de douleur sur son lit.

— Est-ce que tu saignes beaucoup ? J'appelle une ambulance ? demanda-t-elle.

Elle s'aperçut alors que le lit était maculé de rouge.

— Tu sais, je crois qu'il vaudrait mieux aller à l'hôpital, et ce sera plus confortable en ambulance, dit-elle d'une voix douce pour ne pas l'effrayer.

En un instant, Héloïse avait oublié sa rancœur. Elle passa au salon pour appeler les urgences depuis la ligne fixe et leur décrivit précisément la situation, comme on le lui avait appris lors de sa formation aux premiers secours. Après quoi elle joignit la réception pour annoncer qu'une ambulance arriverait d'un instant à l'autre et demander que l'on trouve un moyen de contacter son père. Ils rappelèrent quelques instants plus tard : M. Martin était en réunion à l'extérieur et son portable était sur messagerie.

— Continuez d'essayer et faites monter les ambulanciers dès qu'ils arriveront.

Elle retourna ensuite s'asseoir près de Natalie et lui caressa les cheveux.

— Je ne veux pas perdre mes bébés, gémit-elle.

— Ça va aller, dit Héloïse. Quel est le nom de ton médecin ? Il faudrait le prévenir.

La gynécologue promit de les rejoindre à l'hôpital. En dépit des paroles rassurantes d'Héloïse, Natalie sanglotait. A dix-huit semaines, les fœtus n'étaient pas viables.

Les secours arrivèrent moins de dix minutes plus tard. Les brancardiers demandèrent à Héloïse si le mari de la patiente était dans les parages ou si un proche pouvait l'accompagner. Sans l'ombre d'une hésitation, elle répondit qu'elle était sa fille. Dès qu'ils l'eurent allongée sur la civière et bordée d'une couverture, Héloïse les suivit dans le monte-charge, serrant fermement la main de Natalie dans la sienne.

— Ça va aller, Nat, je te le promets, répétait-elle en permanence, bien qu'elle n'eût aucune idée de la suite des événements.

Ils prirent la sortie de secours afin de ne pas effrayer les clients dans le hall. Natalie ne cessait de pleurer tandis que les brancardiers l'interrogeaient. Une fois dans l'ambulance, ils la placèrent sous perfusion puis démarrèrent, toutes sirènes hurlantes. A l'hôpital, l'équipe d'obstétriciens d'urgence l'attendait déjà et son propre médecin arriva vingt minutes plus tard. Héloïse ne fut pas autorisée à rester dans la salle. Une heure plus tard, Hugues rappela enfin.

— Que se passe-t-il ? demanda-t-il, paniqué. Je sors de réunion, je suis dans un taxi.

— Natalie a eu très mal. On est à l'hôpital. Ils sont en train de s'occuper d'elle.

— Est-ce qu'elle a perdu les bébés ?

— Honnêtement, je n'en sais rien, papa. Ils n'ont rien voulu me dire, mais elle saignait beaucoup quand nous sommes parties. Sa gynéco est là aussi.

— J'arrive.

— D'accord, je suis dans la salle d'attente du service d'obstétrique.

Dix minutes plus tard, elle vit son père traverser la pièce en coup de vent, lui adresser un bref signe de la main et pousser la porte de la zone de soin. Elle patienta deux heures sans que personne vienne l'informer de la situation. Ses nerfs étaient à bout. Il était dix-huit heures quand son père la rejoignit, le visage défait.

— Comment va-t-elle ? demanda Héloïse, qui n'osait même plus prendre des nouvelles des triplés.

— Ça va. Et les bébés aussi, pour le moment. Il pourrait s'agir d'un *placenta praevia*. Ils vont la garder en observation cette nuit. Si tout se passe bien, elle pourra rentrer demain sous monitoring et elle devra rester au lit jusqu'au bout. A condition qu'elle les garde encore un mois ou deux au chaud, ils ont une chance de s'en sortir. Est-ce que tu veux la voir ?

Héloïse opina du chef, avant de lui emboîter le pas. Ils poussèrent deux doubles portes consécutives et longèrent plusieurs couloirs avant d'atteindre la chambre de Natalie. Cette dernière, entourée de nombreux écrans et appareils, semblait traumatisée par ce qui venait de lui arriver.

— Comment te sens-tu ? s'enquit Héloïse d'une voix douce.

— Je suis morte de trouille, avoua-t-elle avec un faible sourire.

— Ne t'inquiète pas. Tu vas avoir besoin de beaucoup de repos, c'est tout, dit la jeune fille en déposant un baiser sur le dos de sa main.

Natalie hocha la tête et Héloïse prit congé quelques minutes plus tard, de peur de la fatiguer. Hugues, qui avait obtenu la permission de passer la nuit sur place, promit de téléphoner s'il y avait le moindre problème.

Sur le chemin du retour, Héloïse réfléchit aux événements. Sa colère des jours précédents lui semblait soudain bien futile. Au bout du compte, ils faisaient tous partie de la même famille. Ce qui comptait, c'était de s'aimer et d'être présents les uns pour les autres. Il était si simple de pardonner...

Par miracle, les triplés tinrent bon. Natalie rentra de l'hôpital le lendemain en ambulance. Les brancardiers l'installèrent directement dans son lit, lui répétant la prescription des médecins : interdiction de poser le pied par terre, ne serait-ce que pour aller aux toilettes. Elle disposait pour cela d'un bassin. Hugues resterait joignable sur son portable, et elle pourrait appeler les femmes de chambre si elle avait besoin de quoi que ce soit. Héloïse ajouta qu'elle ne devait pas hésiter à déranger les réceptionnistes.

En dépit de ses bonnes résolutions, la tension des derniers jours refit surface quand la jeune fille prit l'ascenseur avec son père. Il la remercia pour son aide avant de se rendre à son bureau, sans rien lui dire de ses négociations avec les acheteurs néerlandais. Ces derniers lui avaient soumis leur offre la veille et elle était plus qu'alléchante : il lui serait difficile de la refuser. Il s'était octroyé quelques jours de réflexion et consultait ses banquiers, quand il avait reçu le coup de fil de Jennifer lui demandant de se rendre à l'hôpital.

La santé de Natalie et des triplés resta stationnaire. Elle recevait de fréquentes visites d'Héloïse, de Jennifer et des femmes de chambre. Ernesta lui apportait des chocolats ou d'autres douceurs, tandis que le chef concierge lui faisait livrer la presse du jour. Elle avait délégué tous ses projets de décoration à ses assistants et avait l'impression d'avoir mis sa vie en stand-by.

C'est alors que certains troubles en provenance du personnel amenèrent un regain d'agitation à l'hôtel. Les agents de maintenance venaient de se lancer dans une grève sauvage, dont ils n'avaient prévenu Hugues que le matin même. Ce dernier voulait licencier deux d'entre eux sans les remplacer, ce qui ne leur plaisait guère, bien que toutes les procédures en vigueur aient été respectées. Ils avaient formé un piquet de grève devant l'entrée principale de l'hôtel et frappaient sur des casseroles au moyen de grosses louches, causant un tohu-bohu assourdissant et très gênant pour les clients. On les entendait dans tout le quartier.

Quand Héloïse entra dans le bureau de son père, il était en conversation téléphonique avec son avocat. Il appela ensuite le syndicat pour leur intimer de lever ce fichu piquet de grève, mais le permanent lui répondit qu'il ferait bien de réembaucher les deux agents mis à

279

pied s'il ne voulait pas avoir de problèmes. Hugues raccrocha, furieux, avant de lever les yeux vers sa fille.

— Je suis coincé, pesta-t-il entre ses dents. Sois prudente aujourd'hui, je t'en prie. Cet imbécile m'a menacé au téléphone et on ne sait pas de quoi ces types-là sont capables. Ne te promène pas trop toute seule, ni au sous-sol, ni du côté de l'entrée principale.

Héloïse le savait aussi bien que lui : si la plupart des syndicalistes se montraient raisonnables, il y avait toujours une ou deux têtes brûlées qui préféraient la violence à la négociation. Son père craignait en outre que les grévistes ne harcèlent les autres employés à la fin de leur journée. L'ensemble du personnel était prévenu et Bruce avait mobilisé tous ses agents.

Au soulagement général, le piquet de grève se dispersa vers dix-huit heures. Héloïse prenait justement son poste pour la nuit. Par chance, les deux réceptionnistes qui travaillaient avec elle ce soir-là étaient des hommes et les agents de sécurité patrouillaient en toute discrétion dans le hall. A vingt heures, Hugues avait rejoint Natalie à l'appartement et dès vingt-deux heures l'hôtel semblait s'être endormi. Héloïse put même s'asseoir avec ses deux collègues pour commenter les événements de l'après-midi : ces grèves sauvages étaient une vraie plaie ! Autour de minuit, alors que les derniers clients passaient dans le hall au compte-gouttes avant de regagner leur chambre, Hugues appela pour s'assurer que tout allait bien.

A une heure du matin, une alarme incendie se déclencha au sous-sol. D'après le panneau de contrôle, l'alerte était localisée au niveau de la porte principale des cuisines. Sans doute un plat oublié dans un four... Aussitôt, Héloïse demanda au plus jeune de ses collègues d'appeler les pompiers et le service de sécurité, tandis qu'elle descendait par les escaliers de service pour voir de quoi il retournait. A l'étage inférieur, les flammes dévoraient un canapé et quelques dessertes roulantes, juste devant l'entrée des cuisines, fermées à cette heure-ci. Les employés du service d'étage, qui ne passaient jamais par là, n'auraient rien remarqué si le détecteur de fumée n'avait pas déclenché l'alarme.

Un agent de sécurité était en train de vider le contenu d'un extincteur sur le brasier quand les pompiers arrivèrent avec la lance à incendie. En moins de dix minutes, cinq centimètres d'eau recouvraient le sol et une odeur de fumée horriblement âcre flottait dans l'air... mais au moins le feu était éteint. Les pompiers s'étaient déployés dans les cuisines et sillonnaient tout l'étage pour s'assurer que rien d'autre ne brûlait. Héloïse les remercia pour leur réactivité. Les risques d'incendie étaient toujours pris très au sérieux dans les hôtels.

Alors qu'elle discutait avec deux des pompiers, un troisième s'approcha d'eux, tenant dans sa main un chiffon qui empestait le pétrole et la fumée.

— Voilà la mèche qui a déclenché l'incendie, déclara-t-il en lâchant le morceau de tissu, qui s'étala à terre en une mare graisseuse. Et il y en a une autre sous ce canapé. M'est avis que quelqu'un se paie votre tête. Vous avez eu de la chance que le système d'alarme soit performant et que nous soyons arrivés à temps ; ça aurait pu faire de sacrés dégâts.

Héloïse remarqua alors que l'un des employés du service d'étage, embauché depuis peu pour faire la plonge, les écoutait avec un sourire à la fois amusé et provocateur. La jeune fille s'approcha lentement de lui.

— Est-ce que vous avez vu qui a fait le coup ? demanda-t-elle de but en blanc.

Il éclata de rire.

— Parce que tu penses que je te le dirais, si je savais ? lança-t-il d'un air crâne.

Il n'était visiblement pas intimidé par la fille du patron.

— Dites-moi ce que vous savez, insista-t-elle.

— Tout ce que je sais, c'est que ton père a viré deux de nos gars et que le syndicat va vous faire morfler si vous les rembauchez pas.

Les agents de sécurité se resserrèrent autour d'eux. Bruce n'était pas de service ce soir-là.

— Ils vous ont bien prévenu qu'il y aurait du grabuge, poursuivit l'homme. Peut-être que quelqu'un a allumé un petit feu, histoire de prouver qu'ils plaisantaient pas. On peut pas virer les gens comme ça. Ils vous laisseront pas faire !

— Ce quelqu'un, c'était vous ? dit Héloïse en se rapprochant de lui.

Elle n'était certes qu'une frêle jeune femme de vingt-deux ans à peine, mais elle ne pouvait tolérer que l'on s'en prenne à son hôtel ! L'homme ne lui faisait pas peur.

— Et après ? Ça se pourrait bien, répondit-il en lui riant au nez.

L'un des pompiers se saisit de son émetteur pour appeler la police.

Sur ce, l'homme saisit Héloïse à la gorge et la plaqua contre le mur.

— Salope ! cracha-t-il. Les pimbêches de ton espèce ont pas à nous dire ce qu'il faut faire !

La jeune fille ne se laissa pas ébranler et ne le quitta pas des yeux un seul instant. Ni les agents de sécurité ni les pompiers ne bougèrent, de peur que le forcené ne soit armé. Sans un mot, elle lui planta un talon aiguille sur le dessus du pied. Il se courba avec un hurlement de douleur, puis elle lui administra un parfait swing du droit au milieu du visage et, tandis qu'il tentait de retrouver son équilibre, elle lui asséna un violent coup de genou entre les jambes. Hé oui, elle avait pris des cours d'autodéfense au lycée !

L'homme ne s'était toujours pas calmé quand les policiers arrivèrent. Ils lui passèrent les menottes, et l'un des agents de sécurité leur expliqua ce qui s'était passé. Héloïse ne semblait guère émue. Seule sa jupe déchirée témoignait du combat qu'elle venait de mener.

— Messieurs, je vous remercie, dit-elle sur un ton plaisant.

Alors qu'ils prenaient sa déposition, son père arriva en trombe. Les sirènes du camion des pompiers l'avaient réveillé et il s'était habillé en hâte avant de descendre à la réception par l'escalier de secours, car les ascenseurs étaient arrêtés par mesure de sécurité.

— Que se passe-t-il ici ?

Un des pompiers lui décrivit la scène. La jeune fille s'était défendue seule. Ces vigoureux gaillards n'avaient pas eu le temps de faire quoi que ce soit.

— Est-ce que tu vas bien ? lui demanda son père.

— Très bien. Un connard du syndicat a dû payer ce type pour mettre le feu au sous-sol. On a perdu un canapé et des dessertes roulantes, mais ça aurait pu finir beaucoup plus mal.

— Tu es folle, ou quoi ? Au diable le canapé. Ils disent que tu as boxé ce mec. Il aurait pu te frapper avec un couteau. Ça ne t'a pas effleuré l'esprit ?

— Mais c'est lui qui a mis le feu ! Je n'allais pas regarder ce salaud qui a voulu réduire notre hôtel en cendres sans rien faire ! Figure-toi que moi, au moins, je tiens à ce que nous avons construit depuis des années, lâcha-t-elle avec un regard implacable. L'allusion à la proposition de rachat ne pouvait pas être plus claire. Il était hors de question pour elle d'abandonner le Vendôme.

— Est-ce que l'alarme incendie a fonctionné ?

— Oui, c'est pour ça que je suis descendue. Les gars de la sécurité ont utilisé l'extincteur et les pompiers sont arrivés très vite. Ils ont trouvé le chiffon dont le type s'est servi pour allumer le feu.

— Comment sais-tu que c'était lui ?

— Il l'a dit lui-même. Enfin, il l'a avoué à demi-mot, et puis il a essayé de m'étrangler.

— Et c'est à ce moment-là que tu l'as frappé ?

— Elle lui a cassé le nez, monsieur, intervint le jeune policier.

— Cassé le nez ? répéta Hugues, incrédule.

— C'était même un très bel enchaînement, commenta l'un des pompiers. Coup de talon, coup de poing et coup de genou dans les parties.

— Et qu'est-ce que vous fichiez pendant ce temps-là, vous autres ? Vous preniez des photos ? s'écria-t-il, furieux. Je peux savoir pourquoi c'est elle qui lui a cassé le nez, et pas vous ?

— Parce que c'est mon hôtel, répondit-elle en souriant. Et un peu le tien. Mais apparemment, personne ne l'aime autant que moi...

L'agent de police leur expliqua ensuite que le plongeur serait placé en détention provisoire. En revanche l'implication du syndicat ne pourrait être établie que si l'employé le dénonçait comme mandataire de l'attentat. Etant donné la gravité de l'accusation qui pesait sur lui et la peine encourue, il parlerait peut-être.

Le policier remercia Héloïse, qui pouvait maintenant disposer. Puisqu'elle avait agi en situation de légitime défense – et en présence de nombreux témoins –, elle ne serait pas inquiétée pour coups et blessures. Hugues frémit à ces mots, tandis que les agents de sécurité appelaient le service de maintenance pour évacuer les débris calcinés du canapé et des chariots.

Héloïse déclara qu'elle devait changer de jupe avant de reprendre son poste à la réception. Elle se dirigea vers l'ascenseur de service, qui fonctionnait à nouveau. Son père monta avec elle.

— Est-ce que tu te rends compte que tu aurais pu te faire tuer ? dit-il d'un air sombre, au bout d'un moment.

— Est-ce que tu te rends compte qu'il aurait pu mettre le feu à notre hôtel ? répliqua-t-elle.

Hugues s'efforça de ne pas sourire en pensant à la façon dont elle avait neutralisé le pyromane. Il n'y avait pourtant pas de quoi se réjouir.

— Je ne peux pas te laisser faire des choses pareilles. Tu n'as pas le droit de risquer ta vie.

— Je préfère mourir ici, en défendant ce qui m'est cher, que n'importe où ailleurs, déclara-t-elle avec le plus grand calme.

— Il n'est pas question que tu meures, ni que tu ailles te fourrer dans des situations aussi dangereuses… Je n'arrive pas à croire que tu lui aies cassé le nez !

Il ne parvenait plus à dissimuler son sourire.

— Ouais, j'avoue que mon enchaînement n'était pas mal, dit-elle, souriant à son tour, tandis que l'ascenseur arrivait à son étage. Et c'est efficace. A l'école, on appelait ça le PPG : pied, poing, genou. Ça marche à tous les coups.

— Tu es dangereuse, plaisanta-t-il en la suivant jusque devant sa porte. Tu ne voudrais pas rester chez toi et te reposer un peu ? J'ai peur que tu blesses quelqu'un d'autre !

— Je t'assure que ça va aller. Et puis si je les laisse tomber, les deux autres vont être débordés d'ici demain matin. Comment va Natalie ?

— Ma foi, pas trop mal pour le moment. Elle ne supporte pas de devoir rester au lit et son cabinet d'architecte est sens dessus dessous. Mais elle a trop peur de perdre les bébés pour oser bouger. Les cinq prochains mois vont lui sembler bien longs. Elle ne pensait pas commencer aussi tôt son congé de maternité !

— Je passerai la voir demain, promit Héloïse.

Elle rentra dans son appartement pour se changer et reparut à la réception dix minutes plus tard, vêtue d'une nouvelle jupe et parfaitement recoiffée. Le reste de la nuit se déroula dans le calme. Sur le coup de sept heures, son père arriva dans le hall et lui demanda de le suivre dans son bureau. Voulait-il la réprimander une nouvelle fois d'avoir frappé le forcené ? Il lui fit signe de s'asseoir, avec l'air de celui qui a quelque chose d'important à déclarer. Sous ses yeux, des cernes noirs trahissaient une nuit sans sommeil : Héloïse elle-même semblait plus fraîche que lui.

— Je ne vais pas vendre l'hôtel, dit-il d'une voix rauque. Même si c'est de la folie. Une occasion pareille ne se présentera sans doute plus jamais et il se pourrait que je le regrette un jour. Mais il n'est pas question que je cède contre de l'argent ce que tu es prête à défendre au risque de ta vie. A l'avenir, je t'interdis de te mettre dans une situation aussi dangereuse, bien que je reconnaisse que tu as fait preuve d'un courage exceptionnel.

De mon côté, je m'engage à ne pas me séparer du Vendôme.

— Je suis si fière de toi, papa… dit-elle doucement, avant de faire le tour de son bureau pour le serrer dans ses bras.

— Il n'y a pourtant pas de quoi, répondit-il. J'ai failli vendre notre maison. C'est moi qui suis fier de toi.

Et tous deux sortirent du bureau, bras dessus, bras dessous. Un peu plus tard dans la matinée, Hugues appela son avocat, d'une part pour lui annoncer sa décision, et d'autre part pour lui rapporter les événements de la nuit. Le juriste prévint le syndicat que les deux agents de maintenance ne seraient pas réembauchés et qu'Hugues n'hésiterait pas à accuser l'organisation d'incendie volontaire si ce genre de plaisanterie se reproduisait. Le représentant syndical répliqua qu'il ne voyait pas de quoi il voulait parler. Néanmoins le message était clair. Le plongeur était déjà sous les verrous et la grève ne fut pas reconduite. Hugues fit preuve de la même fermeté envers le consortium néerlandais : l'hôtel Vendôme n'était pas à vendre. Il ne le serait jamais.

23

Même s'ils ne vivaient pas officiellement ensemble, Brad dormait maintenant chez Héloïse tous les soirs. Cette solution leur convenait pour le moment et Hugues, qui appréciait beaucoup le jeune homme, n'y trouvait rien à redire. Sa fille et lui formaient un couple bien assorti. Brad ne se plaignait jamais des horaires décalés d'Héloïse. Quand elle travaillait à la réception, que ce soit de jour ou de nuit, il en profitait pour réviser ses examens, qui auraient lieu en mai. Il lui faudrait ensuite préparer le concours du barreau, avant de décrocher un poste dans un cabinet d'avocats.

Natalie était alitée depuis deux mois et Héloïse s'efforçait de lui rendre visite aussi souvent que possible. Elle lui apportait les derniers magazines et des DVD. A six mois, les bébés étaient théoriquement viables, mais chaque semaine écoulée était autant de gagné. La décoratrice s'efforçait de diriger son bureau depuis sa chambre et ses assistants venaient la voir tous les jours.

Un soir pluvieux du mois de mars, Brad et Héloïse rentraient en taxi après avoir passé la soirée au très sélect Waverly Inn. Ils étaient en train de parler des perspectives de carrière du jeune homme, quand ils aperçurent un camion des premiers secours stationné devant l'hôtel. Pourvu que ce ne soit pas un client, victime d'un infarctus. Ou pire : Natalie ! Pourtant, personne ne leur avait téléphoné... Brad paya le chauffeur et tous deux sautèrent hors du véhicule pour se précipiter dans l'hôtel. Là, ce fut le choc : Héloïse vit son père traverser le hall sur une civière, entouré de brancardiers, un défibrillateur branché sur le torse. Bruce, deux agents de sécurité et le chef de réception les suivaient, l'air terrifiés, sous les yeux des clients.

— Qu'est-ce qui s'est passé ? demanda Héloïse d'une voix rauque, tandis que les brancardiers glissaient la civière dans l'ambulance.

— Je ne sais pas exactement, répondit le chef de réception. Il y a dix minutes, il a porté ses deux mains à la poitrine et s'est effondré juste là. Les secours viennent d'arriver. Je crois que c'est une crise cardiaque.

— Pourquoi est-ce que vous ne m'avez pas appelée ?

— Tout est allé trop vite. Nous allions justement le faire.

— Est-ce que Natalie est au courant ?

Il secoua la tête.

— Ne lui dites rien, ordonna-t-elle.

Elle sauta dans l'ambulance, prenant à peine le temps d'échanger un regard avec Brad. Le véhicule démarra en trombe.

— Il se réveille ! dit l'un des brancardiers, qui venait de le placer sous perfusion.

Hugues, reprenant connaissance, regardait Héloïse d'un air étonné.

— Que s'est-il passé ? demanda-t-il d'une voix éraillée. J'ai horriblement mal dans la poitrine.

— Evitez de parler, monsieur Martin, vous devez vous reposer, dit le brancardier.

Il se contenta donc de serrer dans la sienne la main de sa fille, qui ravalait ses larmes et priait pour que tout aille bien.

Aussitôt arrivés à l'hôpital, ils le conduisirent à l'unité de soins intensifs en cardiologie. Pendant un temps qui lui sembla interminable, Héloïse patienta à l'extérieur, puis elle fut autorisée à entrer. On lui annonça que son père avait été victime d'un léger infarctus. Ils avaient effectué un électrocardiogramme et le soumettraient à une angiographie un peu plus tard. Héloïse leur donna les grandes lignes de son dossier médical et décrivit sa situation familiale un peu particulière.

— Ne dis rien à Natalie, souffla-t-il avec angoisse. Elle risquerait de perdre les bébés.

— Je ne lui ai rien dit, et tout va bien se passer pour toi, répondit-elle en serrant sa main dans la sienne.

Pourvu que ce soit vrai... Comment ferait-elle sans lui ? Elle resta à ses côtés jusqu'à ce qu'ils l'emmènent pour l'angiographie, puis donna des nouvelles à Brad, qui l'attendait chez elle. Le jeune homme la rejoignit à l'hôpital, et ils attendirent ensemble.

Il était deux heures du matin quand on ramena Hugues en soins intensifs pour le placer sous monitoring. On avait pratiqué sur lui une angioplastie. Héloïse rappela alors la réception de l'hôtel.

— Qu'est-ce que vous avez dit à Natalie ? demanda-t-elle, inquiète.

— Qu'un client avait eu un accident, que ton père l'avait accompagné à l'hôpital et qu'il risquait de rentrer tard, dit le directeur adjoint.

— Parfait, dit Héloïse avec un soupir de soulagement.

— Comment va-t-il ? On a eu tellement peur... Il est tombé comme une masse.

— Ils lui ont fait une angioplastie et, maintenant, ça devrait aller. Je ne sais pas combien de temps ils vont le garder. Il est encore sous anesthésie.

— Tiens-nous au courant.

— C'est promis, dit-elle avant de raccrocher.

Elle se blottit contre Brad et ils tentèrent de se reposer dans la salle d'attente, en plein courant d'air. Héloïse avait le droit d'aller voir son père dix minutes toutes les heures, mais Hugues dormit toute la nuit. Vers six heures, Bruce leur apporta un thermos de café chaud et des vivres. Alors qu'Héloïse ne pouvait rien avaler, Brad, un peu honteux, dévora deux sandwichs à la suite avant même que Bruce soit reparti.

Quand Hugues se réveilla, il était marqué ; il semblait avoir vieilli de dix ans. Les appareils de contrôle auxquels il était branché clignotaient en tous sens et émettaient de sinistres signaux sonores. Héloïse l'embrassa, puis lui dit que le docteur n'allait pas tarder. Comme il se rendormait, elle retourna dans la salle d'attente en compagnie de Brad.

Le médecin arriva vers huit heures. Il prit connaissance du dossier d'Hugues, examina le patient, puis reparut en souriant dans la salle d'attente.

— Vous pouvez rentrer vous reposer, dit-il. Votre papa est tiré d'affaire. Nous allons le garder en observation quelques jours. Ensuite, il devra rester en convalescence pendant deux ou trois semaines, voire un mois. Il faudra qu'il surveille son alimentation et qu'il reprenne progressivement une activité physique modérée. C'est une alerte à prendre au sérieux, mais on l'a plutôt bien rafistolé, cette nuit. Dans un mois, il sera comme neuf !

Héloïse laissa échapper un immense soupir de soulagement : quelques heures plus tôt, elle aurait eu peine à le croire.

— Ma belle-mère est enceinte de triplés et n'a pas le droit de bouger non plus. On va devoir les coucher ensemble ! dit-elle avec un large sourire.

— Parfait ! A condition qu'il ne devienne pas trop entreprenant... Mais puisque vous me dites que votre belle-mère attend des triplés, nous n'avons sans doute rien à craindre de ce côté ! remarqua-t-il, ce qui les fit tous trois éclater de rire.

— Est-ce que je peux le voir une dernière fois avant de partir ? demanda Héloïse.

— Il dormait tout à l'heure, mais vous pouvez toujours y aller.

Quand elle entra dans la chambre, Hugues ouvrit les yeux.

— Je suis désolé de vous avoir enquiquinés, dit-il.

— Arrête tes bêtises, tu ne nous as pas enquiquinés, papa. Mais maintenant, il va falloir faire attention. Tu devras rester allongé pendant quelque temps. L'avantage, c'est que tu vas tenir compagnie à Natalie en attendant l'arrivée des triplés. Et le docteur dit que tu pourras marcher un peu chaque jour, à condition de ne pas forcer. Ne t'inquiète pas, on s'occupera bien de l'hôtel, dit-elle en déposant un baiser sur son front.

— C'est idiot, protesta-t-il, agité et inquiet. Je ne sais pas ce qui s'est passé. Je devais être fatigué. Je ne peux pas te laisser tout faire toute seule.

— Tu ne te remettras pas au travail tant que les médecins ne t'y autoriseront pas, trancha Héloïse. Nous sommes assez nombreux pour gérer les affaires courantes. L'important, c'est que tu ailles mieux. On a besoin de toi, papa. Moi, en tout cas, j'ai besoin de toi. Tu ne peux pas me laisser tomber...

A ces mots, les larmes lui montèrent aux yeux et Hugues lui caressa doucement les cheveux.

— Ne t'en fais pas, ma chérie, je ne vais nulle part. Dis à Natalie que tout va bien et qu'elle ne doit pas accoucher avant mon retour.

— De toute façon, tu rentres à la maison d'ici quelques jours. Je repasserai. Brad est là aussi, il t'embrasse bien fort.

— Je suis content qu'il soit venu avec toi. Dis à Natalie que je l'aime. Toi aussi, je t'aime, dit-il avec un faible sourire, avant de refermer les yeux et de tourner la tête sur l'oreiller.

Héloïse quitta la chambre sur la pointe des pieds. Elle retrouva Brad, puis tous deux sortirent au grand jour. La pluie avait cessé. Héloïse avait l'impression d'être restée enfermée pendant une semaine dans cette salle d'attente. Sur la banquette du taxi qui les ramenait à l'hôtel, elle lui avoua qu'elle n'avait jamais eu aussi peur.

Quand ils entrèrent dans le hall du Vendôme, les employés les assaillirent de questions et elle put les rassurer, épuisée mais sereine. Brad monta pour se doucher et se changer avant ses cours, tandis qu'elle se rendait au chevet de sa belle-mère. Cette dernière était en train de regarder les informations matinales.

En effet, elle n'avait pas grand-chose d'autre à faire que de regarder la télévision... et l'augmentation de son propre volume abdominal, déjà considérable.

— Où est ton père ? demanda-t-elle aussitôt.

Héloïse aurait aimé pouvoir lui mentir, mais le radar interne de Natalie était en alerte. Elle n'arriverait jamais à lui cacher la vérité pendant plusieurs jours.

La jeune fille s'assit sur le rebord du lit.

— Pour commencer, je t'assure qu'il va bien. Mais il nous a fait une frayeur, hier soir. Il est au New York Hospital. Un petit incident cardiaque. On lui a fait une angioplastie et les médecins ont dit qu'il serait bientôt en pleine forme. Je vais l'obliger à prendre quatre semaines de congé, comme ça, il te tiendra compagnie jusqu'à l'accouchement.

Elle s'était exprimée d'un seul trait, presque sans reprendre son souffle, et étrangement Natalie sembla soulagée.

— Merci de m'avoir dit la vérité, Héloïse, dit-elle en serrant les mains de la jeune fille dans les siennes. Tu es sûre qu'il va bien ?

— Je te le jure.

— Est-ce que je peux lui téléphoner ?

— Il venait de s'endormir quand je l'ai quitté. La nuit a été longue. On ferait mieux de l'appeler un peu plus tard.

Elle griffonna le numéro dans un carnet que Natalie gardait sur sa table de nuit.

— Si tu veux, je peux m'installer ici jusqu'à son retour, suggéra-t-elle.

— Oh oui, ce serait vraiment gentil de ta part, répondit Natalie, soulagée.

Elle redoutait d'être seule quand le travail commencerait ou, pire, de se retrouver en train d'accoucher dans son lit inopinément... Une situation pourtant peu vraisemblable, puisque l'obstétricien avait prévu de pratiquer une césarienne.

— Si seulement je pouvais être avec lui, au lieu de rester cloîtrée dans cette chambre... Je ne me sens bonne à rien.

— Il rentre bientôt, lui rappela Héloïse. Bon, je crois que je vais faire un somme, moi aussi.

Elle alla s'allonger sur le canapé dans la pièce voisine et fut réveillée par la sonnerie du téléphone. Natalie décrocha. C'était Hugues. Elle fondit en larmes en entendant sa voix et tous deux bavardèrent un long moment.

Héloïse commanda à déjeuner pour sa belle-mère, puis descendit pour se doucher et revêtir son uniforme : elle reprenait son poste à quinze heures. Avant cela, elle trouva le temps de se rendre à l'hôpital. Hugues avait quitté les soins intensifs pour une chambre individuelle avec une infirmière particulière. Quand Héloïse se présenta à la porte de sa chambre, le visage de son père s'éclaira. Il la remercia pour son dévouement. Natalie n'avait pas manqué de lui raconter combien elle l'avait aidée.

Ce soir-là, Héloïse rentra chez elle vers vingt-trois heures, après son service. Elle embrassa Brad, puis récupéra sa chemise de nuit.

— Tu as l'air sur les rotules, lui dit-il. Tu ne viens pas te coucher ?

— Je ne peux pas. Je vais dormir avec Natalie.

— Ma pauvre, c'est drôlement gentil de ta part.

Il l'accompagna jusqu'à l'appartement de direction et échangea quelques mots avec sa tante avant de redescendre. Il se sentait maintenant comme chez lui à l'hôtel, et commençait à envisager de quitter sa chambre d'étudiant près de l'université.

Après son départ, Héloïse se glissa sous les draps à côté de Natalie. Elles bavardèrent un instant et la jeune fille était sur le point de sombrer dans le sommeil, quand sa belle-mère lui saisit la main pour la plaquer sur son ventre.

— Tu sens ? murmura-t-elle.

Des bras et des jambes s'agitaient en tous sens. On aurait dit une bagarre dans un dessin animé.

— Comment est-ce que tu fais pour dormir ? demanda Héloïse, stupéfaite.

— Je ne dors pas. Ils passent presque tout leur temps à se trémousser comme ça.

— Comme ça doit être bizarre... dit la jeune fille en bâillant.

Deux minutes plus tard, elle était déjà dans les bras de Morphée, tandis que Natalie restait éveillée, à regarder la télévision. Ses nuits étaient aussi longues que ses jours...

Le surlendemain, Hugues rentra de l'hôpital en ambulance. Il refusa le fauteuil roulant prévu à son intention et passa la porte de son hôtel à pied, sans l'aide de personne. Quoique très pâle et fatigué, il avait bien meilleure mine que l'avant-veille et monta rapidement chez lui. Quand il s'assit près de Natalie pour l'embrasser, elle fondit en larmes et le serra de toutes ses forces. Il posa la main sur son énorme ventre et sourit en sentant les coups de pied des bébés. Tout cela ne valait-il pas la peine de s'accrocher à la vie ? Il avait bien trop à perdre pour ne pas suivre les recommandations des médecins.

— Ma parole, mais tu as encore gonflé depuis la dernière fois que je t'ai vue ! dit-il avec tendresse, avant de s'allonger près de sa femme, éperdu de gratitude.

Héloïse leur rendit visite le plus souvent possible. En l'absence de son père, elle endossa un certain nombre de responsabilités à l'hôtel, mais elle lui demandait souvent conseil, ce qui permettait à Hugues de rester en contact avec ses affaires, pour son plus grand plaisir. Cette situation n'était pas du goût de Natalie, qui jugeait l'hôtel responsable du surmenage de son mari. Elle ne souhaitait plus qu'une chose : qu'il s'en débarrasse. Elle l'exhorta donc à rappeler le consortium néerlandais pour leur dire qu'il revenait sur sa décision. Elle téléphona même à Héloïse pour lui demander, sans prendre de pincettes, de ne plus appeler son père aussi souvent. La jeune fille n'en fut que plus inquiète.

— Il est hors de question que je vende le Vendôme, déclara Hugues à sa femme. Je ne peux pas faire ça à Héloïse, elle aime trop cet hôtel.

— J'imagine quand même qu'elle t'aime plus que lui, répliqua Natalie. Nous serons bien avancées, avec un hôtel sur les bras, quand tu seras mort. Tu dois te ménager, pour elle et pour les bébés ! Si tu ne lèves pas le pied, ce boulot finira par te tuer.

— Mais je te rappelle que je suis en arrêt pendant un mois !

Cet argument ne la convainquit guère, car ce congé officiel ne l'empêchait pas de travailler à distance. Quand ce n'était pas avec Héloïse, il parlait régulièrement avec Bruce, Jennifer, ou le chef de réception.

Natalie n'en démordait pas : il fallait vendre. Elle finit par le stresser plus que l'hôtel ! Heureusement qu'ils n'avaient pas d'autre sujet de discorde.

Tous les jours, Hugues faisait le tour du réservoir de Central Park à pied et revenait de sa promenade avec de petits cadeaux pour son épouse. Début avril, quatre semaines après son infarctus, il semblait plus en forme qu'il ne l'avait jamais été, tandis que Natalie disparaissait derrière son ventre et ne bougeait presque plus. Hugues ne pouvait s'empêcher de sourire chaque fois qu'il la regardait.

L'obstétricienne et une infirmière venaient la voir quotidiennement. A sept mois, il lui arrivait d'avoir des contractions.

Un soir où ils étaient tous les deux en train de regarder de vieilles séries télé, elle se tourna soudain vers lui avec un drôle d'air. Le lit était trempé. Il craignit qu'elle ne soit en train de saigner... mais le liquide était incolore.

— Mon Dieu ! Je viens de perdre les eaux ! s'écria-t-elle, effarée.

Hugues prévint l'obstétricienne, puis appela la sécurité. Bruce arriva quelques minutes plus tard avec un fauteuil roulant. Il était deux heures du matin. Hugues aida sa femme à s'habiller et à s'asseoir.

— Le spectacle peut commencer, dit-elle en lui souriant doucement.

Ils attendaient ce moment avec tant d'impatience... Un an s'était écoulé depuis les premières injections d'hormones. Elle se sentait prête et espérait que les bébés le seraient aussi.

Hugues la fit descendre par l'ascenseur, assisté de Bruce. Il ne voulait pas déranger Héloïse au milieu de la nuit. Comme à cette heure-ci les chauffeurs de l'hôtel n'étaient pas disponibles, le portier héla un taxi. Natalie huma l'air. C'était si bon de sortir enfin, de respirer la brise printanière et de voir la ville ! Il lui semblait avoir été emprisonnée pendant des mois.

Aussitôt arrivée à l'hôpital, Natalie fut conduite en salle de travail ; elle commençait à ressentir les premières grosses douleurs, dont l'intensité la surprit. Elle serrait les doigts d'Hugues de toutes ses forces, tandis qu'il la rassurait de son mieux et l'aidait à s'allonger sur le lit. L'obstétricienne l'examina.

— Vous êtes déjà dilatée de huit centimètres, annonça-t-elle. Vous avez dû avoir des contractions toute la nuit, non ?

— Difficile à dire... J'en ai eu tellement ces derniers temps !

— Il ne faut pas que le travail se fasse trop vite, mais c'est bien d'avoir quelques contractions avant la césarienne, pour que les bébés soient prêts à respirer, expliqua le médecin, avant de vérifier une seconde fois la dilation du col.

Cette fois-ci, Natalie hurla. Hugues sursauta comme s'il partageait sa douleur. Miriam avait refusé qu'il soit présent pour la naissance d'Héloïse, de sorte qu'il se sentait aussi peu préparé que sa femme, et impuissant face à l'événement.

— Maintenant que vous avez perdu les eaux, on ne peut plus arrêter le processus, continua le médecin. Vous vous dilatez vite et il y a un risque d'infection. Cependant, je vais essayer de ralentir le travail avec l'aide d'une péridurale, pour laisser le temps d'agir au médicament que nous avons mis dans votre perfusion. Il devrait protéger les poumons des bébés, qui ne sont pas encore à maturité. Il faut juste espérer que ces petits bouts de chou ne sont pas trop pressés de sortir... Sinon, nous serons obligés de réaliser la césa-rienne sous anesthésie générale, mais on va tout faire pour éviter ça.

L'anesthésiste, arrivé sur ces entrefaites, déclara que la péridurale ne poserait pas de problème. Natalie ressentit une vive douleur quand l'aiguille pénétra dans le bas de son dos, mais, peu de temps après, elle cessa de souffrir. Grâce à un électrocardiographe fœtal, les trois battements de cœur étaient sous obser-vation constante.

— J'ai peur, murmura-t-elle, tenant la main d'Hugues. Pour les bébés, pas pour moi.

Elle était allongée sur le côté, épuisée. Elle avait l'impression de ne plus rien contrôler, de ne plus être maîtresse de son corps, qui avait été palpé, examiné, piqué, par tant d'inconnus... Les larmes se mirent à couler le long de ses joues.

— Tout va bien se passer, ma chérie, dit Hugues.

Tant de choses restaient pourtant incontrôlables... A huit heures du matin, après que tout le médica-ment, dilué dans deux poches de sérum physiolo-gique, eut été injecté dans l'organisme de Natalie, l'anesthésiste diminua le dosage de la péridurale afin de stimuler de nouveau les contractions. Aussitôt, les douleurs reprirent. Décidément, cela n'avait rien d'une promenade de santé... L'obstétricienne, qui se voulait rassurante, affirma qu'ils procéderaient bien-tôt à la césarienne. Hugues, lui, ne voyait pas ce qu'il y avait de rassurant dans cette nouvelle : après avoir souffert le martyre, Natalie allait devoir subir une intervention chirurgicale importante. Les médecins l'examinèrent encore une fois, ce qui n'arrangea pas les choses.

— Je veux rentrer à la maison, gémit-elle.

— Moi aussi ma chérie, mais avec nos bébés sains et saufs dans nos bras. Pour le moment, nous n'avons pas le choix. Courage, je t'en prie.

Deux autres médecins et une demi-douzaine d'infirmières arrivèrent dans la chambre. Tout s'accéléra. Natalie fut transportée sur un brancard jusqu'au bloc opératoire, accompagnée d'Hugues et suivie par toute l'équipe. L'arrivée de triplés restait un événement rare, même si le développement de la procréation médicalement assistée augmentait les risques de naissances multiples.

Tout se passa si vite que Natalie eut à peine le temps de comprendre ce qui lui arrivait. Son ventre fut désinfecté et on y posa des champs opératoires pour délimiter la zone d'incision, puis trois pédiatres entrèrent avec trois couveuses, tandis que quelqu'un la recouvrait d'un drap surélevé de façon qu'elle ne puisse rien voir de la césarienne. On demanda à Hugues de se placer près de sa tête. Il se pencha pour l'embrasser et elle lui sourit entre ses larmes. Alors que l'un des signaux paraissait moins régulier sur l'électrocardiographe, l'obstétricienne déclara qu'ils commençaient l'intervention.

Hugues était assis sur un tabouret près de son épouse. Il n'aurait pas pu en jurer, mais il lui semblait qu'il n'entendait plus que deux battements cardiaques distincts. Il n'osa pas cependant poser de questions, de peur d'effrayer encore un peu plus Natalie.

Les différents médecins ne cessaient de se parler. Soudain, alors qu'Hugues pressait son visage contre celui de son épouse, tous deux entendirent un pleur minuscule de l'autre côté du drap.

— Vous avez un petit garçon ! annonça le médecin.

Un pédiatre se saisit de l'enfant pour un premier examen avant de le placer en couveuse. Une seconde plus tard, un autre pleur se fit entendre, un peu plus fort cette fois.

— Et voilà une petite fille !

Les nouveaux parents, tout à leur joie, retinrent toutefois leur souffle dans l'attente du troisième cri. Mais rien... Seule une sorte de clapotement parvint à leurs oreilles, puis les médecins échangèrent quelques mots incompréhensibles.

— Que se passe-t-il ? demanda Natalie d'une voix étouffée.

Personne ne lui répondit. Les deux autres bébés pleuraient distinctement, de façon ininterrompue. L'obstétricienne s'approcha d'eux et, à l'expression de son visage, ils comprirent.

— Nous avons fait tout notre possible pour sauver votre seconde petite fille, mais son cœur n'a pas résisté. Elle pesait à peine un kilo. Je suis désolée.

Natalie éclata en sanglots, tandis qu'Hugues lui caressait le visage, ses propres larmes coulant sur les joues de sa femme. La vie venait de leur offrir deux merveilleux cadeaux, et de leur reprendre le troisième.

— Votre petite fille était un bébé magnifique, dit-elle. Nous l'avons lavée. Voulez-vous la voir et la prendre dans vos bras ?

D'expérience, l'obstétricienne savait que c'était important pour le travail de deuil. Si on négligeait cette étape, les parents s'imaginaient parfois toutes sortes de choses : que leur bébé avait été volé ou échangé, ou encore qu'il était monstrueusement déformé. Natalie acquiesça d'un signe de tête. Quelques minutes plus tard, une infirmière leur amena la petite fille mort-née. Son visage était fin et régulier, avec des cheveux noirs comme ceux d'Hugues. Il effleura sa joue minuscule. On aurait dit qu'elle dormait. L'infirmière la leur reprit doucement, tandis que l'obstétricienne et un de ses confrères approchaient les deux couveuses. Le petit garçon pleurait très fort. Avec son fin duvet de cheveux blonds, il ressemblait à Natalie, et la petite fille avait l'air d'une poupée avec ses bouclettes. Ils pesaient à peine plus d'un kilo cinq cents chacun, mais semblaient deux fois plus gros que l'enfant décédée, petit ange qui ne connaîtrait jamais ce monde. Avec beaucoup de tact, le docteur s'efforça de concentrer l'attention des parents sur les deux bébés en vie, dont la naissance était une belle victoire. Elle leur expliqua qu'ils resteraient à l'hôpital, en néonatalogie, jusqu'à ce leur poids atteigne deux kilos.

Après les événements dramatiques qu'elle venait de vivre, Natalie fut prise de violents tremblements malgré l'épaisse couverture qui la recouvrait. Quant à Hugues, il était à la fois triste et heureux, il avait le cœur brisé et se sentait pousser des ailes. Natalie resta en observation pendant une heure en salle d'opération, puis on la transporta dans une chambre individuelle.

Quand ils se retrouvèrent seuls, Hugues la serra dans ses bras. Il lui dit à quel point il était fier d'elle et combien il admirait son courage. Comme le médecin, il s'efforça de lui rappeler les deux magnifiques cadeaux que la vie leur avait offerts. Mais tout en écoutant sa voix apaisante, Natalie ne pouvait oublier le visage de l'enfant disparue.

Hugues appela Héloïse et lui annonça qu'elle avait un frère et une sœur. Un silence suivit.

— Nous avons perdu une petite fille, dit-il enfin.

Héloïse accueillit la nouvelle avec tristesse. Cependant, au vu des risques encourus, elle était soulagée d'apprendre que Natalie allait bien et que les deux autres bébés avaient pu être sauvés.

— Comment se sent-elle ?

— Ça va aller. Elle est forte, tu sais. Elle pourra rentrer dans quatre jours. Nous sommes très tristes tous les deux, mais nous mesurons notre chance.

— Est-ce que je peux la voir ?

— Un peu plus tard, peut-être. Elle est secouée et elle a besoin de repos.

— Et toi, papa ? Comment va ton cœur, avec toutes ses émotions ?

— Ça va, ma chérie, ne t'inquiète pas. Il faut bien que je tienne le coup...

— Tant mieux. Je vais prévenir tout le monde à l'hôtel. Je vous embrasse.

Au Vendôme, Jennifer accrocha un peu partout des ballons roses et bleus, tandis qu'Héloïse informait les membres du personnel des dernières nouvelles, bonnes et moins bonnes.

A la fin de sa journée au guichet de conciergerie, Héloïse se rendit à l'hôpital en compagnie de Brad. Depuis le couloir, ils admirèrent les bébés dans leur couveuse et Hugues leur annonça qu'un office funèbre serait célébré dès que Natalie pourrait sortir. Ce deuil assombrissait d'autant plus leur joie qu'ils ne pouvaient pas encore ramener leurs deux autres enfants à la maison... Mais ainsi allait la vie, comme le disait Hugues.

Pour éviter de fatiguer Natalie, qui subissait le contrecoup de la césarienne, les deux jeunes gens ne restèrent que quelques instants. De retour à l'hôtel, Brad revint longuement sur ce que venaient de vivre Hugues et Natalie. Sa tante avait été mise à rude épreuve.

— Tout ça est si compliqué... Il faut dire qu'elle les a eus tard. Quand on pense qu'elle aurait pu perdre les trois, ça remet les choses en perspective. J'espère que tu n'auras jamais à en passer par là. Heureusement pour nous, nous avons la vie devant nous ! Et de toute façon, je ne te lâcherai pas en cas de pépin, dit-il en la serrant dans ses bras.

Ils passèrent une partie de la soirée à parler d'avenir... Leur relation était de celles qui, bien que nouées très tôt, semblaient destinées à résister au temps. En neuf mois à peine, ils avaient vécu des moments forts et savaient déjà l'un et l'autre qu'ils voulaient rester ensemble le plus longtemps possible.

De son côté, Hugues n'avait pas de plus grand but dans la vie que de protéger sa famille et d'être là pour Natalie. Il était suffisamment rétabli de son infarctus pour pouvoir s'occuper de la jeune maman à l'hôpital. Toute la semaine, il découragea ceux de leurs amis qui proposaient de venir la voir ; elle n'était pas prête.

Le lendemain de leur retour à la maison, ils rendirent un dernier hommage à leur fille mort-née. Ce fut une bien triste journée. Conformément à leur souhait, seuls Héloïse et Brad les accompagnèrent à l'enterrement. La jeune fille sentit son cœur se serrer à la vue du minuscule cercueil blanc, sur lequel on avait placé des fleurs roses. Natalie pleura d'un bout à l'autre de la brève cérémonie et, sur le chemin du retour, Hugues insista pour faire étape à l'hôpital. La vue de Stéphanie et de Julien leur redonna le sourire. Le visage du petit garçon changeait à chaque instant, il faisait une foule de grimaces amusantes, tandis que sa sœur dormait paisiblement dans sa couveuse. Ils étaient si mignons ! Brad et Héloïse étaient fascinés. La jalousie de la jeune fille s'était évaporée comme par magie. Les bébés l'avaient conquise au premier regard. C'était comme s'ils avaient toujours fait partie de la famille. Brad ne se privait pas de la taquiner : elle avait acheté un nombre considérable de babioles à leur intention.

Ils rentrèrent ensuite tous les quatre à l'hôtel et dînèrent ensemble à l'appartement de direction. Après cette dure journée, Natalie s'excusa et alla se coucher avant la fin du repas.

La semaine suivante, Hugues retrouva son bureau avec le plus grand plaisir. Cela ne l'empêcha pas d'accompagner son épouse à l'hôpital plusieurs fois par jour, afin qu'elle puisse allaiter les jumeaux et laisser quelques biberons de lait maternel. Si Natalie craignait toujours que son mari ne se surmène, elle s'aperçut qu'il était plus épanoui depuis qu'il avait repris le travail.

— Je n'arriverai pas à te faire vendre cet hôtel, n'est-ce pas ? lui dit-elle un soir.

— Jamais, répondit-il avec un sourire. J'ai failli commettre cette erreur une fois, je ne recommencerai plus. Un jour, Héloïse le dirigera à ma place, et pourquoi pas Julien et Stéphanie après elle ? Pendant ce temps, toi et moi, on fera le tour du monde et on en profitera à fond, les doigts de pieds en éventail !

— Tu en parles comme si c'était pour demain... soupira-t-elle. C'est bon ! Je n'insiste plus. Vous êtes complètement fous, avec votre hôtel. Héloïse est aussi incorrigible que toi. Elle n'a pas arrêté, pendant que tu étais malade. Mais tu n'as pas intérêt à te tuer à la tâche, parce que je vais encore avoir besoin de toi pendant de longues années, Hugues Martin...

— Moi aussi, j'ai besoin de toi. Tu es la femme que j'aime et la mère de mes enfants. Un jour nous déménagerons, je te le promets. Dès qu'Héloïse sera prête à prendre la relève.

24

Au mois de mai, la famille au complet assista à la remise des diplômes de Brad : ses parents, son frère et ses sœurs avaient fait le déplacement depuis Philadelphie pour l'occasion. Tous étaient très fiers de lui, surtout Héloïse, qui l'avait vu étudier inlassablement soir après soir. Pour le récompenser, James et Jean lui offraient un séjour en Europe. En compagnie d'Héloïse, il s'envolerait pour l'Espagne au mois d'août ; ils visiteraient ensuite la Grèce et feraient un détour par Paris avant de rentrer à New York. Ce serait leur premier voyage ensemble et tous deux attendaient ce moment avec impatience. D'ici là, Brad se préparait à l'examen du barreau, qui avait lieu en juillet.

Au cours des trois derniers mois, il avait passé de nombreux entretiens dans des cabinets d'avocats ; il s'était finalement aperçu que la législation antitrust l'ennuyait autant que le droit fiscal. Il ne se voyait pas travailler dans le bureau d'un avocat commis d'office et avait écarté assez vite l'idée d'une carrière dans la défense pénale. En fait, ce qui lui plaisait, c'était le droit du travail. Comme il en parlait à Hugues depuis longtemps déjà, ce dernier en avait touché un mot au cabinet qui gérait les contentieux avec les employés de l'hôtel. Une semaine avant la remise des diplômes, ces avocats renommés venaient de lui proposer un poste. Son contrat débutait dès la fin du mois d'août. Qui sait ? Un jour, il défendrait peut-être les intérêts du Vendôme.

Mais les deux jeunes gens ne pensaient pas qu'à leur carrière : début juillet, ils s'apprêtaient à franchir une étape importante. Brad abandonnait son studio d'étudiant pour emménager à l'hôtel dans l'appartement d'Héloïse... avec la bénédiction d'Hugues. Ainsi, ils prenaient peu à peu le chemin d'un engagement durable. Héloïse allait sur ses vingt-deux ans et Brad venait d'en avoir vingt-six. Ils avaient encore beaucoup à apprendre de la vie : selon l'expression de leurs parents, ils n'étaient encore que des bébés...

Après la remise des diplômes, Hugues organisa en l'honneur de Brad un somptueux dîner au restaurant de l'hôtel, où furent conviés les deux familles ainsi que quelques amis du jeune homme. En collaboration avec le chef cuisinier, Héloïse avait soigneusement élaboré le menu, puis sélectionné elle-même les vins. L'ensemble des convives plébiscita ses choix et tous passèrent une excellente soirée.

Héloïse, désormais bien rodée à ce genre d'exercices, prenait de plus en plus d'initiatives au Vendôme. Ayant terminé son stage en interne, à la suite de celui imposé par l'Ecole hôtelière, elle avait largement prouvé ses compétences et pouvait se targuer d'avoir bien mérité ses galons. Son père venait en effet de la nommer directrice adjointe. Tandis qu'il lui déléguait une partie de ses responsabilités, lui-même s'autorisait à profiter pleinement de sa nouvelle vie de famille. Au mois de juillet, il emmènerait Natalie et les jumeaux passer une semaine dans une maison qu'il avait louée au bord de la mer, dans les Hamptons, pour célébrer leur premier anniversaire de mariage.

Depuis leur retour à la maison, Stéphanie et Julien se portaient comme un charme. Hugues et Natalie pensaient souvent à leur petite fille décédée. En un sens, c'était une chance que les jumeaux requièrent une grande partie de l'attention de leurs parents : cela les aidait à surmonter cette épreuve. Afin de pouvoir les allaiter, Natalie s'était octroyé trois mois de congé de maternité. Elle avait décidé de ne plus accepter autant de projets, quand elle serait de retour à son cabinet. Elle souhaitait ne travailler que quelques jours par semaine. En attendant, elle adorait sa vie de maman à plein temps. Tous les jours, elle installait les bébés dans la double poussette et sortait faire un tour dans Central Park en compagnie de son mari. Se conformant à la prescription du cardiologue, Hugues avait consenti à ménager une pause au milieu de sa journée de travail, ce qui lui permettait de transformer sa séance quotidienne d'exercice physique en une agréable promenade familiale.

Le week-end du 4 Juillet, Hugues, Natalie et les jumeaux embarquèrent à bord d'une voiture pleine à craquer de matériel de plage et d'accessoires de puériculture. Tout en leur adressant de chaleureux signes d'au revoir, Brad rappela à Héloïse que c'était également leur anniversaire, puisqu'ils s'étaient rencontrés lors du mariage. Tant de choses avaient changé, en un an à peine ! Il l'embrassa, puis tous deux remontèrent à leur appartement. Le moment était venu pour le jeune homme de déballer ses cartons.

25

Héloïse regarda sa montre et décida de prendre cinq minutes pour jeter un œil à la salle de bal. Quelques mois plus tôt, Sally avait pris tout le monde de court en acceptant un poste extrêmement bien rémunéré dans un hôtel de Miami. Depuis, Héloïse supervisait – en toute discrétion – le travail de la nouvelle responsable des noces et banquets. En l'occurrence, un événement important se préparait. Hugues s'apprêtait à célébrer son soixantième anniversaire : plus d'une centaine d'invités étaient attendus pour le dîner dansant. Il était marié à Natalie depuis sept ans, Stéphanie et Julien venaient d'en avoir six.

La décoration de la salle était conforme aux attentes d'Héloïse, avec des arbustes savamment taillés et disposés aux endroits stratégiques de la pièce, de superbes centres de table, et une nuée de ballons argentés au plafond. S'il y avait une chose que l'on pouvait reprocher à la remplaçante de Sally, c'était son goût un peu trop prononcé pour les ballons... Hélas, Jan avait elle aussi quitté le Vendôme. Elle possédait désormais sa propre boutique à Greenwich Village, mais ne manquait pas de leur rendre visite de temps en temps et, une fois par mois environ, Héloïse et elle sortaient déjeuner ensemble. Le nouveau fleuriste, Franco, avait été formé par Jeff

Leatham au George V de Paris et il était très talentueux. Ses buis taillés et ses grandes compositions florales suscitaient l'admiration générale.

Satisfaite, Héloïse monta se changer. Brad, qui avait passé la semaine à désamorcer une grève pour l'un de ses clients, venait tout juste de rentrer de son bureau. Après avoir sorti du placard la robe qu'elle avait prévu de porter pour la soirée, la jeune femme se débarrassa de sa veste de tailleur flambant neuve. Les uniformes de l'hôtel avaient tous été remplacés cette année-là ; elle avait elle-même choisi les nouvelles tenues, d'un style jeune et frais.

— Comment ça se présente ? lui demanda Brad.

— La salle est parfaite, annonça-t-elle, rayonnante.

Au bout de sept ans de vie commune, ils se comprenaient à demi-mot. Un instant plus tard, elle sautait dans la douche, tout en s'exclamant :

— Au fait, je voulais t'appeler pour te le dire, mais j'ai oublié : il y a une cliente qui s'est cassé un bras en glissant dans la salle de bains. Elle menace de porter plainte.

— Ne t'en fais pas, ton père m'a prévenu. J'ai appelé la dame. Elle revient avec son mari et toute sa famille à Thanksgiving. Ils veulent trois suites gratuites pour les quatre jours. Ça vous coûtera sans doute moins cher qu'un procès ou des dommages et intérêts...

Héloïse acquiesça, soulagée. Brad, qui était maintenant un associé à part entière de son cabinet d'avocats, les avait souvent tirés d'affaire avec brio.

Les deux jeunes gens arrivèrent dans la salle de bal juste avant Hugues, Natalie et les jumeaux. Stéphanie leva les yeux vers sa grande sœur avec un large sourire où manquaient plusieurs dents. Sa ressemblance avec

Héloïse au même âge était frappante, à cela près qu'elle était blonde et non rousse. Elle aussi affirmait qu'elle travaillerait au Vendôme plus tard. Elle serait coiffeuse... ou fleuriste ! Mais Héloïse lui assurait qu'il était encore bien plus amusant de diriger l'hôtel. La petite fille répondait qu'elle ne voulait pas porter d'uniforme. Elle voulait mettre de jolies robes et des chaussures « qui brillent » pour aller travailler... Julien, pour sa part, se désintéressait totalement de l'hôtel : il se voyait plutôt champion de baseball ! Tous deux fréquentaient la section primaire du Lycée français, comme leur aînée avant eux. Natalie officiait toujours avec autant de passion dans son cabinet d'architecte d'intérieur, mais seulement trois jours par semaine, tandis que Jim, autrefois son adjoint en conception, était devenu son associé. Malgré les récriminations d'Hugues, qui regardait à la dépense, elle venait de remettre à neuf toutes les suites du Vendôme, y compris les superbes volumes de la suite présidentielle, qu'elle rêvait de décorer depuis si longtemps.

L'anniversaire d'Hugues correspondait aux vingt-cinq ans de l'hôtel et les invités s'étaient pressés en nombre pour cette double célébration. En moins d'une demi-heure, la fête battit son plein. Au son de l'orchestre, les danseurs avaient investi la piste. Le buffet, au milieu duquel trônait un énorme bavarois aux framboises réalisé par le chef pâtissier, était pris d'assaut. Personne ne manquait : même Jan était venue de Greenwich Village ; Hugues était profondément touché par la présence de tous ces visages familiers, tous ces employés dévoués rassemblés autour de lui.

Au bout d'un moment, il se leva et fit tinter sa coupe de champagne avec un couteau pour demander l'attention de l'assistance. Héloïse adressa un sourire à Brad, à l'autre bout de la table, tandis que son père embrassait la salle du regard.

— Mes chers amis, je voudrais remercier chacun d'entre vous pour votre fidélité. Grâce à vous, les vingt-cinq dernières années ont été pour moi une aventure merveilleuse. Je ne peux pas tous vous nommer, nous y serions jusqu'à demain matin, dit-il avec un large sourire.

Héloïse leva les yeux au ciel. A l'entendre, il ne célébrait pas son anniversaire, mais son départ à la retraite ! Même Bruce l'avait remarqué : depuis quelques jours, le patron se montrait particulièrement sentimental.

— Ici, j'ai eu beaucoup de grandes joies, quelques migraines... des enfants, aussi. Il y a un quart de siècle, quand j'ai commencé à rénover cet hôtel, Héloïse allait sur ses trois ans. Et quand nous avons ouvert, elle en avait presque cinq. Cela fait donc vingt-cinq ans qu'elle tyrannise la plupart d'entre vous ! Vingt-cinq années au cours desquelles j'ai eu le plaisir de la voir devenir cette jeune femme charmante et surtout très compétente. Certains le savent, c'est elle qui me maintient sur les rails. Il y a quelques années, j'ai failli être assez bête pour vendre le Vendôme, mais elle a su m'en dissuader. Naturellement, la suite lui a donné raison et je ne me serais sans doute jamais pardonné cette erreur.

« Bref, chers amis, je ne vais pas vous ennuyer plus longtemps. Je suis ici pour vous remercier de votre fidélité, pour trinquer avec vous à l'occasion de mon anniversaire, mais aussi pour faire une annonce officielle. J'ai décidé de prendre ma retraite l'année prochaine. D'ici là, j'ai l'honneur de vous présenter ce soir votre nouveau P-DG et je vous demande de le féliciter comme il se doit... Levons nos verres à la nouvelle directrice générale de l'hôtel Vendôme, j'ai nommé : mademoiselle Héloïse Martin !

La jeune femme fixa son père d'un regard incrédule, et de grosses larmes se mirent à rouler le long de ses joues. Visiblement, Natalie et Brad n'avaient rien soupçonné non plus. Ils semblaient aussi éberlués qu'elle. Seule Jennifer, qui souriait d'un air mélancolique, ne paraissait pas surprise. Elle n'avait pourtant rien laissé filtrer des intentions de son patron ! Et tandis que tous les invités s'étaient levés, dressant leur verre à sa santé, Héloïse traversa la salle pour s'approcher d'Hugues.

— Qu'est-ce que tu fais, papa ? Qu'est-ce que ça signifie ? demanda-t-elle à mi-voix.

— C'est ton tour, ma chérie. J'ai toujours su que tu en arriverais là un jour et tu l'as bien mérité.

Héloïse se tourna vers l'assistance et leva son verre en l'honneur d'Hugues.

— Je ne sais pas quoi dire, je dois vous avouer que je ne m'y attendais pas du tout. C'est vrai que, toute petite, je rêvais déjà de diriger le Vendôme, mais dans mon esprit, papa, tu restais à mes côtés, avoua-t-elle en s'efforçant de ravaler ses larmes. Je ne serai jamais à la hauteur de ton charisme légendaire, ni même de tes compétences de directeur. Néanmoins, je te le promets solennellement, cher papa, ainsi qu'à vous tous qui m'avez vue grandir : je travaillerai dur et je donnerai le meilleur de moi-même. Joyeux anniversaire !

Tandis qu'elle l'embrassait, tous les invités, encore stupéfaits, poussèrent un cri de joie et se mirent à commenter cette passation de pouvoir inattendue dans un joyeux tohu-bohu.

— Alors, tu le savais, toi ? demanda Héloïse à Natalie, après être revenue s'asseoir à sa place.

— Eh bien, non, pas du tout, et je ne m'en serais jamais doutée... Hugues, partir à la retraite ? Va savoir comment il va s'occuper, mais ça m'étonnerait qu'il reste longtemps inactif.

— En tout cas, je pense que c'est une excellente idée de sa part, dit Brad.

Sur ce, Hugues apparut et invita son épouse à danser. Il lui dévoila alors ses projets... des projets de voyage autour du monde : si elle était d'accord pour confier le cabinet à Jim, son associé, il l'emmenerait passer une année entière à Paris avec les jumeaux. Même s'il donnait un peu le vertige à Natalie, son enthousiasme était contagieux. Tandis qu'il la faisait virevolter sur la piste, elle se projetait déjà dans leur nouvelle vie. Hugues, séduisant sexagénaire, était en pleine forme. Natalie et les jumeaux l'avaient aidé à rester jeune.

— Qu'est-ce qu'il a dit, papa ? demanda Stéphanie, perplexe, à sa sœur aînée.

— Il a dit que je vais m'occuper de l'hôtel et que, pendant ce temps-là, il aura encore plus de temps pour jouer avec toi, répondit Héloïse avec un large sourire.

La petite fille sembla chagrinée.

— Mais... moi aussi, je veux m'occuper de l'hôtel, dit-elle.

— Si tu travailles très dur et que tu écoutes bien mes conseils, tu pourras m'aider un jour, promit Héloïse, ce qui sembla satisfaire la fillette.

Brad entraîna ensuite sa compagne sur la piste de danse.

— Quelle surprise ! lui dit-il. Tu crois vraiment qu'il va réussir à se reposer ?

— Je ne m'inquiète pas trop à ce sujet : avec Natalie et les jumeaux, il n'aura pas le temps de s'ennuyer.

— Ce qui est sûr, c'est qu'il a bien choisi son successeur. Comme lui, tu es faite pour ce métier... à condition de ne pas y laisser ta peau.

Un peu plus tard dans la soirée, ils parlaient encore de ce grand événement, quand ils croisèrent Jennifer et Bruce près du buffet. Julien, caché derrière la longue table recouverte d'une nappe blanche, était en train de lancer des boulettes de pain à sa sœur et Héloïse lui fit les gros yeux. On pouvait compter sur lui pour les bêtises... La petite Stéphanie, elle, était plus mûre et plus réfléchie, et elle voulait toujours être au courant de ce qui se passait à l'hôtel. Jusqu'à ce qu'Ernesta prenne sa retraite, l'année précédente, elle avait souvent suivi la femme de chambre dans sa tournée du soir. Naturellement, la fidèle employée n'avait pas manqué de répondre à l'invitation d'Hugues pour sa soirée d'anniversaire. Celle qui avait tenu lieu de nounou à Héloïse pendant toute son enfance n'avait pu contenir ses larmes quand le patron avait passé le flambeau à sa fille.

— Alors, madame la directrice, comment vous sentez-vous ? demanda Jennifer avec un chaleureux sourire, tandis que Brad et Bruce se servaient du homard à l'américaine.

Héloïse l'avait spécialement commandé auprès du chef à l'intention de son père, dont c'était le plat préféré.

— Tu étais au courant, pas vrai ? dit-elle.

— Ton père ne m'a rien dit de façon explicite, mais j'avoue que je m'en doutais un peu, répondit la vieille assistante, qui connaissait son patron sur le bout des doigts, devinant parfois ses pensées avant sa femme et sa fille aînée. Je suis persuadée qu'il a pris la bonne décision. Il faut qu'il se détache de cet hôtel et qu'il profite de la vie tant qu'il est encore jeune. Ce serait formidable, s'ils pouvaient passer un an à Paris. Surtout que tu pourrais aller les voir !

Héloïse n'en était pas si sûre… Dans le cadre de ses nouvelles fonctions, elle serait plus prise que jamais. Mais elle allait sur ses vingt-huit ans et sa promotion intervenait au bon moment.

Les deux hommes les rejoignirent, et Bruce et Jennifer échangèrent un sourire complice. Héloïse n'ignorait pas que l'assistante de son père et le directeur de la sécurité se fréquentaient discrètement depuis plusieurs années et elle trouvait qu'ils formaient un bien beau couple. A cet instant, Jennifer se tourna vers elle.

— Nous aussi, nous avons une nouvelle à vous annoncer, dit-elle en rougissant comme une jeune fille, tandis que Bruce émettait un petit rire. Nous nous marions ! Et je vais sans doute prendre ma retraite l'année prochaine.

Enchantée, Héloïse la serra dans ses bras, avant de pointer sur elle un index accusateur.

— Tu te maries si tu veux, dit-elle, mais il est hors de question que tu quittes cet hôtel avant que j'en connaisse toutes les ficelles. Tu en sais plus long que moi à bien des égards…

Tandis que Jennifer éclatait de rire, Héloïse prit conscience qu'elle occuperait bientôt le bureau de son père et s'assiérait dans son fauteuil. Comme ce serait étrange ! Serait-elle à la hauteur ? Il lui restait tant de choses à apprendre ! Cette idée la fit redescendre sur terre et l'attrista un peu. Elle aimait tant travailler aux côtés d'Hugues qu'elle n'aurait jamais voulu le voir partir. Pourtant il fallait bien qu'il décroche un jour et il était mûr pour ce grand changement... Etait-elle prête à franchir le cap, elle aussi ? Il lui suffirait sans doute de se faire à l'idée.

Avant la fin de la soirée, Héloïse parvint à échanger quelques mots avec chacun des invités. La fête en l'honneur de son père était une réussite, même si, une fois de plus, c'était lui qui avait créé l'événement en annonçant que sa vie allait prendre un nouveau tournant. Avec Hugues Martin, on n'était jamais au bout de ses surprises !

Quand enfin elle remonta à l'appartement, Héloïse était épuisée par toutes ces émotions.

— Je n'imaginais pas que papa prendrait sa retraite avant dix ou quinze ans, dit-elle à Brad, paniquée, alors qu'ils se déshabillaient. D'ici là j'aurais eu tout le temps de me préparer. Qu'est-ce qui va se passer si je n'y arrive pas, si je mène l'hôtel à sa perte ?

— Il n'y a pas de raison. Je suis sûr que tu t'en sortiras encore mieux que ton père, répondit Brad en l'attirant à lui. En fait, tu diriges déjà cet hôtel, même si tu ne t'en es pas encore aperçue. Hugues ne t'aurait pas passé le flambeau s'il ne t'en croyait pas capable. Il aime trop cet hôtel pour prendre un tel risque, tu le sais bien.

— Et toi, est-ce que tu me tireras d'affaire quand je ferai des bêtises ? demanda-t-elle en appuyant la tête sur son épaule.

— Bien sûr, sauf que ça n'arrivera pas. Tu n'auras pas besoin de l'aide d'un avocat pour diriger le Vendôme. Tu as toutes les personnes compétentes dont tu as besoin autour de toi. Et, tu sais, ton père a raison de profiter de sa vie de famille. D'ailleurs, j'ai réfléchi ces derniers temps, et je me disais que, nous aussi, nous pourrions apporter des aménagements à notre vie quotidienne.

Héloïse regarda son compagnon d'un air interrogateur.

— Tu voudrais déménager ? Mon père vient de me dire qu'il pensait acheter un appartement à leur retour d'Europe. On pourrait prendre le sien. Cette suite est très bien, on y a partagé plein de bons moments, mais j'avoue qu'elle est un peu petite.

— C'est vrai, ce serait sympa d'avoir plus de place... Pourtant ce n'est pas à ce type de changement que je pensais.

— Ah bon ?

— Non, tu vois, je pense que tu serais beaucoup plus efficace, dans le cadre de tes nouvelles fonctions, si tu avais une vie sentimentale stable.

— Tu plaisantes ? Nous sommes ensemble depuis sept ans. Comment ma vie sentimentale pourrait-elle être plus stable ?

— Quand je disais stable, c'était plutôt dans le sens de « respectable ». Tu ne peux pas occuper un poste aussi important que celui de directrice du Vendôme alors que tu vis dans le péché...

Après une pause, il reprit sur un ton grave :

— Héloïse, veux-tu m'épouser ? Voilà des mois que je voulais te faire ma demande, mais je pense que le moment s'y prête bien.

Elle en eut le souffle coupé. Même si elle ne doutait pas d'épouser Brad un jour, elle imaginait ça pour plus tard, peut-être quand elle aurait passé la trentaine et qu'ils voudraient des enfants...

— Tu es sérieux ? demanda-t-elle d'un air solennel.

— Parfaitement. Et puisque ton père va prendre sa retraite, je pense que le mieux serait de ne pas trop tarder, car bientôt tu n'auras plus une minute à toi. Alors ? Tu ne dis rien ? fit-il, un peu inquiet.

— Je savoure cet instant, répondit-elle en souriant. Oui, bien sûr que je veux t'épouser ! En fait, je n'attendais que ça...

26

Héloïse et Brad s'étaient décidés pour un samedi de septembre. Par chance, le soleil était de la partie cet après-midi-là. Natalie, assistée de Jan et de trois anciennes camarades d'Héloïse, tenait le rôle de dame d'honneur. Selon la tradition américaine, la petite Stéphanie fut désignée bouquetière, c'est-à-dire qu'elle était chargée de répandre des pétales de fleurs sous les pas de la mariée. La responsabilité d'apporter les alliances échut à son frère jumeau, mais comme il ne cessait de les poser n'importe où, Natalie les garda pour lui jusqu'à la dernière minute. Naturellement, Hugues avait accepté avec fierté et émotion de conduire sa fille à l'autel. Même Miriam et Greg avaient fait le voyage, attirant une foule de paparazzis devant l'entrée du Vendôme. Tous les êtres chers au cœur d'Héloïse se trouvaient là : les employés du Vendôme qui l'avaient vue grandir, ceux avec qui elle avait travaillé, ses amis du Lycée et même une condisciple de l'Ecole hôtelière. De son côté, Brad n'était pas en reste, car sa famille et ses amis avaient répondu présent en masse.

Cette fois-ci, cela avait été au tour de Natalie d'aider sa belle-fille à planifier l'événement. Après avoir assisté à tous les essayages de la robe de mariée, elle l'avait conseillée pour choisir les tenues des demoiselles d'honneur. Les futurs mariés s'étaient mis d'accord sur le choix de l'orchestre et des musiques qui marqueraient les temps forts de la soirée. Les idées d'Héloïse concernant les fleurs et autres décorations étaient très arrêtées. Elle avait demandé à Jan d'expliquer à Franco de façon détaillée à quoi devraient ressembler les guirlandes de feuillage et les buis taillés qu'elle avait en tête. Enfin, elle n'aurait pu confier à personne d'autre qu'à sa vieille amie – et fleuriste préférée – la réalisation de son bouquet de mariée, composé d'une multitude de clochettes de muguet.

Héloïse avait longtemps hésité avant d'inviter sa mère. Il n'était pas impossible que Miriam ne se sente même pas concernée par l'événement. Cependant, il n'aurait pas été convenable de ne pas la prévenir et Hugues insista pour qu'Héloïse lui laisse sa chance.

« Si tu regardes au fond de toi, est-ce que tu as envie qu'elle soit là ? lui avait demandé Natalie.

— Je me sens un peu bête de l'avouer… avait répondu Héloïse après un silence, suivi d'un profond soupir. Mais je crois que oui.

— Ce n'est pas bête du tout. Aussi égoïste et inadaptée soit-elle, Miriam restera toujours ta mère. Le jour de mon mariage, la mienne m'a vraiment manqué, même si elle ne se serait sans doute pas montrée plus aimable que d'habitude ce jour-là. »

Depuis qu'elles s'étaient découvert ce point commun, les deux femmes gardaient un lien très fort. Héloïse était devenue moins fragile et elle était prête à risquer un refus de la part de Miriam : la présence de sa belle-mère suffirait largement à son bonheur.

Pourtant, au grand étonnement d'Héloïse, Miriam avait accepté avec joie. Elle avait réservé deux grandes suites pour Greg, leurs enfants et elle, regrettant que la suite présidentielle ne soit pas disponible. Si Hugues trouvait naturel d'offrir le séjour à son ex-femme, il n'allait tout de même pas déloger son client le plus important pour elle...

La semaine précédant le grand jour passa à toute vitesse, d'autant plus qu'Héloïse travailla jusqu'à la dernière minute. Finalement, tout fut prêt à temps.

Le dîner de répétition se déroula dans la salle du restaurant, fermé au public pour l'occasion. Le lendemain, alors même qu'Héloïse venait juste de sortir un pied hors du lit, elle vit débarquer Natalie et Miriam, venues l'aider à s'habiller. Comme on pouvait s'y attendre, la mère de la mariée était vêtue d'une robe courte, transparente et particulièrement provocante. Le fait de porter du blanc à un mariage, celui de sa fille qui plus est, ne semblait pas la déranger le moins du monde ! Quant à Arielle et Joey, ils s'étaient présentés à la cérémonie en jean et baskets, aussi tatoués que leurs parents, et Joey ne s'était pas gêné pour apporter sa propre bouteille de bière au dîner de répétition. Stéphanie avait déclaré qu'il était très mal élevé.

Héloïse avait choisi une robe d'organdi toute simple, d'un blanc pur, pourvue d'une jupe extrêmement ample et de manches transparentes, qui lui donnait l'air de flotter dans un nuage, tandis que ses cheveux roux étaient tirés en un chignon lisse sous son voile. A sa vue, les yeux de son père s'emplirent de larmes. Il se la remémorait à sept ans, parcourant l'hôtel en robe à smocks et souliers vernis... Il avait attendu ce moment toute sa vie et n'aurait pu être plus heureux.

La cérémonie fut simple et brève. Le petit Julien leur tendit fièrement les alliances, puis le pasteur les déclara mari et femme. Quand Brad l'embrassa, Héloïse sentit plus que jamais qu'elle avait fait le bon choix.

Ensuite ils dansèrent ensemble, comme seuls au monde et rayonnants de bonheur.

— Est-ce que tout est conforme à tes attentes, ma chérie ? s'enquit Brad.

— Je suis dans un rêve, lui répondit son épouse, ça dépasse mes espérances ! Et c'est la première fois que j'ai l'impression d'être cliente de l'hôtel !

Miriam parvint à se tenir convenablement toute la soirée et complimenta Hugues : le Vendôme était encore plus beau que par le passé. Il l'invita à danser et, à son grand soulagement, il s'aperçut que toute sa colère envers elle était retombée. Même Greg Bones se montra plutôt poli ; seuls leurs enfants se firent remarquer pendant le cocktail, si ivres qu'ils furent obligés de quitter la fête avant que les invités ne passent à table pour le dîner. Stéphanie et Julien, mignons en diable, dansèrent entre eux, puis avec leurs parents.

A vingt-trois heures, tout le monde marqua une pause pour dire au revoir aux mariés, qui partaient pour Paris dans la nuit. Ils feraient étape au Ritz, avant de s'envoler pour Nice le lendemain et de passer leur lune de miel à l'hôtel du Cap, au Cap d'Antibes.

Le moment était venu pour Héloïse de lancer son bouquet... sans regret, puisque Jan lui en avait confectionné un second, qu'elle ferait sécher et garderait en souvenir. D'un geste précis, elle visa sa petite sœur, qui gloussa de joie quand les fleurs atterrirent entre ses mains.

— Ah, les filles... commenta son frère jumeau, levant les yeux au ciel.

Pour Héloïse, c'était une revanche sur tous les bouquets qu'elle aurait voulu attraper dans son enfance. C'était aussi un hommage à celui que Natalie lui avait lancé, sept ans auparavant, le jour de sa rencontre avec Brad.

Devant l'hôtel, Héloïse prit le temps d'embrasser son père avant de monter dans la Rolls sous une pluie de pétales de roses. A peine la voiture avait-elle démarré que son portable se mit à sonner. C'était la réception de l'hôtel. Elle voulut décrocher, mais Brad l'embrassa et lui prit le combiné des mains.

— Ce soir, tu n'es pas de service. Tu es à moi pour les deux semaines à venir...

Et même pour le reste de leur vie ! Ils s'embrassèrent, puis Héloïse éteignit son téléphone. L'hôtel Vendôme serait là à son retour, comme il l'avait toujours été.

Vous avez aimé ce livre ?
Vous souhaitez en savoir plus sur Danielle STEEL ?
Devenez, gratuitement et sans engagement, membre du
CLUB DES AMIS DE DANIELLE STEEL
et recevez une photo en couleur dédicacée.

Pour cela il suffit de vous inscrire sur le site
www.danielle-steel.fr
ou de nous renvoyer ce bon accompagné d'une enveloppe
timbrée à vos noms et adresse au
Club des Amis de Danielle Steel
– 12, avenue d'Italie – 75627 PARIS CEDEX 13

Monsieur – Madame – Mademoiselle

NOM :
PRÉNOM :
ADRESSE :

CODE POSTAL :
VILLE :
Pays :

E-mail :
Téléphone :
Date de naissance :
Profession :

La liste de tous les romans de Danielle Steel publiés aux Presses de la Cité se trouve au début de cet ouvrage. Si un ou plusieurs titres vous manquent, commandez-les à votre libraire. Au cas où celui-ci ne pourrait obtenir le ou les livres que vous désirez, si vous résidez en France métropolitaine, écrivez-nous pour le ou les acquérir par l'intermédiaire du Club.